J.C.

AGENT IN HÖCHSTER GEFAHR

JOE CRAIG

AGENT IN HÖCHSTER GEFAHR

Aus dem Englischen von
Alexander Wagner

cbj

 Dieses Buch ist auch als E-Book erhältlich.

MIX
Papier aus verantwor-
tungsvollen Quellen
FSC
www.fsc.org FSC® C083411

Verlagsgruppe Random House FSC® N001967

3. Auflage
© 2017 der deutschsprachigen Ausgabe
cbj Kinder- und Jugendbuchverlag
in der Verlagsgruppe Random House GmbH,
Neumarkter Straße 28, 81673 München
Alle deutschsprachigen Rechte vorbehalten
© 2008 Joe Craig
Die englische Originalausgabe erschien 2008 unter dem Titel:
»Jimmy Coates – Revenge«
bei HarperCollins Children's Books, einem Imprint
der Verlagsgruppe HarperCollins Ltd, London
Übersetzung: Alexander Wagner
Umschlagkonzeption: Isabelle Hirtz, Inkcraft
unter Verwendung eines Motivs von © Istockphoto (aluxum)
und mehrerer Bilder von © Shutterstock
MP · Herstellung: UK
Satz: KompetenzCenter, Mönchengladbach
Druck: CPI books GmbH, Leck
ISBN 978-3-570-17461-6
Printed in Germany

www.cbj-verlag.de

KAPITEL 1

Jimmys Augen öffneten sich, noch bevor er richtig wach war. Sein Schädel pochte und ein weiterer unheimlicher Albtraum, an den er sich nicht erinnern konnte, verflüchtigte sich. Wie üblich hatte seine Konditionierung die Kontrolle über sein Gehirn übernommen, während er schlief. Sie flutete jeden Winkel seines Körpers mit hochbrisantem Wissen und unterstützte die Förderung seiner außergewöhnlichen Fähigkeiten. Jeden Tag wurde Jimmy ein wenig mehr zu einem hochgefährlichen Superagenten.

Er fragte sich, was ihn geweckt hatte. Dem Dämmerlicht nach zu urteilen, war es früher Morgen. Jimmy wagte nicht, den Kopf zu drehen. Möglicherweise wurde er beobachtet. Stattdessen lauschte er aufmerksam, analysierte jedes Geräusch. In seiner Brust regte sich ein vertrautes Gefühl. Es war die Paranoia, die er nicht mehr abschütteln konnte. Sie war zu einem selbstverständlichen Teil seiner selbst geworden. Und er hatte gelernt, ihr zu vertrauen.

Seine rechte Wade zuckte unter der Bettdecke. War das ein Warnsignal? Ebenso gut konnte es völlig bedeutungslos sein. Seit der *NJ7*, der am besten getarnte und modernste militärische Geheimdienst der Welt, versucht hatte, ihn aus seinem Elternhaus zu verschleppen, lagen Jimmys Nerven blank. Das war nur knapp einen Monat her, doch es fühlte sich an wie eine Ewigkeit.

Seither lebte Jimmy in dem Wissen, dass der *NJ7* seine Gene manipuliert hatte. Jimmy Coates war dazu bestimmt, eine biologische Kampfmaschine zu werden, die mit dem achtzehnten Lebensjahr voll einsatzfähig sein würde. Das Ganze schien ihm immer noch völlig unglaublich. Jimmy hielt sich nach wie vor für einen ganz normalen Jungen. Doch er war alles andere als normal.

Jimmy stellte sich vor, wie beständig Millionen elektrischer Impulse von seinem Gehirn ausgingen und seinen Körper widerstandsfähiger und kampfbereiter machten. Doch das, was er jetzt spürte, war mehr als die gewohnten Symptome seiner Konditionierung.

Die Zimmertemperatur war gesunken. Von irgendwoher wehte ein leichter Windzug. Und das, obwohl sie die Fenster beim Zubettgehen geschlossen hatten. Jimmy lag dem Fenster abgewandt, daher konnte er es nicht überprüfen. Und wie hätte jemand ein Fenster von draußen einschlagen können, ohne sie alle zu wecken?

Sorgfältig musterte er den Teil des Raums, der in seinem Blickfeld lag. Er registrierte die Silhouetten der in Schatten gehüllten Möbel. Drei Betten standen im Raum, mit dem Kopfteil zur Wand. In dem Bett neben ihm schlief sein Freund Felix tief und fest.

Aus den Augenwinkeln sah Jimmy das Fußende des dritten Bettes. Die Füße seiner Schwester bildeten einen kleinen Hügel unter der Bettdecke. *Okay*, dachte er, *Felix und Georgie sind also nicht entführt worden. Für den Anfang schon mal ganz gut.*

Jimmy war sich ständig bewusst, dass nicht nur sein eigenes Leben bedroht war. Auch Georgie, Felix und Jimmys Mutter schwebten in permanenter Gefahr.

Erst am Abend zuvor waren sie in dieser Frühstückspension irgendwo im Nirgendwo eingetroffen, auf der Flucht vor dem *NJ7*. Felix' Eltern, Neil und Olivia Muzbeke, versteckten sich schon seit einiger Zeit hier.

Sein eigener Vater – oder besser gesagt, der Mann, den er bisher für seinen Vater gehalten hatte – war nicht bei ihnen. Er hatte sich von Jimmy abgewandt, als ihm klar wurde, dass Jimmy nicht bereit war, seiner Bestimmung zu folgen und für den *NJ7* zu töten. *Du bist nicht mein Sohn.* Diese Worte von Ian Coates hatten Jimmy schwer getroffen und lösten noch immer eine Woge hilfloser Wut in ihm aus. Das und die Tatsache, dass Ian Coates, der neue Premierminister von Großbritannien, ihn eliminieren lassen wollte.

Plötzlich hörte Jimmy etwas. Das Geräusch war so leise, dass es fast von Felix' gleichmäßigem Schnaufen übertönt worden wäre. Augenblicklich identifizierten seine Agenteninstinkte das Geräusch: Es klang, als streife etwas Hauchzartes über das Parkett. Das verriet ihm zwei Dinge. Erstens: Es war definitiv jemand in den Raum eingedrungen. Zweitens: Wer auch immer es war, er war äußerst gefährlich.

Sie haben mich gefunden, dachte Jimmy. Panik erfasste

7

ihn, und gleichzeitig erwachten die Instinkte, die in ihm angelegt waren. Sie fegten seine Angst einfach beiseite. Und noch bevor er einen Gedanken fassen konnte, handelte Jimmy blitzartig.

Mit seinem rechten Bein schleuderte er die Bettdecke in Richtung Fenster. Sie wickelte sich um die sich nähernde Gestalt. Im gleichen Moment sprang Jimmy im Bett auf – gerade noch rechtzeitig. Der Eindringling schleuderte die Decke zurück auf die Matratze.

Dann federte Jimmy auf der Matratze und stieß sich mit den nackten Füßen kräftig ab. Er schnellte in einen Salto und landete in Verteidigungshaltung direkt vor seinem Angreifer. Beide hatten sich völlig geräuschlos bewegt. Felix und Georgie schlummerten immer noch friedlich. Nun konnte Jimmy zum ersten Mal einen Blick auf den Eindringling werfen. Er war klein – überraschenderweise kaum größer als Jimmy – und sein Körperbau war eher zart. Das Gesicht war unter einer schwarzen Sturmmaske verborgen, ein schwarzer Kampfanzug umhüllte den schlanken Körper. Auf der Brust des Angreifers bemerkte Jimmy drei vertikale Streifen. Obwohl er mit seiner Nachtsichtfähigkeit Farben schwer unterscheiden konnte, war ihm klar, dass sie grün sein mussten. Der grüne Streifen war das Abzeichen des *NJ7*. Aber warum waren es hier drei? Er schob diese irritierende Beobachtung beiseite, da ihm plötzlich der schreiende Kontrast zwischen dem militärischen Outfit seines Angreifers und seinem eigenen mit Häschen bedruckten Schlafanzug bewusst wurde, den er sich von den Besitzern der Frühstückspension hatte ausleihen müssen. Schlagartig war er sich seiner ganzen Verletzlichkeit bewusst und begann zu zittern.

Jimmy fixierte die Augen des Eindringlings – ihr blasses Blau wurde von seiner Nachtsicht noch intensiviert. Das eisblaue Augenpaar musterte Jimmy von Kopf bis Fuß.

»Der Schlafanzug gehört mir nicht«, bemerkte Jimmy. »Normalerweise schlaf ich in einem T-Shirt und …«

»Was geht ab?«, unterbrach ihn Felix gähnend. Sein Haar stand wild nach allen Seiten und er blinzelte verwirrt. Für seine Augen war es immer noch viel zu dunkel.

Jimmy warf ihm einen kurzen Blick zu, doch das war ein Fehler. Diesen Sekundenbruchteil nützte die maskierte Gestalt und stürzte sich auf ihn. Jimmy wich ihr aus, indem er sich zu Boden fallen ließ. In einer blitzschnellen Bewegung rollte er unter seinem Bett hindurch und tauchte auf der anderen Seite wieder auf.

»Bist du das, Jimmy?«, fragte Felix.

Der Eindringling hechtete über das Bett auf Jimmy zu – direkt vor Felix' Nase.

»Morgen, Felix«, grunzte Jimmy, wirbelte um die eigene Achse, sprang in die Luft und riss dabei das Bein nach oben. Er erwischte seinen Angreifer mitten im Flug und traf ihn hart. »Bisschen Unterstützung wäre nett.«

Die beiden Kämpfer krachten zu Boden. Das Geräusch weckte nun auch Georgie.

»Jimmy, alles in Ordnung?«, flüsterte sie besorgt. Sie

erhielt keine Antwort. Also hüpfte sie aus dem Bett und stolperte zum Lichtschalter.

Jimmy umklammerte den Angreifer mit ganzer Kraft. Die beiden rangen verbissen miteinander und wälzten sich in einem Durcheinander aus Armen und Beinen. Jimmys besondere Kräfte liefen jetzt auf Hochtouren. Er befreite einen Arm, packte den Kopf des Angreifers, drehte ihn und drückte ihn zu Boden. Dann riss ihm Jimmy die schwarze Maske vom Kopf.

Jimmy richtete sich ein Stück auf, wobei er den Eindringling weiter am Boden festhielt. Nur war es – wie er überrascht feststellen musste – gar kein *Er*. Etwas kitzelte an Jimmys Lippen. Lange Haare streiften sein Gesicht. Er blies sie weg, ohne dabei seinen Griff zu lockern. Ein merkwürdiger Geruch lag in der Luft. War das etwa Kokosnussshampoo?

Inzwischen hatte Georgie den Lichtschalter gefunden – aber er funktionierte nicht. Verzweifelt hämmerte sie darauf herum. Der Raum blieb dunkel. Stattdessen suchte sie nach dem Türgriff. In dem Moment bäumte sich die unbekannte Person plötzlich so heftig auf, dass Jimmy heruntergeschleudert wurde. Sie warf sich auf ihn, presste die Luft aus seinen Lungen und stürzte sich dann auf Georgie.

Georgie hatte gerade die Tür einen Spalt geöffnet, da krachte die Angreiferin gegen ihren Rücken. Die Tür schlug wieder zu und Georgies Gesicht wurde gegen das Holz gepresst. Sie wollte um Hilfe schreien, aber bevor sie einen Ton herausbrachte, wurde sie gepackt und zurück auf ihr Bett geschleudert. Die mysteriöse Gestalt drückte die Bettdecke auf Georgies Gesicht und rollte sie auf den Bauch. Georgie versuchte erneut zu schreien, aber die Bettdecke erstickte jedes Geräusch. Georgie war jetzt so fest darin eingewickelt, dass sie ihre Arme nicht mehr bewegen konnte.

Jimmy schüttelte seine Benommenheit ab und trat fest gegen Georgies Bett. Es knallte gegen seine Angreiferin und brachte sie aus dem Gleichgewicht. Sofort hechtete Jimmy über das Bett hinweg und versuchte erneut, sie zu packen. Doch sie wirbelte herum wie eine Breakdancerin. Und bei jeder ihrer Drehungen landete ihr Fuß voll in Jimmys Gesicht.

Felix war jetzt aus dem Bett und tapste mit ausgestreckten Armen durch den Raum. Als er die Wand erreichte, tasteten seine Hände nach dem Lichtschalter. Er hatte nichts von Georgies vorherigen Versuchen mitbekommen. Diese protestierte wütend in ihrem Bettkokon, strampelte und wand sich, um sich zu befreien.

»Keine Sorge, Jimmy«, verkündete Felix. »Ich bin unterwegs.« Und dann schrie er, so laut er konnte: »Hilfe!«

»Still, Felix«, zischte Jimmy, der zurückwich, um weiteren Tritten zu entgehen. Das Letzte, was er jetzt brauchte, war die Aufmerksamkeit der Nachbarn. Das würde in null Komma nichts den *NJ7* auf ihre Spur bringen. »Geh und hol meine Mum.«

Felix wandte sich der Tür zu, doch die Angreiferin hielt ihn auf. Genau darauf hatte es Jimmy abgesehen. Er glitt unter Felix' Bett, winkelte seine Beine an, spannte all seine Muskeln und wuchtete die eine Seite nach oben, bis es senkrecht in der Luft stand. Dann ließ er es mit einem gezielten Tritt zur anderen Seite umkippen. Der Bettrahmen zersplitterte in zig Stücke. Das Bett war verkehrt herum gelandet – direkt auf Jimmys Gegnerin.

Jimmy zerrte sie unter den Trümmern hervor. Er setzte sein Knie auf ihren Rücken und bohrte seinen Ellbogen in ihren Nacken. Diesmal würde sie ihm nicht entkommen.

»Ich bin auf eurer Seite!«, brachte sie mit erstickter Stimme hervor. Jimmys innere Spannung ließ ein wenig nach, aber er blieb äußerst wachsam.

»Das ist ein Trick«, warnte ihn Georgie. Sie hatte sich endlich von ihrer Decke befreit.

»Wer bist du?«, wollte Jimmy wissen. Mit jeder Sekunde wurde ihm klarer, dass seine Angreiferin nicht zu einem *NJ7*-Einsatzkommando gehörte. Statt einer Antwort schob sie ihre Hand in die Tasche. Erneut spannte Jimmy alle Muskeln, doch seine Gegnerin zog nur ein kleines schwarzes Plastikteil hervor. Sie drückte einen Knopf und alle Lichter im Raum gingen an.

Jimmy spürte, wie der Körper seiner Angreiferin unter ihm nachgab. Fast so, als würde etwas Luft herausgelassen. Der Kampf war vorüber. Sie gab auf – zumindest für den Augenblick. Jimmy erhob sich und trat langsam zurück.

Und nun sahen sie alle zum ersten Mal das Gesicht der mysteriösen Gestalt. Jimmy, Georgie und Felix schnappten überrascht nach Luft. Vor ihnen auf dem

Boden lag ein Mädchen etwa in ihrem Alter. Eine wilde Mähne kastanienbrauner Haare umrahmte ihr Gesicht. Jimmy war überrascht. Felix war völlig fasziniert.

»Ich bin gekommen, um mich mit dir zu unterhalten«, erklärte das Mädchen. Sie redete leise und ihr leichter Akzent ließ ihre Stimme ein wenig exotisch klingen.

Jimmy verzog keine Miene. »Wenn das für dich eine Unterhaltung war«, erwiderte er, »dann bin ich ziemlich gespannt auf unseren ersten Streit.«

KAPITEL 2

»Hab ich dich etwa zu hart angepackt?«, spottete das Mädchen. »Das tut mir aber leid. Ich wollte nur sehen, was du so draufhast.« Sie erhob sich mit überraschender Eleganz.

»Ich hätte dich töten können, Jimmy Coates«, fuhr sie fort. »Aber dann hättest du niemals erfahren, dass es mich gibt.« Sie glitt auf ihn zu, ohne ihn dabei aus den Augen zu lassen. »Ich hätte es allerdings ganz schmerzlos gemacht. Du wirkst nämlich nett.« Sie zwinkerte ihm zu. Jimmy schoss das Blut in die Wangen. Er war verwirrt.

»Mein Name ist Zafi Sauvage.« Das Mädchen streckte ihm ihre Hand hin, die in einem schwarzen Lederhandschuh steckte. Jimmy schüttelte sie benommen. Es war merkwürdig. Normalerweise würde er niemandem die Hand geben, der Sekunden vorher versucht hatte, ihm das Genick zu brechen.

Felix drängte die anderen beiseite und hielt Zafi seine Hand hin. »Ja, ähm, hallo«, begann er. »Ich bin entzückt, dich kennenzulernen.«

Jimmy zog eine Grimasse. *Entzückt?* Was war denn in Felix gefahren?

»Wirklich überaus erfreut. Mein Name ist Felix. Und ich muss sagen, du bist im wahrsten Sinne des Wortes umwerfend.«

»Aber wenn du nicht hier bist, um mich zu töten …«, unterbrach ihn Jimmy. Doch er beendete seinen Satz nicht. Zu viele Fragen auf einmal drängten sich ihm auf. Für wen arbeitete dieses Mädchen? Was wollte sie? Wie hatte sie herausgefunden, wo Jimmy und die anderen sich versteckten? Doch eine Frage beschäftigte ihn am allermeisten. *Ist dieses Mädchen ein Agent, so wie ich?*

»Ich fasse es nicht«, keuchte Georgie, als hätte sie seine Gedanken gelesen. »Es gibt noch einen dritten genetisch veränderten Agenten.«

»Wollt ihr mir keinen Sitzplatz anbieten?«, fragte Zafi und zog eine Augenbraue hoch.

Felix offerierte ihr sofort das Ende von Georgies Bett.

»Beachte sie gar nicht«, plapperte er. »Die haben keine Manieren. Hey, schau mal, was ich kann.« Er zog seine Augenlider nach oben, sodass man ihr rotes Inneres sah, und verdrehte die Augen. Mit dieser Grimasse starrte er Zafi an, bis sie kicherte.

»Oh, wie hübsch«, sagte sie und lachte. »Schau mal, was ich kann.« Sie zog ihren Handschuh aus und presste ihre Handfläche auf ein Auge. Dann drehte sie die Hand, wobei ein merkwürdiges Sauggeräusch entstand. Und als sie ihre Hand wegzog, sprang ihr Augapfel heraus. Er baumelte am Ende ihres Sehnervs auf ihrer Wange. Sie strahlte vor Freude.

»Wow«, stammelte Felix.

Zafi ließ ihr Auge seelenruhig wieder zurück in seine Höhle gleiten und strich sich die Haare hinters Ohr.

»Jimmy, hast du das gesehen?«, rief Felix. »Das ist so was von cool.«

Aber Jimmy beachtete ihn nicht. Er war dabei, das Fenster zu untersuchen. Sein Verdacht bestätigte sich: Die Scharniere waren mit einer Art Öl gefettet worden. Jimmy bewunderte Zafis Arbeit. Sie hatte das Fenster völlig lautlos geöffnet.

Jimmy wandte sich wieder Zafi zu. Sie sah aus, als würde sie sich nur mühsam ein Grinsen verkneifen. Betrachtete sie das Ganze hier etwa als Spaß?

Jetzt, bei Licht, erkannte er, dass die Streifen auf ihrer Jacke nicht grün, sondern blau, weiß und rot waren. Es waren die Farben der *Tricolore* – der französischen Flagge. Das beantwortete zumindest die Frage, für wen sie arbeitete.

Jimmy wurde klar, dass Zafi eine wichtige Verbündete für ihn sein könnte. Der französische Geheimdienst, *DGSE*, hatte ihm bei seiner Flucht geholfen. Infolgedessen hatten sich die britisch-französischen Beziehungen noch weiter verschlechtert. Die beiden Länder standen kurz vor einem Krieg. Folglich musste Zafi ebenso wie er eine Gegnerin des neodemokratischen England sein. Jimmys Neugierde war jetzt nicht mehr zu bremsen.

»Hey, ihr zwei Turteltauben«, begann er, »hört auf mit dem Quatsch. Ich muss wissen, was hier abläuft.«

»Hast du nicht gesehen, was sie mit ihrem Auge gemacht hat?«, schnaufte Felix.

Jimmy ignorierte ihn.

»Worum sollte es bei dieser *Unterhaltung* gehen, die du mit mir führen wolltest?«, verlangte er zu wissen. Aber bevor Zafi antworten konnte, marschierte Georgie zur Tür.

»Ich würde mir nicht die Mühe machen, deine Mutter zu holen«, flüsterte Zafi. »Sie ist im Moment ein wenig benommen.«

Georgie fuhr herum. Panik stand ihr ins Gesicht geschrieben. Jimmys Gefühle waren zwiespältig: Zuerst war da die Angst um seine Mutter, doch dann stieg eine beruhigende Wärme in ihm empor. In der Logik seiner Agenteninstinkte war das alles vollkommen nachvollziehbar. Der ganze Lärm, Felix' Hilfeschrei, das laut zu Boden krachende Bett – und trotzdem war niemand ihnen zu Hilfe geeilt. Zafi musste die anderen im Haus irgendwie betäubt haben. An Zafis Stelle hätte er genauso gehandelt. Während er noch darüber nachdachte, erklärte Zafi den anderen bereits ihr Vorgehen.

»Ich habe Betäubungsgas durch die Ritzen in den Fenstern gesprüht, bevor ich in eures eingestiegen bin.«

Georgie fixierte Zafi kurz mit einer Mischung aus Misstrauen und Ärger. Dann marschierte sie aus dem Zimmer.

»Vertraut sie mir nicht?«, fragte Zafi mit einem frechen Funkeln in den Augen.

Das war zu viel für Jimmy. *Wie kann sie es wagen, darüber Witze zu machen.* War ihr nicht klar, dass sie Menschenleben gefährdete? Außerdem hatte sie ihm immer noch keinen Grund für ihre Anwesenheit geliefert. Jimmy packte Zafis Schulter und drückte sie aufs Bett.

»Wie kannst du das nur tun?«, fauchte er, sein Gesicht dicht vor ihrem. Zafis einzige Reaktion war ein kleines Lächeln.

»Dumme Frage«, antwortete sie. »Ich bin genetisch programmiert, genau wie ...«

»Nein, ich meine, wie kannst du das alles tun, ohne schlechtes Gewissen?« Jimmy kochte vor Wut. »Ist dir nicht klar, dass es falsch ist, unschuldige Leute anzugreifen, sie zu betäuben oder sogar umzubringen? Es ist falsch.«

»Vielleicht ist es das«, flüsterte Zafi. »Aber ich bin nicht dafür verantwortlich. Es ist meine Konditionierung. Manchmal bin ich traurig darüber, manchmal nicht.«

Jimmy hätte ihr am liebsten ins Gesicht geschrien. Doch stattdessen ließ er sie los und richtete sich auf. Hätte er das Thema vertieft, müsste er sich möglicherweise eingestehen, dass er sie um ihre Einstellung beneidete.

Georgie kam zurück ins Zimmer. Sie sah nicht glücklich aus. »Ich kriege Mum nicht wach«, verkündete sie.

»Und was ist mit meinen Eltern?«, fragte Felix.

»Die reagieren auch nicht. Als würden sie alle einen Winterschlaf halten oder so was.«

»Sie werden alle noch ein paar Stunden brauchen«, erklärte Zafi und strich sich die Haare hinter die Ohren. »Zum Mittagessen sind sie wieder fit.«

Jimmy wäre am liebsten aufgestanden und hätte seine große Schwester beruhigt, aber eine Frage ließ ihn einfach nicht los. Wozu wäre er fähig, wenn er sich wie Zafi für nichts verantwortlich fühlen würde?

Georgie baute sich vor Zafi auf. »Du erzählst uns jetzt besser mal, was hier abgeht.«

Zafi seufzte. »Aber es ist doch gerade so lustig«, zwitscherte sie. »Ich fühle mich wie bei einer Pyjamaparty.«

Felix entfuhr ein nervöses Kichern.

»Ich arbeite für Frankreich«, verkündete Zafi mit einem Schulterzucken. »Meine Regierung rechnet damit, dass England und Frankreich sich bald den Krieg erklären.«

»Was?«, keuchte Georgie. »Wieso?«

Jimmy schaltete sich ein. »Die Franzosen sind mit einem Kampfflugzeug in den britischen Luftraum eingedrungen.«

»Aber erst nachdem der *NJ7* ein französisches Bauernhaus bombardiert hatte«, fügte Zafi hinzu.

»Aber das war keine Attacke gegen Frankreich.« Jimmy seufzte. »Dort war unser Versteck. Der *NJ7* wollte uns erwischen.«

»Na ja, jedenfalls haben sie sich damit ziemlich in Schwierigkeiten gebracht.«

Zafi und Jimmy starrten einander an.

»Ich bin gekommen, um dich auf die richtige Seite zu holen.«

»Du willst, dass ich für Frankreich und gegen England kämpfe – in einem Krieg?« Jimmy versuchte, ruhig zu bleiben.

Zafi nickte.

»Wer sagt denn, dass es wirklich Krieg gibt?«, fragte Felix. »Ist doch Blödsinn. Niemand kann so bescheuert sein, gleich einen Krieg anzufangen.«

Jimmy hoffte, sein Freund würde recht behalten. Aber er war sich alles andere als sicher. Er trat zum Fenster. Es stand seit Zafis Eindringen offen. Für einen Moment zögerte er. Eine Stimme in seinem Kopf forderte ihn auf, einfach in die Nacht zu fliehen und für immer zu verschwinden. Doch dann schloss er das Fenster, so leise, wie Zafi es geöffnet hatte. Jimmy fühlte sich, als hätte er gerade die Tür seiner eigenen Gefängniszelle hinter sich zugeschlagen.

Erwartete Zafi etwa sofort eine Antwort? Jimmy hatte alle seine Liebsten in Lebensgefahr gebracht, nur um nicht als Killer für den *NJ7* arbeiten zu müssen. Da konnten die Franzosen wohl kaum von ihm erwarten, dass er jetzt für sie mit dem Töten anfangen würde.

Warum dachte er überhaupt so lange darüber nach? Und wieso zitterte seine Hand?

»Ich habe mich schon einmal an euch gewandt«, sagte er schließlich. »An den *DGSE*. Als wir eure Hilfe brauchten. Ich habe angeboten zu kooperieren.«

»Zu kooperieren oder zu uns überzulaufen?«, hakte Zafi nach.

»Ich habe Uno Stovorsky Informationen angeboten. Aber er hat gesagt, er bräuchte sie nicht. Und er hat mir nie vorgeschlagen, für euch zu arbeiten.«

»Damals hat der *DGSE* dich noch nicht gebraucht«, erklärte Zafi. »Er hatte mich.« Sie grinste listig. »Aber seit gestern hat sich die Lage geändert. Jetzt braucht Frankreich *dich*.«

Jimmy bekam seine Gedanken nicht in den Griff. »Ich verstehe das einfach nicht«, überlegte er laut. »Ich dachte, es gäbe nur zwei von uns. Mitchell und mich. Wir sind beide Engländer. Wie kommt es, dass du bist wie wir, aber trotzdem Französin?«

»Ich schätze, du brauchst eine kleine Geschichtslektion«, seufzte Zafi. »Also, das Team von Wissenschaftlern, das uns entwickelt hat, hatte vor über zwölf Jahren einen Streit. Einer der Wissenschaftler war Franzose. Und als der Ärger anfing, floh er zurück nach Paris.«

»Und dich hat er mitgenommen?«, japste Felix. Sein Mund stand offen.

»So ähnlich.« Zafi lächelte ihm freundlich zu. »Ich war damals ja noch nicht geboren. Aber er nahm alle Unterlagen mit, die er brauchte, um mich entstehen zu lassen.«

»Also weiß niemand beim *NJ7* von dir?«, fragte Jimmy.

Zafi schüttelte den Kopf. »Sie suchen nach etwas, das *ZAF-1* heißt.«

Jimmy kannte den Begriff. Er hatte ihn schon einmal im Hauptquartier des *NJ7* gehört. Aber seine Bedeutung war ihm bisher schleierhaft gewesen.

»Du bist *ZAF-1*?«, fragte er.

»Du solltest besser aufpassen, Jimmy Coates.« Zafi blickte auf und klimperte mit den Wimpern. »Ich habe gesagt, sie suchen ein Etwas namens *ZAF-1*. Sie halten es für einen Geheimdienst. Aber den gibt es nicht. Es gibt nur ... «

»Zafi«, vervollständigte Jimmy den Satz.

»Genau. Mich!«

»Sie wissen nicht, dass du existierst«, stellte Jimmy aufgeregt fest. »Ich war dort, beim *NJ7*.« Sein Blick wanderte von Georgie über Felix zu Zafi. »Ich habe mitbekommen, wie sie über *ZAF-1* geredet haben. Sie hatten Angst davor, wussten aber nicht, was es bedeutet ... «

»Noch nicht«, schnitt Zafi ihm das Wort ab. »Das werden sie aber schon bald. Dr. Higgins' Papiere werden es ihnen verraten.«

Dr. Higgins – der Wissenschaftler hinter dem Entwicklungsprogramm für genetisch programmierte Agenten. Der Name löste immer noch ein seltsames Gefühl in Jimmy aus. Er wollte den alten Mann hassen, aber sein Körper ließ es nicht zu. Das Resultat war ein Gefühl, als wäre man seekrank und würde es genießen. Wo der Doktor wohl im Moment steckte? Higgins war geflohen, nachdem er selbst zum Killer geworden war und den Premierminister Ares Hollingdale getötet hatte. Er konnte sich überall auf der Welt verbergen. Aber vielleicht hatte ihn der *NJ7* auch längst aufgespürt und sich an ihm gerächt.

»Mir bleibt keine Zeit mehr, Jimmy«, sagte Zafi sanft. Sie stand auf und legte eine Hand auf seinen Arm. »Und dir auch nicht.«

Jimmy straffte sich, ebenso wie Georgie und Felix.

»Ich habe heute Nacht alles in meiner Macht stehende getan, um euch zu helfen«, fuhr sie fort.

»Was meinst du damit?«, fragte Georgie misstrauisch.

»Ich habe sie abgelenkt, sodass sie eurer Spur nicht aus London folgen konnten.« Zafi lächelte verschlagen.

Jimmy konnte es nur schwer ertragen, dass sie alles zu amüsieren schien.

»Du musst jetzt mit mir kommen.«

Jimmy blickte zu seinem Freund und dann zu seiner Schwester. Er konnte ihnen die Gedanken vom Gesicht ablesen. Das Letzte, was sie wollten, war, dass er sie verließ. Aber etwas in ihm drängte ihn, Zafi zu begleiten. Und das, obwohl er bisher alles nur Erdenkliche getan hatte, um nicht töten zu müssen. Und der *DGSE* würde das ganz sicher von ihm verlangen. Aber wen?

Jimmy schloss die Augen und stellte sich Paduk vor, den riesigen Geheimdienstmann und persönlichen Sicherheitsbeauftragten des Premierministers. Er dachte an Miss Bennett, die jahrelang seine Lehrerin und Beschützerin gespielt hatte; bis sich herausstellte, dass sie in Wahrheit seine schlimmste Feindin und Leiterin des *NJ7* war. Diese Leute hatten sein Leben ruiniert. Sie hatten Menschen, die er liebte, gefoltert und getötet. War das hier vielleicht die Chance, auf die er so lange gewartet hatte? Konnte er auf die Art sein altes Leben zurückgewinnen und gleichzeitig einem guten Zweck dienen?

Dann musste er an Ian Coates denken.

»Ich bin dabei«, krächzte er. Es klang, als würde seine Stimme nur widerwillig seine Kehle verlassen. »Ich bin dabei.«

KAPITEL 3

»Das kannst du nicht tun!«, schrie Georgie.

Jimmy bewegte sich bereits aufs Fenster zu. Doch Zafi hielt ihn auf.

»Was spricht dagegen, dass wir die Haustür nehmen?«, fragte sie kichernd.

Jimmy musste ebenfalls lachen. Aber es klang seltsam gepresst. Er wandte sich zur Tür.

»Jimmy, nicht!«, bat Felix und packte seinen Freund am Arm.

Doch der wich seinem Blick aus. »Lass mich los«, knurrte er.

»Auf keinen Fall.«

»Lass mich los, Felix«, wiederholte Jimmy. »Du weißt, dass ich dich ohne Probleme umhauen kann.«

»Was redest du da?«, rief Georgie. Sie versperrte ihrem Bruder den Weg zur Tür. Ihr Gesicht hatte die Farbe der Wand angenommen. »Was ist los mit dir?«

»Lasst ihn gehen«, schaltete Zafi sich ein. »Ihr seht doch selbst, dass er es will.«

»Nein, tut er nicht«, widersprach Georgie. »Er ist ja völlig weggetreten.« Sie nahm Jimmys Gesicht in ihre Hände. »Komm schon, reiß dich zusammen!«

Plötzlich explodierte Jimmy vor Wut. »Hände weg!«, brüllte er. Er schüttelte seine Schwester ab und schubste Felix zur Seite. Beide stolperten ein paar Schritte zurück.

»Egal was ihr sagt«, murmelte Zafi, »er hat sowieso keine Wahl. Es ist seine Bestimmung.«

Jimmy fühlte die dunkle Kraft in seinem Inneren emporsteigen. Er hatte gedacht, er könnte sie kontrollieren. Aber jetzt erhob sich in ihm wie ein fauchendes, wildes Tier.

»Warum tust du das?«, flüsterte Georgie. Jimmy sah die Angst in ihrem Gesicht.

»Oder verarschst du uns nur?«, schlug Felix hoffnungsvoll vor.

Jimmy wusste nicht, wie er reagieren sollte. Felix' munterer Tonfall stand in extremem Kontrast zu den in ihm tobenden Gefühlen.

»Na gut, weißt du was«, fuhr Felix fort, während er nervös auf dem Fußballen wippte. »Ich komme mit.« Jimmy seufzte. »Gehen wir«, legte Felix nach. Demonstrativ nahm er eines der Kissen vom Bett. Er zog den Bezug ab und wickelte ihn sich um den Hals. »Zieht euch warm an, es ist schweinekalt draußen.«

»Felix, was machst du da?«, fragte Jimmy.

»Ich, mein Freund, begleite dich und werde ein Agent.«

Niemand wusste, wie er darauf reagieren sollte – am allerwenigsten Jimmy.

»Felix, die Sache ist ernst«, sagte er.

»Ja, todernst«, gab Felix zurück. Er griff nach Jimmys

Handgelenk und wollte ihn mit sich ziehen. »Na los, wir haben nicht die ganze Nacht Zeit. Wir müssen jede Menge Leute eliminieren.«

»Hör auf damit«, bat Jimmy leise. Er entwand Felix seine Hand. »Du bist total durchgeknallt.«

»Ich bin durchgeknallt?«, spottete Felix. »*Ich* bin also durchgeknallt? Komisch, denn eigentlich war ich mir sicher, dass du bei uns bleiben und das ganze Kämpfen und Töten hinter dir lassen wolltest. Aber dann kommt so ein französisches Vögelchen hereingeflattert mit ein bisschen technischem Schnickschnack und einem coolen Augapfel-Trick«, er wandte sich an Zafi und grinste, »der war übrigens wirklich *ziemlich* abgefahren. Und schon willst du nach Paris abhauen und Leute abmurksen. Genau das, wovor du eigentlich weggelaufen bist. Aber du hast natürlich völlig recht – *ich* bin hier der Durchgeknallte.«

Die anderen waren verblüfft. Wäre Georgie nicht so elend zumute gewesen, hätte sie gelacht.

Zafi war die Erste, die das Schweigen brach.

»Dein Freund ist ziemlich schräg«, flüsterte sie.

»Ich weiß«, murmelte Jimmy zurück. »Er ist …«

»Find ich gut.«

Endlich erschien ein Lächeln auf Jimmys Gesicht.

»Nimm den Kissenbezug ab«, sagte er. »Du siehst bescheuert aus.«

»Also bleiben wir?«, fragte Felix.

Jimmy nickte und seine Schwester schlang die Arme um seinen Hals.

»Du bist so ein Idiot«, schimpfte Georgie. »Wir kommen hier irgendwie raus und dann können wir wieder normal und in Sicherheit leben.«

»Wie schade«, unterbrach Zafi. »Ich habe nämlich den Befehl, dich umzubringen, falls du nicht mitkommst.«

Jimmy gefror das Blut in den Adern. Georgie schnappte nach Luft.

»Ha! War nur ein Witz!« Zafi bog sich vor Lachen. »Ihr solltet eure Gesichter sehen!«

Felix und Jimmy stießen beide einen erleichterten Seufzer aus.

»Ich finde das gar nicht witzig!«, schrie Georgie.

»Aber es hatte was«, versuchte Felix zu schlichten. »Auch wenn es natürlich nicht so ein Brüller war wie meiner.«

»Also ist es in Ordnung, wenn ich nicht mit dir …?« Jimmy verstummte.

»Klar«, antwortete Zafi mit heller Stimme. »Wenn du stattdessen nicht für den *NJ7* arbeitest.«

»Das würde ich niemals tun, keine Sorge.« Jimmy begann sich zu entspannen.

»Allerdings solltet ihr so schnell wie möglich das Land verlassen. Ich kann euch jetzt nicht mehr vor dem *NJ7* beschützen. Es dürfte nicht mehr lange dauern, bis sie euch finden.«

Zafi öffnete die Tür und ihre Silhouette verschmolz mit der Dunkelheit draußen. »Vielleicht sehen wir uns wieder.«

Überraschenderweise war Jimmy traurig, dass sie ging. Möglicherweise hätte er noch viel Interessantes von ihr lernen können. Er hatte plötzlich den überwältigenden Wunsch, alles über sie zu erfahren. War auch sie in der Annahme aufgewachsen, ein ganz normales Kind zu sein? Oder hatte Zafi von Anfang an gewusst, dass sie nur zu 38 Prozent menschlich war? Sie schien jedenfalls viel besser damit zurechtzukommen als Jimmy. Hatte sie Eltern? Waren diese Agenten so wie Jimmys? Und hatten diese auch lange alles vor ihr geheim gehalten?

Bei all den Fragen, die Jimmy durch den Kopf schossen, fiel es ihm schwer, die richtigen Abschiedsworte zu finden.

Zafi griff in ihre Hosentasche. »Ich bringe noch schnell die Stromanschlüsse wieder in Ordnung, bevor ich gehe«, verkündete sie gelassen. Sie zog die Fernbedienung hervor, mit der sie vorher die Lichter angeschaltet hatte. »Kannst du behalten, als Erinnerungsstück.« Sie warf das Gerät Jimmy zu, der es benommen auffing.

»Brauchst du das denn nicht mehr?«, rief Felix.

Doch Zafi huschte bereits lautlos aus der Tür. Sie warf einen Blick über die Schulter zurück. Ihre kastanienbraunen Haare fingen einen Lichtstrahl auf.

»Ich baue mir ein neues.«

Verblüfft sahen Jimmy, Georgie und Felix ihr hinterher. Zafi war wie ein Wirbelwind hereingefegt und genauso verschwand sie jetzt wieder. Sie war ohne Zweifel eine trainierte und gefährliche Agentin. Trotzdem waren da dieses lustige Funkeln in ihren Augen, ihre zierliche

Figur, die hohe und sanfte Stimme und das mädchenhafte Kichern, das Jimmy an seine ehemaligen Mitschülerinnen erinnerte.

Während Jimmy sich über seine Gefühle klar zu werden versuchte, nahm Felix ihm die Fernbedienung aus der Hand. Er klickte das Licht ein paarmal an und aus.

»Cool«, hauchte er. Dann fragte er: »Ob wir sie noch mal wiedersehen?«

Jimmy antwortete nicht. Aber insgeheim hoffte er darauf.

Jimmy, Felix und Georgie versuchten gar nicht erst, sich wieder hinzulegen. An Schlaf war jetzt nicht mehr zu denken. Seit Zafis Besuch standen sie wie unter Strom. Also machten sie es sich im Wohnzimmer gemütlich und Felix schaltete den Fernseher ein.

»Chris wird komplett ausrasten, wenn er erfährt, was heute passiert ist«, stellte er fest.

»Ob es ihm gut geht?«, fragte Georgie, an Jimmy gewandt. »Und Saffron?« Es kam keine Antwort. »Was meinst du?«

Jimmy stöhnte laut. »Woher soll ich denn das wissen? Wie kann *irgendjemand* das wissen.«

»Ist ja gut, komm runter, du Psycho«, murmelte Georgie beleidigt.

Jimmy brummelte eine Entschuldigung. Er musste an Christopher Viggo denken, der letzte Nacht in die Dunkelheit davongefahren war. Seine Freundin Saffron Walden war bei ihm gewesen, lebensgefährlich verletzt von einer Kugel des *NJ7*.

Jimmy hatte ihre Optionen schon hundert Mal durchgespielt. In ein Krankenhaus konnten die beiden nicht, weil dort überall Überwachungskameras hingen. Und wenn Viggo nicht irgendeinen Arzt in der Nähe kannte, der mit den *Gegnern* Englands sympathisierte, hatte Saffron nicht die geringste Chance.

Er rollte sich auf dem Sofa zusammen und versuchte seine dunklen Gedanken zu vertreiben. Saffron und Viggo hatten alles in ihrer Macht Stehende getan, um ihm zu helfen. Viggo war selbst einmal *NJ7*-Agent gewesen. Er war vor dreizehn Jahren geflohen, als Ares Hollingdale mithilfe des *NJ7* die Macht ergriffen und das demokratische System Großbritanniens in eine Diktatur verwandelt hatte. Und die Menschen im Land hatten es einfach widerstandslos hingenommen.

Manchmal kam es Jimmy so vor, als wären Viggo und Saffron die letzten vernünftigen Menschen in England – zumindest die Einzigen, die noch aktiv für die Demokratie kämpften.

Jimmy wandte seine Aufmerksamkeit wieder dem Fernseher zu.

»Der neue Premierminister, Ian Coates, wird in Kürze in Washington landen, um dort Gespräche mit dem amerikanischen Präsidenten Alphonsus Grogan zu führen.« Die Nachrichtensprecherin hatte einen starren Blick und ein aufgesetztes Lächeln. »Das wichtigste Thema auf ihrer Agenda ist die militärische Unterstützung Großbritanniens durch Amerika. Das Land erwägt militärische Vergeltungsschläge gegen Frankreich, nachdem gestern Nachmittag ein französisches Kampfflugzeug unerlaubt in den englischen Luftraum eingedrungen ist.«

Als der Name des Premierministers fiel, spürte Jimmy ein unheilvolles Grummeln in seinem Bauch. Er verdrängte es und schob es auf den Hunger.

»Ian Coates wird den Präsidenten zunächst im Weißen Haus treffen«, fuhr die Nachrichtensprecherin fort. »Anschließend wird er einige Städte an der amerikanischen Ostküste besuchen. In vier Tagen wird Ian Coates dann sein Anliegen bei der UN-Vollversammlung vortragen: Er fordert militärische Sanktionen gegen Frankreich.«

Früher fand Jimmy die Nachrichten langweilig. Doch mittlerweile wollte er ständig auf dem Laufenden sein, was die Pläne der Regierung betraf. Er musste wissen, was der Feind tat.

»Ich kann nicht fassen, dass unser Dad jetzt Premierminister ist«, murmelte Georgie.

Jimmy schwieg. Nicht *unser Dad*, dachte er. *Dein Dad.* Plötzlich fühlte er ein Kratzen im Hals und wischte sich mit dem Handrücken über die Augen. Als er wieder aufblickte, erkannte er sein eigenes Gesicht auf der Mattscheibe. Es war dasselbe alte Schulfoto, das auch gestern schon in den Medien gezeigt worden war.

»Offizielle Stellen gehen nach wie vor davon aus, dass dies der Mörder Ares Hollingdales ist«, verkündete die Reporterin. »Der Verdächtige ist weiterhin auf der Flucht.« Die Kamera zoomte Jimmys Augen nah heran.

»Mach dir keine Sorgen«, beruhigte ihn Felix. »In Wirklichkeit siehst du viel besser aus als auf dem Bild.«

»Er soll sich keine Sorgen machen?«, stieß Georgie wütend hervor. »Und das obwohl sie überall verkünden, Jimmy hätte den letzten Premierminister umgebracht?«

Jimmy sank in sich zusammen. Er wünschte, die beiden würden das Thema wechseln.

In den letzten Wochen hatte er gelernt, dass man den Nachrichten nicht mehr trauen durfte. Die Reporterin erschien ihm wie eine Marionette. Und irgendwo im Hintergrund stand Miss Bennett und hielt die Fäden in der Hand. Wahrscheinlich diktierte sie ihr jedes einzelne Wort.

»Außerdem«, empörte sich Georgie, »wissen die beim *NJ7* genau, dass Jimmy es nicht getan hat. Weil sie es nämlich selbst waren.«

»Was?«, fragte Felix. »Du glaubst, Miss Bennett hat jemanden vom *NJ7* losgeschickt, um ihren eigenen Premierminister umzubringen?«

»Vielleicht. Ares Hollingdale war sadistisch, brutal und höchstwahrscheinlich verrückt. Vermutlich hatten sie einfach die Nase voll von ihm und wollten lieber Dad auf seiner Position.«

»Er hatte es nicht anders verdient«, knurrte Jimmy plötzlich.

Erschrocken über Jimmys plötzlichen Ausbruch, starrten die drei einander an. War es seine Konditionierung, die derartig boshafte Gedanken hervorrief oder war es

Jimmy selbst? Jimmy konnte es sich nicht erklären und brachte kein weiteres Wort mehr heraus.

Das einzige Geräusch im Raum war jetzt das Rauschen des Fernsehers und das monotone Ticken einer Uhr.

KAPITEL 4

Der britische Premierminister trat aus dem Oval Office des Weißen Hauses und versammelte sein Beraterteam und seinen Sicherheitschef Paduk um sich. Er wirkte alles andere als optimistisch.

»Der Präsident will unsere Anfrage überdenken«, verkündete er.

»Was gibt es da groß zu überdenken?«, polterte Paduk. »Entweder er ist auf unserer Seite oder nicht.«

Ian Coates' Berater begannen angeregt zu diskutieren. Er ignorierte sie und ließ sich in einen roten Sessel unter einem Porträt Bill Clintons fallen. Er stützte den Kopf in die Hände. Die Stille hier im Korridor war bedrückend, und es kam ihm vor, als würden die Wände immer näher rücken. Irgendwo tickte eine Uhr zu laut. Neben ihm kratzte Paduk sich unter dem Hemdkragen.

»Wie lange will er uns denn noch hinhalten«, brummte Paduk. »Das ist doch respektlos.«

Ian Coates schüttelte den Kopf und bemühte sich ruhig zu bleiben. »Es ist ganz normal, dass er sich mit so einer Entscheidung Zeit lässt«, erklärte er. »Immerhin haben wir sie aufgefordert, an unserer Seite gegen Frankreich in den Krieg zu ziehen.«

Paduk grunzte. »Ich erinnere mich noch an Zeiten, da wären die Amerikaner stolz darauf gewesen, Seite an Seite mit uns zu kämpfen. Jetzt haben sie alles vergessen. Die meisten Leute hier wissen nicht einmal, wo Frankreich liegt.«

»Die meisten hier wissen noch nicht einmal, wo England liegt, Paduk.«

Plötzlich öffnete sich die Tür gegenüber. Schnell richteten sich die beiden Männer auf und strichen reflexartig ihre Jacketts glatt. Aber es war nicht der Präsident, der herauskam, sondern eine seiner Beraterinnen. Sie war Mitte dreißig und hatte braune, zu einem strengen Dutt gebundene Haare. Ihr Kostüm war an den Schultern ein wenig zu weit, um modisch zu wirken, und zu viel roter Lippenstift betonte ihr aufgesetztes Lächeln.

»Die aktuelle US-Außenpolitik sieht keine Einmischungen in ausländische Konflikte vor«, verkündete sie. »Aber der Präsident weiß um die große Bedeutung der Freundschaft unserer beiden Nationen. Aus diesem Grund möchte er Ihnen ein Paket der fortschrittlichsten Militärtechnologie, das die amerikanische Industrie zu bieten hat, zur Verfügung stellen.«

»Waffen?«, entfuhr es Ian Coates. »Sie bieten mir Waffen?«

»Genau«, antwortete die Beraterin. »Transportfahrzeuge, Flugzeuge, Raketen …«

»Ich weiß, was Militärtechnologie ist«, unterbrach sie der Premier. »Wie viel soll dieses Paket kosten?«

»Acht Milliarden Dollar.«

Ian Coates lachte ungläubig. »Ich wusste es«, höhnte er. »Grogan hat nur so lange gebraucht, weil er noch schnell die Chefs der Waffenfirmen anrufen musste, oder?«

»Darüber kann ich keine Auskunft geben, Sir«, erwiderte die Beraterin ausdruckslos.

»Bestellen Sie Grogan von mir, dass ich mit einem Präsidenten sprechen wollte und nicht mit einem Waffenhändler.«

Coates wandte sich abrupt ab und marschierte wütend davon, dicht gefolgt von Paduk und dem Pulk seiner Berater.

Während sie aus dem Weißen Haus eskortiert wurden, bemühte sich Ian Coates, seine Wut zu zügeln. Sorgenvoll dachte er an die Pressekonferenz in ein paar Tagen. Würde er es schaffen, für die Öffentlichkeit eine zuversichtliche Miene aufzusetzen und so zu tun, als wären er und der Präsident der USA noch immer beste Freunde? Außerdem stand die UN-Vollversammlung in New York bevor. Trotzdem würde ihn nichts davon abbringen, den Geheimplan ins Rollen zu bringen, den er genau für dieses Szenario vorbereitet hatte.

»Rufen Sie Miss Bennett an«, zischte er. »Es ist Zeit für den *Reflex-Plan*.«

»Der *Reflex-Plan*?«, keuchte Paduk. »Sind Sie sicher?«

Der Premierminister nickte.

Mitchell warf einen Blick auf die Uhr über dem Bahnsteig. Die Uhrzeit interessierte ihn eigentlich nicht, er tat es aus purer Gewohnheit. Hätte ihn gleich darauf jemand gefragt, wie spät es war – er hätte es schon wieder vergessen. Trotzdem sah er alle paar Minuten wieder hinauf. Seine Finger spielten mit einer Büroklammer, die er gestern Nacht auf dem Bahnsteig gefunden hatte.

Es war jetzt schon einige Tage her, dass Mitchell gegen Jimmy gekämpft hatte, aber das Aufeinandertreffen verfolgte ihn immer noch. Er hatte so intensiv über alles nachgedacht, dass sein Kopf schon ganz müde davon war.

Dein Bruder lebt noch.

Jimmys Worte klangen immer noch in Mitchell nach. Er hatte sie so oft für sich wiederholt, dass sie fast ihre Bedeutung verloren hatten.

Ein Junge lief an Mitchell vorbei, er war wahrscheinlich ein paar Jahre älter – fünfzehn oder sechzehn. Ausgehungert und übernächtigt wie Mitchell war, hielt er ihn einen kurzen Moment lang für seinen Bruder. Dann schüttelte Mitchell heftig den Kopf und rieb sich die Augen. Der Junge war verschwunden, aber Mitchell sah immer noch deutlich das Gesicht seines Bruders vor sich, auf das er in besinnungsloser Wut eingeschlagen hatte.

Er erinnerte sich noch genau an den Schock, als man ihm erzählt hatte, er hätte seinen eigenen Bruder getötet. Seine Panik und seine Schuldgefühle hatten es dem *NJ7* leicht gemacht, ihn zu manipulieren und dann als Agenten zu rekrutieren. Und schon bald hatten sie ihn auf seine erste Mission geschickt: Er sollte Jimmy Coates töten. Doch er war gescheitert. Nicht etwa, weil Jimmy ihm körperlich überlegen war, sondern weil der ihn mitten im Kampf mit der Information überrumpelt hatte, dass Mitchells Bruder gar nicht tot war.

Seitdem trieb Mitchell sich im Londoner Untergrund herum. Sein Überlebensinstinkt half ihm, sich dort zu verbergen, was besonders in den frühen Morgenstunden schwierig war, wenn die U-Bahn geschlossen wurde und das Betriebspersonal dort seiner Arbeit nachging. Mitchell war in Personaltoiletten eingebrochen, um Wasser zu trinken. Er hatte dort unten geschlafen, allerdings immer nur für ein paar Stunden. Er blieb immer in Bewegung, manchmal lief er sogar über die Gleise durch die Tunnel. Und er vermied die *District Linie*, die auf den U-Bahnplänen aussah wie ein dicker grüner Streifen, ähnlich wie das Zeichen des *NJ7*. Seine Kleidung und seine Hände waren mittlerweile schwarz vor Dreck.

Trotzdem hatte er das Gefühl, ständig vom *NJ7* beobachtet zu werden. Nicht nur mittels der unzähligen Überwachungskameras hier unten, sondern auch durch Agenten, deren Schatten auf den Bahnsteigen und an den Ausgängen lauerten. Sie konnten jederzeit zuschlagen und ihn schnappen. In seiner Ferse war ein Ortungschip implantiert, der ihnen ständig seine Position verriet. Aber das spielte keine Rolle. Mitchell wusste, er würde ohnehin früher oder später zum *NJ7* zurückkehren. Der Geheimdienst war jetzt sein Leben. Und es war ein Leben, das zu ihm passte. Der Vorfall mit seinem Bruder hatte ihn verändert. Er mochte das Training und das

Gefühl, gebraucht zu werden. Es ließ ihn fast so etwas wie Glück empfinden.

Mitchell wusste nicht einmal, ob er wirklich wollte, dass sein Bruder noch am Leben war. Die Vorstellung gefiel ihm nicht sonderlich. Sein Bruder hatte ihn unzählige Male verprügelt. Möglicherweise hatte Lenny nicht den Tod verdient, aber er hatte es auch nicht verdient, dass Mitchell *für* ihn kämpfte. Ob Mitchell ihn umgebracht hatte oder ob der *NJ7* es nur so hingestellt hatte – was spielte das für eine Rolle? So oder so, Leonard Glenthorne war kein Teil seines Lebens mehr. Selbst wenn der *NJ7* seinen Bruder mittlerweile beseitigt hatte – es gab niemanden, der den Geheimdienst dafür zur Rechenschaft ziehen würde. *Am allerwenigsten ich,* dachte Mitchell.

Erneut spähte er hinauf zur Uhr. Er hatte keine Ahnung, wie viel Zeit vergangen war. Hauptsache, sie war überhaupt vergangen. Ein Berufspendler lief vorbei und starrte Mitchell ins Gesicht. Was der Mann sah, war ein schmutziges Jungengesicht mit finsterem Ausdruck. Schnell wandte er sich ab und zog seinen Aktenkoffer schützend an sich.

Was ist nur aus mir geworden?, dachte Mitchell. Dann besann er sich. *Nein. Das bin ich nicht. Ich bin anders. Ich bin besser. Ich arbeite für den NJ7.* Er erhob sich von der Bank und marschierte den Bahnsteig entlang. Obwohl er lange fast nichts gegessen hatte, war er immer noch kräftig. Und nach diesen letzten Tagen der Verwirrung war er nun bereit für die Wahrheit, bereit für den *NJ7.*

Etwa in der Mitte des Bahnsteigs ließ Mitchell sich auf die Knie sinken. Dort war eine viereckige Klappe in den Boden eingelassen, die wie eine Falltür aussah. Es gab Dutzende davon auf den Bahnsteigen Londons. Jede dieser Klappen war ungefähr einen halben Quadratmeter groß und hatte ein winziges Schlüsselloch.

Mitchell öffnete die Faust mit der Büroklammer, die er unbewusst in eine merkwürdige Form gebogen hatte. *Natürlich,* dachte er, *es muss einen schnelleren Weg zum NJ7 geben, als durch die Straßen zu wandern.*

Die Büroklammer passte perfekt in das Schlüsselloch. Die ganze Zeit über hatte seine Konditionierung ihn dazu gebracht, an einem Schlüssel zu arbeiten. Mit einer fließenden Bewegung zog Mitchell die Klappe auf, sprang in den Schacht und zog sie sofort wieder hinter sich zu.

Mit geschlossenen Augen überließ er sich völlig seinen Instinkten. Er landete auf dem Rücken, auf dem feuchtem Boden eines engen Tunnels. Automatisch rollte er ein paar Meter weiter. Direkt über ihm vibrierte der Bahnsteig. Ohne zu wissen, warum, rollte er weiter – einmal, zweimal, dreimal –, bis er regungslos liegen blieb. Seine Hände ertasteten ein weiteres Schlüsselloch in der Decke. Er steckte die Büroklammer hinein, drehte sie und stieß die zweite Falltür auf.

Neonlicht blendete ihn, als er durch die Öffnung kletterte. Er befand sich in einem Raum, an dessen grauen Betonwänden Kabel in allen Regenbogenfarben verliefen. Er war nicht länger im Londoner Untergrund. Mitchell war zurück im Hauptquartier des *NJ7*. Und er wollte Antworten.

Er schnippte die Büroklammer weg und rannte los. Jeder Muskel in seinem Körper schien dankbar, sich endlich wieder bewegen zu dürfen. Mitchell war stolz darauf, welche Kraft und Schnelligkeit in ihm wohnte.

Wie selbstverständlich fand er seinen Weg durch das unterirdische Labyrinth. Obwohl hier unten ein endloser Betontunnel dem anderen glich, wusste er genau, wo er hinmusste. Als wären die Gänge Teil seines Organismus, sodass er erspüren konnte, wohin sie führten.

An manchen Stellen wurden die Korridore breiter; andere waren so schmal, dass Mitchell sich hindurchzwängen musste. Natürlich gab es keine Türen – das *NJ7*-Hauptquartier war so konzipiert, dass der ganze Komplex im Evakuierungsfall innerhalb von hundertzwanzig Sekunden komplett geflutet werden konnte.

Seine Schritte waren das einzige Geräusch in den Gängen. Mitchell trat nur mit den Fußballen auf, um so lautlos wie möglich zu laufen. Dann hörte er plötzlich ein Geräusch hinter der nächsten Ecke – Tippen auf einer Tastatur. Innerhalb von Sekundenbruchteilen entnahm Mitchell dem Geräusch alle wichtigen Informationen: ein Mann, er saß dem Eingang zugewandt und der Raum hatte nur einen Zugang. Während Mitchell sich näherte, erfasste er weitere Details: Der Mann war Linkshänder. Kein trainierter Agent, dafür waren seine Arme zu schwach. Vermutlich also ein Techniker.

Wer auch immer es war, er würde es jeden Moment mit Mitchell Glenthorne zu tun bekommen.

Mitchell schoss um die Ecke. Ihm bot sich exakt das erwartete Bild – ein einzelner Mann, der etwas in seinen Computer tippte. Der Monitor ließ das Weiß seiner vor Schreck weit aufgerissenen Augen hell leuchten. Auf seinem Jackett prangte der grüne Streifen und an seinem linken Ohrläppchen funkelte ein Brillant. Ihm blieb keine Zeit, um Hilfe zu schreien. Mitchell sprang über den Schreibtisch und riss den Mann zu Boden. Er landete auf ihm und griff nach dem Ohrring.

Er zerrte heftig an dem Schmuckstück, wobei er ein Stück des Ohrläppchens mit abriss. Der Mann schnappte nach Luft und schrie vor Schmerz. Mit der Hand umklammerte er sein verletztes Ohr. Blut tropfte auf sein weißes Hemd.

Mitchell drückte ihn zu Boden, einen Arm auf seine Kehle gepresst. Er starrte ihm ins Gesicht. Er hatte diesen Mann noch nie beim *NJ7* gesehen, und obwohl er noch jung war, wirkte er nicht unerfahren. Es lag eine gewisse Härte in seinem Ausdruck, die verriet, dass ihm solche Situationen nicht unbekannt waren.

»Wo ist Miss Bennett?«, zischte Mitchell.

»Mitchell, schön dich kennenzulernen«, antwortete der Mann. Sein Akzent klang irisch. »Aber ich glaube nicht, dass du einen Termin hast.«

Mitchell war außer sich vor Wut. Wieso hatte der Kerl keine Angst vor ihm? Er hob den Ohrring hoch und betrachtete prüfend die Spitze am anderen Ende. »Wenn du mir nicht sagst, wo Miss Bennett ist, ramme ich dir den Ohrring ins Auge.«

Der Mann verzog keine Miene. Die einzig sichtbare Bewegung in seinem Gesicht war das Pochen einer Ader an seiner Schläfe. »Sie ist in einem Meeting.« Ein Lächeln schlich sich auf seine Lippen.

Mitchell tat so, als würde er mit dem Ohrring zustechen, stoppte aber dicht vor dem Auge. Der Mann krümmte und wand sich heftig, ohne sich aus dem Griff des Vierzehnjährigen befreien zu können. Die Anstrengung ließ ihn leise keuchen.

»Netter Versuch«, fauchte Mitchell. »Aber beim nächsten Mal steche ich wirklich zu.«

Diesmal erfolgte die Antwort prompt, wenn auch in einem selbstgefälligen Flüsterton: »Dr. Higgins' altes Büro.«

Mitchell rollte zur Seite, sprang auf und rannte los. Er preschte durch die Gänge, den Diamantohrring in der Hand und Blutspritzer auf dem Arm.

»Haben Sie mich angelogen?«, schrie er, sobald er in Dr. Higgins' Büro stürmte. Miss Bennett stand mit dem Rücken zu ihm und hielt ein Notizbuch und einen Stift in der Hand. Sie studierte ein Diagramm an der Wand. Der Raum war mit Computern ausgestattet und in der Mitte stand ein langer, leerer Tisch. Miss Bennetts wohlgeformte Silhouette setzte sich von der Wand ab. Ein grüner Streifen zierte den Absatz ihrer High Heels.

»Willkommen zurück, Mitchell.« Sie klang fast gelangweilt und machte sich nicht einmal die Mühe, sich umzudrehen. »Kleinen Ausflug unternommen?«

»Wo ist mein Bruder?«, presste Mitchell hervor. »Ist er am Leben?« Er kam durch den Raum auf sie zu und endlich drehte sie sich zu ihm um. Das Lächeln auf ihrem Gesicht war eiskalt.

»Was glaubst du?«, fragte sie.

»Sagen Sie mir die Wahrheit oder ich reiße Sie in Stücke.«

»Du hast einen entscheidenden Fehler begangen«, stellte Miss Bennett fest.

»Mein Fehler war, dass ich Ihnen vertraut habe.«

»Schlimmer, fürchte ich. Dein Fehler war, dass du mich unterschätzt hast.«

Ohne Mitchell aus den Augen zu lassen, tippte sie hinter ihrem Rücken auf eine Taste des Computers. Plötzlich schoss blendendes, stroboskopartiges Licht aus dem Monitor. Mitchell riss die Hand vor die Augen, aber es war zu spät. Für einen Moment war er völlig blind. Dann spürte er einen harten Schlag gegen seine Stirn. Er verlor jede Kontrolle über seinen Körper und sank auf die Knie. Zwar konnte er wenige Momente später schon wieder sehen, doch jetzt ließ er einfach nur den Kopf hängen und starrte zu Boden.

Miss Bennett atmete tief durch. »Mitchell Glenthorne, ich schätze keine Drohungen. Bitte trage deine Forderungen in Zukunft in angemessenem Tonfall vor.«

Mitchell gab keine Antwort.

Miss Bennett beugte sich zu ihm hinab. Mit einem Finger hob sie sein Kinn an, sodass er gezwungen war, ihr ins Gesicht zu sehen. Ihr Parfüm stieg ihm in die Nase.

»Ich meine damit, dass du ab jetzt *Bitte* und *Danke* sagen sollst«, flüsterte sie.

Mitchell kam es so vor, als hätte er noch nie in seinem Leben eine so einschüchternde Standpauke erhalten. Er konnte es kaum glauben. Mit der enormen Kraft seiner Konditionierung hätte er ohne Weiteres aufspringen und kämpfen können. Und eine schwache Stimme in seinem Kopf forderte ihn dazu auf, Widerstand zu leisten. Doch die Stimme kam nicht in seinem Körper an. Es gab keinen echten Grund, Miss Bennett herauszufordern. Unter all den Menschen in seinem Leben hatte sie ihn immer noch am besten behandelt.

»Du hättest niemals für uns gearbeitet, wenn wir dir nicht erzählt hätten, dass dein Bruder tot ist, oder?«, fragte sie sanft. Mitchell schüttelte den Kopf. »Und das wäre wirklich tragisch gewesen, findest du nicht? Du *gehörst* doch hierher.«

»Also haben *Sie* ihn umgebracht und nicht ich?«, fragte Mitchell kleinlaut. Eine Welle neuer Energie stieg in ihm empor – war es die Erleichterung?

Miss Bennett gab ihm die Hand und half ihm auf die Beine. »Nein«, antwortete sie. »Niemand hat ihn umgebracht.«

Schlagartig war es vorbei mit Mitchells Erleichterung. Diese Nachricht hätte ihn eigentlich glücklich machen sollen, aber das tat sie nicht. Stattdessen kroch die Angst in ihm hoch und seine Muskeln verspannten sich.

»Du hattest ihn fast so weit«, fuhr Miss Bennett fort, »aber die *NJ7*-Ärzte halten ihn am Leben, für ihre eigenen Zwecke.«

Mitchell wurde wütend. Seine Wangen glühten und seine Hände zitterten. Doch er war jetzt vor allem ärgerlich auf sich selbst. Wieso hatte er sich so bescheuert verhalten? Er arbeitete als Agent für den besten Geheimdienst der Welt. Es war endlich an der Zeit, diese alten, kindischen Gefühle abzuschütteln. Er biss die Zähne zusammen und zwang sich, aufrecht zu stehen. Mitchell sah Miss Bennett direkt in die Augen. Der *NJ7* war jetzt seine Familie.

»Sie haben Agenten nach mir geschickt«, sagte er mit klarer Stimme. »Als ich mich im Untergrund versteckt habe, meine ich. Warum haben die mich nie geschnappt und zurückgebracht?«

»Ich wusste, dass du von alleine wiederkommst«, erwiderte Miss Bennett, um einen lässigen Tonfall bemüht. »Du bist nicht wie der andere Junge, dieser Jimmy Coates. Ich habe die Agenten geschickt, damit sie ein Auge auf dich haben und du nicht in Schwierigkeiten gerätst. Aber ich fand, du hattest dir eine kleine Auszeit verdient. Du hast sehr hart gearbeitet. Und es hat sich ausgezahlt, dir zu vertrauen, denn jetzt bist du ja hier.« Sie lächelte breit und zog dann ein Handy aus ihrer Tasche. Sie drückte ein paar Tasten.

»Während du weg warst, hat sich hier einiges getan«, fügte sie hinzu. »Es gibt da jemanden, den du kennenlernen solltest.«

Ein paar Sekunden später hallten Schritte durch den Flur. Ein kleiner Mann in den Zwanzigern trat ein. Er presste einen blutigen Stofflappen auf sein linkes Ohr und wirkte ziemlich mies gelaunt.

»Das«, verkündete Miss Bennett bedeutungsschwer, »ist der Mann, der die Affäre Jimmy Coates endlich zu Ende bringen und die Ordnung in der britischen Neodemokratie wiederherstellen wird.«

Sie hieß ihn mit einer ausladenden Armbewegung willkommen. »Mitchell, vor dir steht Ark Stanton, der neue Leiter unseres Technikteams.«

»Ja«, knurrte der Mann. »Wir beide hatten bereits das Vergnügen, danke.«

KAPITEL 5

Mitchell konnte sich ein Lachen nicht verkneifen. Dieser Mann legte ganz offensichtlich großen Wert auf sein Äußeres. Alles an ihm wirkte gepflegt, bis hin zu seinem ordentlich gestutzten Bart. Leider wurde dieses Gesamtbild durch sein linkes Ohrläppchen beeinträchtigt, das sehr mitgenommen aussah und aus dem immer noch Blut tropfte.

»Was zur Hölle ist mit Ihrem Ohr passiert, Stanton?«, fragte Miss Bennett.

»Es gab einen kleinen Zwischenfall bei einem Experiment«, antwortete er, diesmal mit einem deutlichen irischen Akzent. Stanton warf Mitchell einen funkelnden Blick zu.

»Ich glaube, das gehört dir«, erklärte Mitchell betont lässig und hielt ihm den Diamantohrring hin.

Ark Stanton ließ den Ohrring schnell in seiner Tasche verschwinden.

Es dauerte nicht lange und Stanton hatte irgendwo ein paar Pflaster hervorgekramt und sein Ohr verarztet. Dann holte er einen Spiegel aus Dr. Higgins' altem Schreibtisch und entfernte so gut es ging das Blut aus seinem Gesicht.

»Also?«, herrschte Miss Bennett ihn an. »Was haben Sie für mich? Man hält Sie ja für ein echtes Genie.« Und bevor Stanton auch nur lächeln konnte, fügte sie hinzu. »Ich vertraue solchen Urteilen prinzipiell nicht.«

Er konterte mit einem höhnischen Schnauben. Und seine Stimme war kalt und schneidend, als er mit seinem Vortrag loslegte.

»Wie Sie wissen«, begann er, »sendet Jimmy Coates keine elektronischen Signale.« Er zog einen Stapel Papiere aus einer der Schubladen des Schreibtisches. »Das wurde eigens so eingerichtet, damit kein Feind seiner Spur folgen kann. Leider können wir deswegen nun ebenfalls nicht ermitteln, wo er ist. Daher ist meine Idee folgende: Er *sendet* zwar keine Signale, aber möglicherweise kann er welche *empfangen*. Wenn wir ihn auf allen Frequenzen mit Signalen bombardieren und eine Reihe starker Bilder übertragen, könnte es uns gelingen, seine Konditionierung zu manipulieren.«

»Was soll das heißen, *Konditionierung zu manipulieren*?«, höhnte Miss Bennett. »Fällt Jimmy dann einfach um und schmilzt?«

»Nein, aber er würde, ohne dass er es selbst merkt, von uns gesteuert werden. Wir könnten ihn dazu zwingen, gegen seinen Willen zu handeln oder bestimmte Orte aufzusuchen. Und er würde davon ausgehen, dass ihn seine Instinkte dazu treiben. Dabei haben wir die Fäden in der Hand.«

Mitchell bemerkte Miss Bennetts ausdruckslose Miene. Er kannte sich zwar nicht wirklich mit diesem ganzen

Computer- und Technikkram aus, aber Stantons Idee klang einleuchtend.

»Du meinst, es wäre so, als würden wir ihn hacken und einen Virus in sein System einspeisen«, bemerkte Mitchell.

Miss Bennett warf ihm einen überraschten Blick zu.

Mitchell konnte sich ein stolzes Lächeln nicht verkneifen.

»So in der Art«, knurrte Stanton. Sein Ohr war mittlerweile verbunden, trotzdem hatte er seinen ersten Zusammenstoß mit Mitchell noch nicht vergessen. Er fixierte ihn länger als nötig. »Nur, dass wir ihm nicht einfach einen Trojaner schicken können. Wir müssen den Virus durch Funkwellen übertragen. Er muss überall um ihn herum sein, er muss ihn praktisch einatmen.«

»Wir wissen aber nicht, wo er sich versteckt«, schaltete sich Miss Bennett ein. »Wir bräuchten einen Funksender, der stark genug ist, das ganze Land abzudecken.«

»Oder ein ganzes Netzwerk von Sendern.« Stantons volle Lippen verzogen sich zu einem Lächeln. Seine Augen funkelten wie der Diamant, den Mitchell ihm aus dem Ohr gerissen hatte.

»Sie sehen aus, als hätten Sie gerade einen Geistesblitz«, gurrte Miss Bennett.

»Mobilfunkmasten.«

»Ja. Natürlich.« Miss Bennett lehnte sich zufrieden in ihrem Stuhl zurück. Sie schien für einen Augenblick in Gedanken versunken. Dann murmelte sie leise vor sich hin: »Selbst wenn wir ihn nicht finden, können wir ihn kontrollieren.«

»Das Signal könnte zwar zeitweise andere elektronische Systeme stören«, unterbrach Stanton, »aber das sollte kein großes Problem sein.«

»Zum Beispiel?«, fragte Miss Bennett misstrauisch.

»Die Stromversorgung, die Luftraumüberwachung, den Fernsehempfang.«

»Und die Störung der Luftraumüberwachung und damit des Flugverkehrs bezeichnen Sie als kein großes Problem?«

Stanton zuckte mit den Achseln. »Hatten Sie vor, in nächster Zeit irgendwohin zu fliegen?«

Miss Bennett strich sich einen Moment nachdenklich über die Stirn, dann zuckte sie ebenfalls mit den Achseln.

»Was ist mit mir?«, meldete sich Mitchell. »Werde ich das Signal nicht auch empfangen?« Die Vorstellung, wie eine Art Radio zu funktionieren, behagte ihm nicht sonderlich.

»Halb so wild«, sagte Stanton. »Vielleicht kriegst du ein paar Muskelkrämpfe oder Kopfschmerzen, aber das Signal ist auf Jimmys Psyche ausgerichtet und nicht auf deine.«

Mitchell nickte unsicher.

»Also«, schaltete sich Miss Bennett ein, »außer der Kontrolle über sämtliche Mobilfunksender des Landes, was brauchen Sie noch?«

»Ich muss alles erfahren, was es über Jimmy zu wissen gibt«, erklärte Stanton, offensichtlich hocherfreut darüber, dass sein Plan so gut ankam. »Um maximalen Erfolg zu erzielen, brauche ich einen Psychologen, einen Grafikdesigner sowie ein detailliertes Profil der Charaktereigenschaften und Verhaltensweisen des Zielobjekts.«

»Sie wollen wissen, wie Jimmy sich verhält und was er fühlt?«

»Genau. Ich muss gewissermaßen in seinen Kopf schauen können. Gibt es eine Möglichkeit, den Premierminister zu sprechen? Er sollte ihn doch am besten kennen, oder nicht?«

»Dafür bleibt keine Zeit«, murmelte Miss Bennett. »Er ist in Amerika.«

Sie dachte einen Moment nach und beobachtete dabei Mitchell aus dem Augenwinkel.

Mitchell fühlte sich sofort mulmig, wenn sie ihn so ansah. Aber er wollte nicht eingeschüchtert wirken, also richtete er sich auf und streckte die Brust heraus.

»Eva Doren«, verkündete Miss Bennett plötzlich. »Das Mädchen kennt ihn schon seit Jahren. Sie ist die beste Freundin seiner Schwester. Sie hat in der letzten Zeit sogar mit ihm zusammengelebt. Dabei hat sie bestimmt etwas beobachten können. Ich wusste, dieses Mädchen würde unserer Organisation noch sehr nützlich werden.« Miss Bennett sprang auf.

»Was ist mit Evas Familie?«, fragte Stanton. »Suchen die noch nach ihr?«

»Leider ja. Ihre Familie ist ein echter Störfaktor.«

»Und wenn sie herausfinden, wo Eva steckt, und sie zurückholen? Ich will Eva nicht im Laufe des Projekts verlieren. Wegen ihrer Eltern mache ich mir keine großen Sorgen, aber ich habe gehört, ihre beiden Brüder könnten gefährlich werden. Die sind offenbar ziemlich sauer. Außerdem sollen sie wirklich clevere Burschen sein. Die beiden könnten für Probleme sorgen. Und Evas Beitrag wäre entscheidend für dieses Projekt.« Stantons Miene wirkte angespannt.

Miss Bennett hob die Hand. »Ich kümmere mich darum«, beschwichtigte sie ihn. »Um ihre Brüder und um die Eltern. Keine Sorge. Aber da gibt es noch einen fraglichen Punkt: Bevor wir Jimmy kontrollieren, müssen wir erst mal wissen, was er für uns tun soll …«

Stanton lächelte, entspannte sich sichtlich und beugte sich verschwörerisch zu ihr hinüber.

»Tja, ich habe sogar schon erste Bilder für seine Steuerung entworfen. Ich denke, sie sind auch der perfekte Weg, den *Reflex*-Plan in die Tat umzusetzen.«

Bei diesen Worten schien Miss Bennett zu erstarren. Mitchell erlebte sie zum ersten Mal sprachlos. Allerdings hatte er keinen Schimmer, was dieser *Reflex-Plan* sein sollte. Dann schmolz Miss Bennetts Ausdruck langsam zu einem glückseligen Lächeln.

»Und das würde bedeuten, ich könnte diesen jungen Gentleman hier auf eine weitere Mission schicken.«

Obwohl sie ganz offensichtlich Mitchell meinte, schien sie mehr zu sich selbst zu sprechen. Dann erhob sie sich und ihre Worte hallten in dem kahlen Raum wider.

»Also, worauf warten wir? Wir können die Bilder später noch verbessern – lasst uns die ersten Signale senden.«

»Miss Bennett«, verkündete Stanton grinsend, »das tun wir bereits.«

Jimmy traute sich erst nicht, der jungen Kassiererin in die Augen zu schauen. Doch seine neueste Verkleidung ließ ihn älter wirken und er versuchte sich dementsprechend zu verhalten. Als er das Wechselgeld entgegennahm, hob er den Kopf und lächelte sie an.

»Danke und einen schönen Tag noch«, brummte er mit tiefer Stimme. Dann zwinkerte er ihr zu und stolzierte davon.

Seine Haare waren gefärbt und standen in blonden Stacheln vom Kopf ab. Diese Frisur war zwar nicht gerade unauffällig, aber immerhin sah er jetzt komplett anders aus als auf den Bildern in den Nachrichten. Mit dem neuen Look und seinem selbstbewussten Verhalten würde die Verkäuferin niemals auf die Idee kommen, dass er der zwölfjährige Junge war, nach dem ganz England suchte.

Jimmy trabte die Straße entlang. Es waren jetzt drei Tage vergangen, seit Zafi sie verlassen hatte. Drei Tage, die sie in ihrem Versteck, der *Bed & Breakfast*-Pension zugebracht hatten. *Zu lange*, dachte Jimmy. Denn obwohl Zafi ihnen geraten hatte, so schnell wie möglich von dort zu verschwinden, waren sie geblieben, um auf Christopher Viggo zu warten. Aber jetzt, auf dem kurzen Weg vom Geschäft zur Pension, witterte Jimmy überall Gefahren. In jedem Schatten lauerte etwas. Jedes Geräusch klang wie das Entsichern einer Pistole. Jeder Passant erschien ihm wie ein *NJ7*-Agent, der sich plötzlich auf ihn stürzen könnte.

Jimmy zog sich die Kapuze über den Kopf und beschleunigte seinen Schritt. Auch sein Herz pochte jetzt schneller. Irgendetwas stimmte nicht. Es war das Geräusch seiner Schritte – ein Echo folgte ihnen. Jemand war hinter ihm her. Er blieb stehen. Wer auch immer ihm auf den Fersen war, er blieb ebenfalls stehen. Jimmy tat, als würde er eine Schaufensterauslage betrachten. In der Spiegelung der Scheibe suchte er die Straße hinter sich nach einer auffallenden Person ab. In seinem Bauch krampfte sich etwas zusammen. War es seine Konditionierung, die ihn auf einen Angriff vorbereitete, oder war es einfach Angst?

Ein Windstoß ließ ihn erzittern. Er konnte nicht einfach so auf offener Straße stehen bleiben. Dort war er einem Angriff schutzlos ausgeliefert. Obwohl es bereits dämmerte, hatte er das Gefühl, ein gut sichtbares Ziel zu bieten. Sollte er wegrennen? *Ich hätte gar nicht erst rausgehen dürfen,* dachte er. Natürlich war es für die anderen genauso gefährlich, vor die Tür zu gehen. Der *NJ7* würde sie sofort identifizieren. Aber außer Jimmy und seiner Mutter, die früher selbst *NJ7*-Agentin gewesen war, konnte sich keiner von ihnen gegen einen Angriff verteidigen. Und Jimmys Mutter war bereits einmal losgezogen, um neue Kleidung, die Farbe für Jimmys Haar und Lebensmittel zu kaufen. Es war zu riskant, die gleiche Person zweimal loszuschicken.

Jimmys Blick zuckte unruhig umher, auf der Suche nach dem verräterischen Aufblitzen eines grünen Streifens. *Bilde ich mir das nur ein?*, fragte er sich. Oder folgte ihm wirklich jemand? Seine Nackenhaare stellten sich auf. *Geh nach Hause! Schnell*, schrie sein Instinkt.

Als er sich zum Gehen wandte, glaubte er hinter einem Auto den knienden Schemen eines Mannes zu erspähen. *Greif mich an*, flehte er innerlich. *Bitte greif mich an.* Denn wenn ihn jetzt jemand attackierte, wusste er zumindest, dass er nicht völlig am Durchdrehen war. Doch nichts geschah.

Schließlich erreichte er die Pension.

»Wir müssen sofort weiterziehen«, rief er.

Die anderen erschienen nacheinander im Flur.

»Es ist Wahnsinn hierzubleiben. Sie wissen, dass wir da sind. Ich spüre es.«

»Beruhige dich«, besänftigte ihn seine Mutter.

Und Georgie fügte hinzu: »Der Einzige, der hier *wahnsinnig* ist, bist du. Wenn der *NJ7* wüsste, wo wir sind, hätten sie uns schon längst geholt.«

»Jemand hat mich da draußen beschattet.« Jimmy sah in die Gesichter der anderen. Sie wirkten skeptisch.

»Bist du sicher?«, fragte seine Mutter.

Jimmy antwortete nicht. Er war sich unsicher, aber dieses nervöse Gefühl ließ ihn einfach nicht los. Seine Instinkte warnten ihn. Und Jimmy hatte gelernt, dass er ihnen so gut wie immer vertrauen konnte.

»Wir müssen auf Chris warten«, stellte Helen Coates fest.

»Wieso?«, entfuhr es Jimmy. »Wieso müssen wir auf ihn warten?«

Seine Mutter war erstaunt. »Wie meinst du das?«

»Wenn das hier eine *NJ7*-Operation wäre«, fuhr Jimmy fort, »würden wir dann auf Chris warten? Ich sag's dir, es ist die falsche Entscheidung. Uns geht jetzt schon das Geld aus und es könnte noch Wochen bis zu seiner Rückkehr dauern. Was ist, wenn er keinen Arzt für Saffron findet? Was, wenn ...?«

»Wir müssen ihm eine Chance geben«, unterbrach ihn seine Mutter. »Wir lassen doch nicht den Mann zurück, der am meisten zu unserer Rettung beigetragen hat, oder?«

»Ist das wirklich der Grund, wieso wir auf ihn warten, Mum? Weil er uns geholfen hat?« Jimmy ließ die Einkaufstüten sinken und rieb sich die Augen. »Was bringt es ihm, dass wir hierbleiben? Braucht er uns? Oder brauchen wir ihn? Brauchst *du* ihn, Mum?«

Alle starrten ihn an – Felix, Georgie, Felix' Eltern und Jimmys Mutter. Sogar das Paar, dem die Pension gehörte, kam die Treppe hinuntergeschlurft, weil es das Geschrei anlockte. Jimmy wünschte, er hätte verstehen können, was in seiner Mutter vorging.

»Was, wenn er nie zurückkommt?«, flüsterte er.

Alle im Flur wirkten plötzlich erschrocken. Es dauerte einen Moment, bis Jimmy klar wurde, dass sie nicht länger ihn anblickten. Sie starrten auf einen Punkt direkt über seinem Kopf. Er wirbelte herum und entdeckte eine dunkle Gestalt vor dem mattierten Glas der Eingangstür.

Und bevor Jimmy reagieren konnte, drehte sich der Knauf, die Tür öffnete sich knarrend einen Spalt breit, und vier Finger schlossen sich um den Rahmen. Getragen von einem kalten Windzug, wehten die Worte in den Flur: »Ihr solltet besser die Eingangstür absperren.«

Christopher Viggo war zurück.

KAPITEL 6

Mit einem tiefen Seufzer trat Eva wieder ins Scheinwerferlicht. Die Befragungskommission hatte ihr eine kleine Pause gestattet. Allerdings war sie so kurz gewesen, dass Eva sich kaum richtig hatte entspannen können.

Sie hatte keine Ahnung, wie spät es war. Sie befanden sich in einem der Betonbunker des *NJ7*, weit weg von der Außenwelt und jedem Tageslicht. Als sie jetzt erneut der Kommission gegenüberstand, hatte sie das Gefühl, schon eine Ewigkeit hier unten zu verbringen.

Ihr rotbraunes Haar war zu einem Pferdeschwanz gebunden. In ihrem Kopf drehte sich alles und ihre Augen schmerzten von dem blendenden Neonlicht. Sie konnte die Mitglieder des Komitees nicht richtig erkennen. Sie wusste, da waren ein Mann namens Ark Stanton, ein Psychologe namens Dr. Amar und ein Grafikdesigner. Der Designer hatte ein Klemmbrett auf seinem Schoß und das Kratzen seines Filzstiftes auf dem Block zerrte an Evas überlasteten Nerven. Schweißperlen kitzelten in ihrem Nacken.

»Lass uns über Jimmys Temperament sprechen«, begann Dr. Amar. Seine Stimme klang schrill und er sprach in einem selbstgefälligen Tonfall. »Wie würde er reagieren, wenn ihn eine Wespe sticht: würde er es a) gelassen hinnehmen, b) würde er *Autsch* schreien und sich ärgern, c) würde er eher körperlich aktiv reagieren oder würde er d) der Wespe hinterherjagen und sie zu töten versuchen?«

Eva fuhr sich über die Stirn. »Ich weiß es nicht«, stöhnte sie. »Ich habe Ihnen doch gesagt, ich weiß solche Dinge nicht. Das ist doch alles total albern.«

Sie sah die Männer nicht, spürte aber ihre bohrenden Blicke intensiver als die 400-Watt-Glühbirne, die ihr mitten ins Gesicht strahlte. Sie wusste, sie musste dem *NJ7* helfen, um weiterhin den Anschein zu erwecken, sie stünde auf ihrer Seite. Diese Leute durften nicht dahinterkommen, dass sie immer noch zu Jimmy und vor allem zu ihrer besten Freundin Georgie stand. Eva war sich sicher, auf lange Sicht die richtige Entscheidung getroffen zu haben. Hier, als Agentin beim *NJ7*, konnte sie ihren Freunden besser helfen als auf der Flucht. Das bedeutete allerdings auch, dass sie sich den Forderungen dieser Leute nicht entziehen durfte. Wenn ihr falsches Spiel aufflog, konnte das ihr Ende bedeuten.

Heute hatte der *NJ7* plötzlich besonderes Interesse an ihr bekundet. Seit Stunden wurde sie jetzt in die Mangel genommen – unter harten Bedingungen. Sie hatten ihr Hunderte Fragen gestellt und alle drehten sich um Jimmy. Das konnte nur eines bedeuten: Man hatte sie durchschaut.

»Wir müssen es aber wissen, Eva«, beharrte Ark Stanton.

»Ähm ...« Eva wand sich und blinzelte ihre Tränen

weg. Sie spürte, dass sie jeden Moment zusammenbrechen und alles gestehen würde. Ein Teil von ihr sehnte sich sogar danach.

»Rate einfach, so gut du kannst«, verlangte Dr. Amar. »Ist es a, b, c oder d?«

Eva bemühte sich wirklich, die richtige Antwort zu finden, aber sie konnte sich kaum mehr an die Frage erinnern. Erinnerungen an ihre Freunde lenkten sie ab. Sie vermisste sie sehr, sogar noch mehr als ihre eigene Familie. Das Gefühl war so stark, dass ihr ganz schwindelig davon wurde. Sie beschirmte ihre Augen mit der flachen Hand und blinzelte ins grelle Licht.

»Entschuldige die extremen Bedingungen, meine Liebe«, fuhr der Psychologe fort. »Sie sind notwendig, damit wir nicht nur durch deine verbalen Äußerungen, sondern auch durch deine unbewusste Mimik und Gestik Informationen gewinnen. Wir brauchen ein vollständiges psychologisches Profil der Zielperson.«

»Der Zielperson?«, wiederholte Eva instinktiv. Sie gab sich Mühe, ihre Panik zu verbergen, aber wie sollte das klappen, wenn sie so von allen Seiten angeleuchtet wurde?

Der Designer klopfte mit seinem Stift auf das Klemmbrett und jeder Schlag hallte in Evas Kopf wider.

Sie wissen Bescheid, dachte Eva. *Sie wissen, dass ich eine Verräterin bin. Wenn ich es freiwillig zugebe, verschonen sie vielleicht mein Leben.*

Ihr Atem ging rascher. Ihre Kehle fühlte sich an wie aus Sandpapier. Eine Träne vermischte sich mit dem

Schweiß, der über ihr Gesicht rann. Sie öffnete den Mund, bereit, alles preiszugeben, aber dann plötzlich... Dunkelheit.

Stanton hatte das Scheinwerferlicht ausgeschaltet.

Evas Augen brauchten ein paar Sekunden, um sich wieder an das normale Licht im Raum zu gewöhnen.

»Ich denke, wir haben genug für heute«, murmelte Stanton. »Gut gemacht, Kleine. Danke.«

Eva bekam keinen Ton heraus. Sie sah sich benommen um.

»Wir können morgen fortfahren«, erklärte Stanton. »Danke, Doktor Amar.« Er wandte sich an den Psychologen und den Grafikdesigner. Beide nickten, sammelten ihre Notizen ein und gingen. Auf seinem Weg nach draußen nahm Dr. Amar die Videokassette aus der Kamera, mit der Eva die ganze Zeit aufgenommen worden war. Dann war sie alleine mit Ark Stanton.

»Das war hart, oder?«, begann er, und seine sanfte Stimme klang in Evas Ohren wie ein Streicheln. »Deine Informationen sind entscheidend, weißt du. Dr. Higgins hätte uns alle Antworten geben können, aber er ist verschwunden. Miss Bennett kannte Jimmy früher als Lehrerin, aber ihre Informationen sind natürlich veraltet. Du bist die Letzte, die längere Zeit mit Jimmy verbracht hat. Die Letzte auf unserer Seite zumindest. Du kannst uns sagen, wie er denkt, wie er handelt und wie weit sich seine Fähigkeiten entwickelt haben.«

»Vielleicht wäre es hilfreich, wenn ich wüsste, wozu das Ganze gut sein soll«, schlug Eva vor. *Vielleicht kann ich Jimmy helfen, wenn ich weiß, was sie vorhaben,* dachte sie.

Stanton überlegte einen Augenblick, dann nickte er. »Ich zeige dir, wofür wir die Informationen brauchen. Du hast es dir verdient. Du hast hart gearbeitet.«

Er eilte aus dem Zimmer und kam kurz darauf mit einer schwarzen Katze auf dem Arm wieder zurück. Das Tier war dürr und sein zerzaustes Fell stand in alle Richtungen ab.

»Das hier ist Miles«, sagte Stanton und winkte mit der Katzenpfote in Evas Richtung. »Sie hat Dr. Higgins gehört, aber er hat sie zurückgelassen, als er verschwunden ist.«

Eva war völlig verwirrt. Sekunden vorher dachte sie noch, ihr doppeltes Spiel wäre aufgeflogen – und jetzt wurden ihr plötzlich Haustiere vorgestellt. Sie spürte, wie ihre Knie zu zittern anfingen.

»Das hier ist aber keine gewöhnliche Katze«, erklärte Stanton und setzte sie behutsam auf dem Boden ab. Er ließ sich in seinen Bürosessel fallen und drückte ein paar Tasten auf seinem Computer. Seine Augen ruhten auf dem Bildschirm, während er sprach. »Als Dr. Higgins und sein Team die genetisch veränderten Agenten entwickelt haben, brauchten sie einen Prototyp, ein Versuchskaninchen sozusagen.«

»Einen Prototyp?« Eva schnappte nach Luft.

»Um die Technologie zu testen«, erklärte Stanton, immer noch auf den Computer fixiert. »Also haben sie zuerst eine Katze geschaffen.«

Eva konnte nicht glauben, was sie da hörte. Sie starrte die Kreatur an, die sich schnurrend an ihre Beine schmiegte und zu ihr hochsah.

»Diese Katze ist ein genetisch programmierter Agent?« Sie konnte sich nur mit Mühe ein Lachen verkneifen. Es kam ihr alles wie ein verrückter Traum vor.

»Nein«, widersprach Stanton. »Die Katze ist natürlich kein Agent. Eine Katze kann man nicht als Agent programmieren. Aber Miles ist einfach stärker, schneller und widerstandsfähiger als andere Katzen. Außerdem hat er schon mindestens drei Mal das Alter einer gewöhnlichen Katze überschritten.«

»Eine Katze mit einundzwanzig Leben«, murmelte Eva und bückte sich, um sie zu streicheln.

»Wie bitte?«

»Ach nichts.« Das Fell war warm unter ihrer Hand. »Armes Ding.«

»*Nützliches* Ding, meinst du«, verbesserte sie Stanton. »An Miles kann ich meine Pläne für Jimmy Coates testen.«

Dann beugte er sich vor und schraubte einen grauen Plastikstab an ein kleines Kästchen – das Ganze sah aus wie ein Sender mit Antenne. Ein Lächeln breitete sich auf seinem Gesicht aus, als er die letzte Taste drückte. Mit einem Funkeln in seinen Augen lehnte er sich zurück und flüsterte: »Jetzt sieh dir das an.«

Eva wusste zuerst nicht, was er meinte. Sie war vertieft darin, den Kater zu streicheln. Es war bei Weitem das Entspannteste, was sie in ihrer ganzen Zeit beim *NJ7* getan hatte. Doch plötzlich zuckte Miles zurück und fauchte sie an. Eva erschrak und hatte für einen Moment Angst, der Kater würde sie angreifen. Doch stattdessen warf sich das Tier gegen die Wand, als hätte es ein unsichtbarer Zug gestreift. Eva entfuhr ein erschrockener Schrei. Die Katze sank zu Boden. Aber das war noch nicht das Ende. Eva beobachtete entsetzt, wie Miles den Schmerz abschüttelte, ein paar Meter zurückkroch und dann erneut gegen die Wand sprang. Dieses Mal knallte er mit dem Kopf zuerst gegen den Beton und beschmierte ihn mit Blut, als er zu Boden rutschte.

»Aufhören!«, schrie Eva. »Er ist verrückt geworden! Das Tier wird sich umbringen!«

»Ha! Keine Sorge«, erwiderte Stanton lachend. »Er ist hart im Nehmen. Es würde Stunden dauern, bis ihn das umbringt.«

»Bitte nicht!«, rief Eva erneut und schlug die Hände vors Gesicht. »Hören Sie sofort auf damit!« Ihr ganzer Körper zitterte. Sie stolperte hinüber zu dem Kater, um ihn festzuhalten, aber er fauchte sie mit einem Killerblick an und sprang erneut gegen die Wand.

»Genug!«, heulte Eva, aber ihre Worte waren vor Schluchzen kaum zu hören.

Endlich tippte Stanton auf die Leertaste. »Sieht aus, als hätte Miles mein Signal empfangen«, gluckste er.

Eva wollte ihre Augen gar nicht mehr öffnen, aber sie musste nach dem Kater schauen. Seine selbstzerstörerische Energie war verschwunden. Er torkelte umher, als wäre er betrunken, dann leckte er sich seine Pfoten und säuberte sein Fell. Schließlich humpelte er aus dem Raum.

»*Das* wollen Sie mit Jimmy machen?«, fragte Eva entgeistert. Das Blut an der Wand stach ihr ins Auge. Es war die einzige Farbe in dem grauen Zimmer.

»Nein, nein«, antwortete Stanton. »Er ist vielleicht noch ein Kind, aber er ist klüger als die Katze. Jimmy wird sich selbst auf eine viel elegantere Weise zerstören. Ich bereite jetzt das Signal vor.«

Panik breitete sich in Eva aus. Sie wusste genau, was Ark Stanton als Nächstes sagen würde.

»Und ohne deine Hilfe, Eva«, verkündete er, »wäre das nicht möglich gewesen.«

KAPITEL 7

Viggo wurde mit erstauntem Schweigen empfangen. Er lächelte, nickte Helen zu und wuschelte Jimmy durchs Haar, als er an ihm vorbeilief und direkt ins Wohnzimmer marschierte. Er war unrasiert und auf einem seiner markanten Kieferknochen verheilte ein langer Kratzer. Jimmy schätzte, dass der schon ein paar Tage alt war.

»Also, wie jetzt?«, platzte Felix heraus. »Hab ich was verpasst? Reden wir jetzt nicht mehr mit ihm?«

»Ich glaube, wir sind einfach sehr froh, ihn zu sehen«, erwiderte Felix' Mutter und warf Helen einen Blick zu.

»Ich setze mal Teewasser auf«, seufzte Helen.

»Super«, zwitscherte Felix. »Hast du zufällig Kekse mitgebracht, Jimmy?«

Unglücklicherweise gingen schlagartig alle Lichter aus, als Helen den Wasserkocher anschaltete.

»Schau, was du angerichtet hast, Chris«, rief sie scherzend. »Kaum tauchst du auf, gibt es einen Stromausfall.«

»Scheint, als wäre der ganze Block betroffen«, murmelte Felix' Mutter, die aus dem Fenster spähte.

Es dauerte ein paar Minuten, bis sie Kerzen und Streichhölzer gefunden hatten. Dann versammelten sich alle im Wohnzimmer um Viggo.

»Wisst ihr was?«, verkündete er. »Ihr habt mir echt gefehlt.«

»Wahrscheinlich dachtest du, wir überleben keine drei Tage ohne dich«, gluckste Jimmy.

Viggo grinste breit. »Ich dachte, ohne mich schafft ihr es nicht mal, euren Allerwertesten abzuw...«

»Das reicht, Chris«, unterbrach ihn Jimmys Mutter und legte eine Hand auf seine Schulter.

Felix bemühte sich, sein Lachen zu unterdrücken, und Jimmy merkte, wie seine Anspannung sich langsam löste. Trotzdem beschäftigte ihn immer noch eine tiefe Sorge. Georgie sprach es als Erste an: »Wie geht es Saffron?«

Viggos Laune veränderte sich schlagartig. Er sog scharf die Luft ein.

»Sie wird es schaffen«, erklärte er, und alle seufzten erleichtert auf. »Ich habe jemanden gefunden, der sich um sie kümmert. Sie ist in guten Händen.«

»Und wird sie wieder ganz gesund?«

»Bevor ich sie verließ, hatte sie gute und schlechtere Momente. Aber mehr gute. Es wird allerdings noch eine ganze Weile dauern, bis sie wieder vollständig genesen ist. Außer Jimmy hätte plötzlich die Fähigkeiten eines DeLorean entwickelt.«

»Was ist ein DeLorean?«, fragte Jimmy stirnrunzelnd. Georgie und Felix blickten genauso verwundert.

Felix' Vater entfuhr ein schallendes Lachen. »Das kommt in einem alten Film vor«, gluckste er. »Es ist eine Art Zeitmaschine.«

»Hättest du nicht lieber bei Saffron bleiben sollen?«, fragte Felix' Mutter.

»Ich wünschte, das wäre möglich gewesen«, antwortete Viggo. »Aber ohne mich ist sie dort sicherer. Abgesehen von Jimmy bin ich die vom *NJ7* am meisten gesuchte Person. Sobald ich kann, hole ich sie wieder zu uns. Aber im Augenblick bietet sich uns eine ausgezeichnete Gelegenheit zur Flucht. Wir sollten sie nicht ungenutzt lassen. Dass der *NJ7* uns bisher noch nicht gefunden hat, kann nur daran liegen, dass ihn jemand auf eine falsche Spur gelockt hat.«

»Das war Zafi«, verkündete Jimmy.

»Zafi?«, entfuhr es Viggo. »Wer oder was ist Zafi?«

»*ZAF-1*«, antwortete Jimmy. Es kostete ihn ein wenig Überwindung, es laut auszusprechen. »Sie ist das französische Gegenstück zu mir.«

»Ganz ausgezeichnet«, murmelte Viggo, während er sich den Nacken rieb. »Das wird ja immer besser, oder? Aber mach dir keine Gedanken darüber, was diese Zafi dir erzählt hat. Ich habe selbst gute Kontakte, die uns hier raushelfen können.«

»Raus aus dem Land?«, hakte Georgie nach.

»Genau. Weg von hier und in ein sicheres neues Versteck.«

»Uns geht das Geld aus«, warf Helen ein. »Und ich kann nicht einfach zur Bank gehen und etwas abheben, das ist dir ja wohl klar, oder?«

»Keine Sorge.« Viggo wischte ihre Bedenken mit einer Handbewegung beiseite. »Das ist alles bereits geklärt.«

Helen hob eine Augenbraue.

»Wo geht es hin?«, fragten Jimmy und Felix fast gleichzeitig.

Viggo konnte sich ein Lächeln nicht verkneifen. Und diesmal war es fast ein richtiges Strahlen. Er stand auf, streckte sich und legte die Hände auf Jimmys Schultern. »New York City!«, verkündete er.

Jimmy, Felix und Georgie waren außer sich vor Freude. Sie machten wilde Sprünge und boxten in die Luft, wobei sie fast die Kerzen umstießen.

Jimmy hatte so viel über die USA gehört. Von dort kamen alle tollen Produkte: die besten Computerspiele, die coolsten Klamotten, die tollste Musik. Das alles war in England nur noch illegal zu erstehen. Ares Hollingdale und seine Neodemokratie hatten es ausländischen Firmen fast unmöglich gemacht, ihre Waren in England zu verkaufen. Er hatte alles gehasst, was nicht original englisch war. Sogar amerikanische TV-Serien waren stark zensiert worden, sodass manchmal die Witze darin überhaupt keinen Sinn mehr ergaben. Auch wenn Jimmy sich manchmal fragte, ob das wirklich nur mit der Zensur zusammenhing. Doch die Serien waren für ihn die einzige Möglichkeit gewesen, etwas über die USA zu erfahren. Er hätte sich nie träumen lassen, dass er selbst einmal dorthin reisen würde.

Jimmys Mutter war weniger enthusiastisch. Sie beugte sich zu Viggo hinüber und fragte leise: »Wer sind deine neuen Kontakte, Chris?«

»Das erkläre ich dir später.« Sie starrten einander

einen Moment lang in die Augen, bevor Viggo sich abwandte. »Alles ist arrangiert. Ein Wagen steht draußen bereit. Morgen fahren wir alle zum Flughafen. Diese Typen werden uns durch alle Kontrollen schleusen.«

»Scheinen ja ziemlich einflussreiche Kontakte zu sein«, murmelte Helen.

Jimmy war der Einzige, der ihre Anspannung spürte. Alle anderen feierten jubelnd die Neuigkeiten. Und die allgemeine Stimmung wurde noch besser, als endlich das Licht wieder anging. In den Sekunden, als sich die Augen der anderen noch an die plötzliche Helligkeit gewöhnten, studierte Jimmy Viggos Gesicht. Warum erklärte er ihnen nicht, wer diese Kontakte waren? Irgendetwas stimmte hier nicht. Was hatte Viggo ausgehandelt, um eine reibungslose Flucht zu ermöglichen? Welche Opfer würde Jimmy bringen müssen, um Viggos Teil des Deals zu erfüllen?

»Wir fahren in aller Frühe«, verkündete Viggo. »Seht zu, dass ihr noch ein paar Stunden Schlaf erwischt.«

Auf dem Weg hinauf ins Schlafzimmer überfiel Jimmy eine neue Sorge. Ihm war eingefallen, dass Ian Coates sich zurzeit in Amerika aufhielt. Der Premierminister von England, der Mann, den Jimmy inzwischen als seinen *Exvater* bezeichnete, war in Washington, um den US-Präsidenten zu treffen und vor dem Senat zu sprechen.

Bin ich verflucht?, dachte Jimmy. *Muss ich diesem Mann folgen, wo immer er hingeht?* Wenigstens war sein Exvater in einer anderen Stadt. Das war zumindest ein kleiner Trost. Nichtsdestotrotz ging Jimmy mit angst-erfüllten Gedanken zu Bett: Was würde geschehen, wenn sie sich je wiedersehen sollten? Jimmy hatte keine Ahnung, wie seine Instinkte reagieren würden.

»Miss Bennett, ich verstehe das nicht.« Mitchell saß über seinen Schreibtisch gebeugt in einem der Besprechungs-räume des *NJ7*. Er war mit der Geheimdienstchefin al-leine. Der Raum entsprach dem üblichen Stil im Haupt-quartier – nackte Betonwände und ansonsten nur ein paar Tische mit einem Laptop und einem Overhead-Projektor. Mitchell bemerkte, dass auf dem Laptop kein großes, amerikanisches Firmenlogo zu sehen war. Da war einfach nur ein grüner Streifen.

»Warum schicken Sie denn nicht wenigstens jemand anderen?«, fuhr er fort. »Ich würde das verstehen. Aber so ist ja gar niemand mehr hinter Jimmy Coates her.«

Miss Bennett war an ihrem Laptop beschäftigt, deswe-gen dauerte es eine Weile, bis sie zu Mitchell aufsah.

»Oh, du würdest es verstehen, wenn ich jemand ande-ren beauftragen würde, Jimmy Coates zu beseitigen? Nachdem du es zweimal versaut hast? Das ist ja so *verständnisvoll* von dir.«

Mitchell war schon eine ganze Zeit aus der Schule raus, aber jetzt fühlte er sich wieder wie damals: als ein unbedeutender Versager. Er senkte den Kopf und starrte auf den Schreibtisch.

»Kopf hoch, Glenthorne«, befahl Miss Bennett. »Du bist trotzdem noch der beste genetisch programmierte dreizehnjährige Agent, den wir haben.« Sie lachte und nach kurzem Zögern stimmte Mitchell mit ein. Erwartungsvoll sah er Miss Bennett an. Dass sie ihn in einen Besprechungsraum bestellt hatte, konnte nur bedeuten, dass es eine neue Mission gab. Und offenbar ging es nicht um Jimmy Coates. Also, worum dann?

Der Overhead-Projektor leuchtete auf und warf in großen Lettern *ZAF-1* an die Wand.

»*ZAF-1*«, verkündete Miss Bennett.

»Ja«, murmelte Mitchell. »Ich kann lesen.«

Miss Bennett funkelte ihn böse an. Er versank in seinen Stuhl. Offensichtlich war der Gebrauch von Ironie ihr allein vorbehalten.

»Aus Dr. Higgins' Unterlagen geht hervor, dass der *DGSE,* der Französische Geheimdienst, schon lange Zugang zu den Technologien hat, mit denen ihr geschaffen wurdet.«

Mitchell war plötzlich hellwach.

Miss Bennett fuhr in lehrerhaftem Tonfall fort: »Zuerst dachten wir, *ZAF-1* wäre ein zweiter französischer Geheimdienst. Dann ist uns klar geworden, dass es in Frankreich kaum genug clevere Leute für einen einzigen gibt – geschweige denn für zwei.«

Mitchell gluckste.

»Unsere momentane Theorie ist folgende«, führte Miss Bennett aus. »*ZAF-1* ist der Name eines französischen Agenten. Er dürfte höchstens zwölf sein. Und falls er jünger als neun ist, ist er sowieso noch nicht zu gebrauchen.«

Sie drückte eine Taste am Computer, um zur nächsten Folie zu wechseln. Doch nichts passierte.

»Verdammt«, murmelte sie. »Ich hasse dieses Power-Point.«

»Ich zeige es Ihnen«, seufzte Mitchell und richtete sich auf. Die Beine seines Stuhls schabten über den Boden, doch das Geräusch wurde noch von Miss Bennetts ärgerlichem Aufschrei übertönt.

»Ich brauche keine Hilfe, danke!« Sie knallte den Laptop zu. »Der Rest ist ganz einfach. Finde den französischen Agenten. Töte ihn, bevor er dich tötet.«

»Was meinen Sie mit, *bevor er dich tötet?*«

»Was glaubst du wohl? Wenn die Franzosen unsere Technologien geklaut haben, wissen sie logischerweise auch über dich Bescheid. Schon bald führen wir Krieg gegen Frankreich. Und dann werden die Franzosen versuchen, als Erstes unsere stärkste Waffe auszuschalten. Genauso wie wir ihre beseitigen wollen.«

Stolz durchflutete Mitchell. Miss Bennett redete jetzt nicht mehr spöttisch über seine Fähigkeiten. Er saß aufrecht und mit vorgereckter Brust da. »Wo fange ich an zu suchen?«

Er hätte nie damit gerechnet, auf eine Mission geschickt zu werden, bei der so wenig über das Zielobjekt bekannt war. Er wusste nicht einmal, wie der andere Agent aussah oder ob er wirklich existierte. Aber aus irgendeinem Grund trug diese Ungewissheit nur zu einem Gefühl gesteigerter Verantwortung bei. Mitchell spürte die Aufregung in seinem ganzen Körper prickeln.

»Paris«, erklärte Miss Bennett. »Einige unserer Agenten wurden schon in den *DGSE* eingeschleust. In ein paar Tagen sollten sie weitere Informationen für dich haben. Beginne mit deiner Suche in Paris. Und sobald einer der Agenten etwas für dich hat, arrangiere ich ein Treffen für euch. Viel Glück. Englands Zukunft liegt in deinen Händen.«

Über Mitchells Gesicht kroch das breiteste Lächeln seines Lebens. Die Strapazen der letzten Wochen waren auf einmal wie weggeblasen. Der kleine Junge in ihm hatte seine Verwirrung und Unsicherheit abgestreift. Er war jetzt wieder ein echter Agent – auf der Jagd nach seinem Zielobjekt.

KAPITEL 8

Am Londoner Flughafen wimmelte es von schwerbe-
waffneten Polizisten. Das war zwar nichts Ungewöhnliches, trotzdem kam es Jimmy so vor, als würden sie
alle ihn anstarren. Und in jeder Ecke des Gebäudes
hingen Überwachungskameras, die auf ihn gerichtet
schienen.

Plötzlich gab es einen Knall. Jimmy zuckte zusammen.
Er wirbelte herum und rechnete damit, direkt in den
Lauf einer Maschinenpistole zu starren.

»Komm runter«, murmelte Felix. »Dem Typ ist nur
sein Koffer umgefallen.«

Jimmy schwieg. Sie marschierten weiter durch das
Terminal. Es war noch vor der üblichen morgendlichen
Stoßzeit und kaum Menschen waren unterwegs. Außerdem war der internationale Flugverkehr ohnehin fast
zum Erliegen gekommen. Der Linoleumboden reflektierte das helle Licht. Außer dem Quietschen der Schuhe
der wenigen anderen Reisenden und dem Ticken der
großen Terminaluhr war kaum etwas zu hören.

Jimmys Muskeln waren in Alarmbereitschaft. Er war
zusammen mit Felix losgezogen, während die anderen
sich im Terminal verteilt hatten. Jeder sollte zu einer an-

deren Zeit und an einem anderen Schalter einchecken. Gelegentlich erspähte Jimmy einen von ihnen in der Halle.

»*Ich* sollte mir Sorgen machen«, fuhr Felix fort. »Nicht *du*. Die könnten mich überwältigen, indem sie mich einmal fest anniesen.«

Aber ich bin derjenige, den sie suchen, dachte Jimmy. Er griff an die Gesäßtasche seiner Jeans, ob die gefälschten Dokumente noch da waren. Eine weitere falsche Identität. Ein weiteres Leben auf dem Papier, das zerstört würde, sobald er es nicht mehr brauchte. Er hatte die Dokumente auf dem Weg zum Flughafen genau unter die Lupe genommen. Oder besser gesagt, so gründlich wie möglich, ohne dass ihm dabei schlecht wurde. Sie schienen in Ordnung – fast schon zu perfekt. Je mehr Jimmy von dieser Operation erfuhr, desto misstrauischer machten ihn Viggos mysteriöse neue Kontakte. Wie auch immer, ihm blieb wohl kaum eine andere Wahl, als dem Plan zu folgen und seine neue falsche Identität anzunehmen: Sam O'Shaughnessy aus Acton.

Plötzlich entfuhr ihm ein Schmerzensschrei und er presste seine Finger an eine Stelle über seinem rechten Ohr.

»Was ist los?«, fragte Felix.

Jimmys Kopf fühlte sich an, als würde jemand Blitze auf sein Gehirn abfeuern. Und das war nicht das erste Mal an diesem Morgen. Felix begriff schnell.

»Schon wieder?«, fragte er. Sie blieben stehen, und Jimmy beugte sich nach vorne, den Kopf in beiden Händen. »Dir geht es wie Harry Potter mit seiner blöden Narbe, oder?«

»Ja«, stöhnte Jimmy und verdrehte die Augen. »Ganz *genau* so.«

Es war schon die vierte Schmerzattacke an diesem Tag. Jedes Mal war es wie ein gezielter, tiefer Stich an einer bestimmten Stelle seines Kopfes, der nach ungefähr dreißig Sekunden ebenso plötzlich wieder verschwand. Jimmy holte tief Luft und richtete sich auf.

»Bist du okay?«, fragte Felix.

Jimmy nickte und zwang sich zu lächeln.

»Also, was stimmt nicht mit deinem Kopf?«, meinte Felix, als sie in der Schlange vor dem Check-in standen.

Jimmy hatte keine Ahnung. Er hatte so etwas noch nie erlebt. Seine einzige Erklärung war, dass es irgendetwas mit seiner sich weiter entwickelnden Konditionierung zu tun haben musste.

Eigentlich hatte er gedacht, er hätte sie mittlerweile ganz gut im Griff – dass er ungefähr wüsste, wozu sie imstande wäre und wie er sie kontrollieren könnte. Doch er musste sich eingestehen, dass er eigentlich keinen blassen Schimmer hatte. Es fühlte sich an, als würde da ein Alien in ihm heranwachsen. Schlimmer als das – als wäre er *selbst* ein Alien und gar kein echter Mensch.

»Weiß nicht«, murmelte er und zuckte mit den Achseln. Er versuchte gelassen zu klingen. Aber in Wahrheit war der Schmerz nicht das einzige neue Phänomen, das Jimmy Sorgen bereitete. Da war noch etwas anderes. Etwas viel Bedrohlicheres. Er wollte es schon ein paar

Mal gegenüber den anderen ansprechen, aber jedes Mal hatte er gezögert. Vermutlich weil er unbedingt vermeiden wollte, dass man den Details seiner ohnehin seltsamen Entwicklung noch mehr Aufmerksamkeit schenkte.

Jimmy und Felix – oder besser gesagt Sam O'Shaughnessy und Billy Gutman – reichten ihre Pässe über den Schalter. Pflichtbewusst nickten sie jedes Mal, wenn man ihnen eine Frage stellte. Hier am Schalter lief alles wie am Schnürchen. Doch das Einchecken war nur der erste Schritt ihrer langen Reise. Jimmy durfte sich noch nicht entspannen.

Als sie sich vom Schalter entfernten, atmete Jimmy tief durch. Er musste sich endlich etwas von der Seele reden.

»Ich habe etwas geträumt«, murmelte er.

»Was?«

»Ich habe etwas geträumt«, wiederholte Jimmy, dieses Mal ein wenig lauter. »Und ich kann mich gut an den Traum erinnern. Zumindest an Teile davon. Einzelne Bilder.«

»Na und? Ist doch bloß ein Traum. Ich hatte mal einen echt schrägen Traum – und er war total real. Ich habe geträumt, ich schaue aus meinem Fenster und plötzlich taucht dieses riesige Ufo auf und landet in unserem Garten und diese ganzen Comicfiguren kommen raus ...« Felix plapperte weiter, ohne dass Jimmy ihn unterbrach. Er brauchte seine ganze Konzentration, um in Worte zu fassen, was ihn beschäftigte. »... und sie waren so eine Art Armee und haben den Garten besetzt. Ich hab an mir runtergeschaut und auf meinem T-Shirt war eine Comicfigur, weil – und jetzt kommt der Hammer – ich war auf ihrer Seite!«

»Aber ich habe *geträumt*«, beharrte Jimmy. »Findest du das nicht merkwürdig?«

»Träume sind Schäume«, erwiderte Felix. »Erzähl mir bitte nichts davon. Träume von anderen Leuten langweilen extrem.«

»Du kapierst es einfach nicht!«, schrie Jimmy, was er jedoch sofort bereute und augenblicklich seine Lautstärke wieder drosselte. »Ich träume sonst *niemals*. Ich habe noch kein einziges Mal in meinem ganzen Leben geträumt. Normalerweise werde ich nachts trainiert. Meine Konditionierung erledigt das im Schlaf.«

Genau in dem Moment meldete sich schlagartig Jimmys Konditionierung. Seine Sinne wurden plötzlich überscharf. Die Geräusche im Terminal klangen jetzt extrem laut, er konnte selbst aus zweihundert Metern Entfernung noch jedes Wort verstehen. Der Geruch nach scharfen Putzmitteln stieg ihm ätzend in die Nase.

»Was ist denn nun schon wieder los?«, flüsterte Felix.

»Lauf einfach«, befahl Jimmy leise. »Schau weiter geradeaus.« Er spielte vor seinem inneren Auge noch einmal die Bilder durch, die ihn in plötzliche Alarmbereitschaft versetzt hatten. Irgendetwas hatte seine Aufmerksamkeit erregt. War eine verdächtige Gestalt hinter einem der Schalter abgetaucht? War es das? Ja, jetzt formte sich ein klares Bild in seinem Kopf. Zwei Gestalten hatte er dort gesehen, ihre Schatten hatten sich auf dem Boden abgezeichnet. Sie waren blitzschnell verschwunden, als Jimmy und Felix sich näherten. Aber wieso hatten ihre Schuhe nicht auf dem Boden gequietscht?

»Wir werden verfolgt«, wisperte Jimmy.

»Du hast eine echte Vollmeise«, stellte Felix nüchtern fest. »Aber dir zuliebe tue ich jetzt mal so, als würde ich das glauben.«

Sie marschierten auf die Passkontrolle zu und versuchten einen möglichst normalen Eindruck zu machen. Doch dann wurde Jimmy plötzlich hektisch.

»Beeil dich«, drängte er. Als sie vor den Passschalter traten, zerrte er Felix förmlich am Arm.

»Lass mich los«, sagte Felix. »Wir sind doch kein gestresstes Ehepaar.«

Vielleicht war es Felix' scherzhafter Kommentar, der ihn ablenkte, oder die Angst, verfolgt zu werden, jedenfalls bemerkte Jimmy nicht, wie der Sicherheitsbeamte lächelte. Leute mit falscher Identität amüsierten den Mann immer. Er nickte seinem Kollegen zu.

Die beiden Jungs warfen immer noch nervöse Blicke über die Schultern und hielten nach zwei mysteriösen Gestalten Ausschau, während man sie durch die Sicherheitskontrollen winkte. Von jetzt an verlief ihr Weg zum Flugzeug reibungslos – viel zu reibungslos.

Dünne, horizontale Streifen in allen Regenbogenfarben. Rote und gelbe Farbkleckse vor einem schmutzig cremefarbenen Hintergrund. Die Zahl 53, weiß vor grünem

Hintergrund. Der Buchstabe *K*, fett und schwarz auf einer hellen weißen Wand.

Jimmy konzentrierte sich auf diese Bilder. Er rief sie in seinem Bewusstsein wach, bis sie immer klarer wurden. Es waren die Bilder, die er in seinem Traum gesehen hatte. Der erste Traum seines Lebens, an den er sich hatte erinnern können.

Er schloss die Augen. Das Flugzeug war noch nicht gestartet und schon machten ihn die Bilder in seinem Kopf fast verrückt. Sie überschatteten sogar die Freude, zum ersten Mal in seinem Leben über den Atlantik zu fliegen.

Er zog ein Set von Filzstiften und ein Notizbuch hervor, das er in einem Laden am Flughafen gekauft hatte. Er griff nach den Stiften und probierte die einzelnen Farben aus. Dann begann er zu zeichnen.

Zuerst passten alle Bilder auf eine Seite. Dann wurden seine Zeichnungen größer und ein Bild nahm jeweils eine ganze Seite ein. Jimmy malte die horizontalen Regenbogenstreifen, die roten und gelben Kleckse, die weiße 53 auf grünem Grund. Dann wurde seine Konzentration von einer Durchsage des Piloten gestört.

»Hier spricht Ihr Flugkapitän. Bedauerlicherweise sind wir mit einer Verspätung von wenigen Minuten gestartet«, schallte es aus den Lautsprechern.

»Was sind das für Bilder?«, fragte Felix, der endlich sein intensives Studium des auf seinem Monitor gebotenen Filmprogramms unterbrach.

Währenddessen fuhr der Pilot mit seiner Ansage fort.

»Wir haben momentan Probleme mit unserem Computersystem. Die Ursachen sind vermutlich atmosphärische Störungen über Europa. Es besteht allerdings kein Grund zur Sorge.«

»Ich krieg diese Bilder nicht aus dem Kopf«, krächzte Jimmy. Sein Hals war plötzlich trocken.

»Die Probleme sollten in kurzer Zeit behoben sein«, dröhnte es weiter aus den Lautsprechern. »Wir werden die Verspätung in der Luft aufholen und hoffentlich pünktlich in New York landen.«

Der Flug war turbulent, trotzdem war Jimmy entschlossen, möglichst bald zu schlafen. Er war zwar nicht wirklich müde, aber er wollte herausfinden, ob er wieder träumen würde. Inzwischen war er fast sicher, dass er sich die ganze Sache nur eingebildet hatte. Genauso wie er plötzlich bezweifelte, ob ihnen am Flughafen wirklich zwei Personen gefolgt waren.

Doch erst einige Stunden später, als bereits die Stewardess herumging und die Einreiseformulare für die US-Zollabfertigung verteilte, nickte Jimmy endlich ein. Sein Formular blieb unbeachtet auf seinem Schoß liegen.

Jimmy erwachte erst wieder, als das Flugzeug auf dem *John-F.-Kennedy*-Flughafen landete. Er empfand nicht mehr die geringste Freude und Aufregung, endlich in Amerika zu sein. In Jimmys Kopf waren nur vier Dinge: dünne, horizontale Streifen in Regenbogenfarben, rote und gelbe Farbkleckse, eine weiße Nummer 53 und ein schwarzes *K* auf einer hellen weißen Wand.

Jimmy griff nach seinen Stiften.

KAPITEL 9

Das Erste, was Jimmy von Amerika sah, war die Menschenschlange vor der Zollabfertigung. Er fühlte sich von dem langen Flug noch etwas benebelt. Dennoch zwang er sich, aufmerksam seine Umgebung zu studieren. Alle paar Sekunden aktivierte er seine Konditionierung, sodass sie immer in Alarmbereitschaft war.

»Hey«, flüsterte Felix neben ihm. »Hast du dein Einreiseformular schon ausgefüllt?«

Jimmy blickte hinab zu den Dokumenten, die er fest umklammert hielt. Bevor er nachsehen konnte, schnappte sich Felix die Papiere.

»Ist diese ganze Geschichte nicht ein bisschen sehr merkwürdig?«, fragte er.

Jimmy wusste nicht, was er antworten sollte. War vielleicht eine der Stewardessen Viggos Kontaktperson? Hatte die Fluggesellschaft sie in die USA geschmuggelt? Nach allem, was Jimmy in den letzten paar Wochen herausgefunden hatte, erschien ihm nichts mehr unmöglich. Er spähte zu Viggo, der weiter vorne in der Schlange stand und gemeinsam mit Helen und Georgie wartete. Viggo nickte Jimmy gelassen zu, aber auch das konnte Jimmys Nerven nicht beruhigen.

»Ich traue dieser ganzen Sache nicht«, murmelte Jimmy. Er klang ärgerlich. Eine Überwachungskamera schwenkte über die Menge. Jimmy senkte den Kopf.

»Entspann dich«, sagte Felix. »Wir haben es doch schon geschafft, oder nicht?«

»Denkst du das wirklich? Schau mal da.« Jimmy nickte zum Anfang der Schlange, wo die Zollbeamten in ihren Uniformen und schweren Stiefeln standen. »Als Erstes werden die Typen da unsere Pässe unter die Lupe nehmen. Dann kontrollieren sie unsere Einreiseformulare. Währenddessen werden wir die ganze Zeit von Kameras überwacht. Der Computer vergleicht unsere Gesichter bereits mit denen von Abertausend im System gespeicherten Kriminellen. Dann nehmen sie unsere Fingerabdrücke mit einem elektronischen Lesegerät, das ebenfalls das System nach Übereinstimmungen durchforstet.«

»Aber ...«

»Genau. Der *NJ7* hat wahrscheinlich dafür gesorgt, dass unsere Fingerabdrücke alle eingespeist sind. Für Interpol sind wir dann gesuchte Kriminelle. Wir haben zwar perfekt gefälschte Papiere und sehen sogar ein bisschen anders aus als gewöhnlich – aber wir haben keine neuen, falschen Daumen. Frag Chris, was seine *Kontakte* dagegen unternehmen wollen.«

Felix starrte schweigend auf seine Finger. Während die beiden Freunde zum Schalter vorrückten, kroch die Angst in ihnen hoch. Jimmy schloss die Augen, als er seinen Daumen auf das Gerät presste. Sein Kopf blendete das geschäftige Geratter des Flughafenterminals aus.

Er hörte nur noch seinen eigenen Atem und das Ticken der Armbanduhr des Zollbeamten. Er spürte, wie seine Konditionierung Wellen von Energie an sein Gehirn schickte.

Gegen seinen Willen entwarf Jimmy einen Fluchtplan. *Warte bis zur letzten Sekunde*, hörte er eine Stimme irgendwo in seinem Kopf. Er befahl ihr zu schweigen, denn ein Dutzend Gewehrkugeln würden ihm hinterherpfeifen, sobald er zu rennen anfing. Aber die Kommandos seiner Instinkte wurden immer massiver: Jimmy sah bereits das Blutbad vor sich, das er anrichten würde. Jeden Moment würde er den zerstörerischen Kräften in sich nicht mehr widerstehen können.

Im allerletzten Moment wurden seine panischen Gedanken von der lauten Stimme des Beamten unterbrochen: »Danke, Sir. Sie können weitergehen.«

Vom Zoll aus begaben sie sich unabhängig voneinander zu einem Parkplatz, wo ein Mietwagen auf sie wartete. Viggo besorgte die Schlüssel. Kurz darauf saßen sie alle in dem Minivan, der sie nach Manhattan bringen sollte.

»Kannst du uns jetzt endlich verraten, was hier vorgeht?«, entfuhr es Jimmy, sobald er die Wagentür hinter sich zugeschlagen hatte.

»Du weißt genau, was vorgeht«, antwortete Viggo. »Dein Leben und das derjenigen, die du liebst, wird gerade gerettet.« Er trat aufs Gaspedal.

Jimmys Mutter, die auf dem Beifahrersitz saß, legte ihm eine Hand auf die Schulter.

»Beruhig dich«, sagte sie sanft. »Wir sind erleichtert, das ist alles.«

»Ein bisschen Dankbarkeit wäre schön«, brummte Viggo.

»Dankbarkeit?«, platzte es aus Jimmy heraus. »Ich dachte, die beim Zoll würden mich erschießen. Warum hast du mir nicht vorher erzählt, dass jemand von deinen Kontakten sich ins Computersystem des Flughafens gehackt hat? Oder wie auch immer sie uns da durchgeschleust haben? Wie wär's, wenn du mal ein paar Informationen mit uns teilen würdest?«

Auch Viggo konnte seine Wut nur mit Mühe zügeln. »Hältst du mich für einen Vollidioten?«, rief er. »Jeder Schritt dieser Flucht ist genauestens durchdacht. Ich habe dir gesagt, dass ich uns durch die Kontrollen bringe. Vertraue mir. Und vertraue den Leuten, mit denen wir zusammenarbeiten.«

»Wie soll ich ihnen vertrauen, wenn ich keine Ahnung habe, wer sie sind?«

Viggo blieb ihm die Antwort schuldig.

Jimmy sank in seinen Sitz zurück. Er sah zu den anderen im Wagen: Neil und Olivia Muzbeke, Georgie und Felix. Niemand erwiderte seinen Blick. Sie waren doch hoffentlich seiner Meinung, oder?

Jimmy musste erneut daran denken, dass diese Kontaktpersonen sicher irgendeine Gegenleistung von ihnen erwarten würden. Er fand es unglaublich frustrierend, dass sein Leben wieder einmal in den Händen von Leuten lag, die er nicht kannte. Natürlich war er dankbar, dass sie ihn wenigstens nicht umzubringen versuchten. Trotzdem hatte man ihm die Kontrolle über sein Leben geraubt.

»Vielleicht könntest du uns wenigstens sagen, wo wir hinfahren?«, schlug Helen vor.

»Okay«, seufzte Viggo. »Aber ihr müsst verstehen, dass es nur zu eurem eignen Schutz ist, wenn ich euch die anderen Informationen vorenthalte.« Er fuhr sich mit seinem Ärmel über die Stirn.

»Wir fahren nach Chinatown«, erklärte er. »Dort treffen wir Frau Kai-Ro. Sie weiß weder, wer wir sind, noch wo wir herkommen. Aber meine Helfer haben mir versichert, wir können ihr vertrauen und sie wird keine unnötigen Fragen stellen.«

Jimmy versuchte vergeblich, sich Chinatown vorzustellen. Würden sie nicht extrem auffallen, wenn sie keine Chinesen waren?

»Das war's«, sagte Viggo. »Mehr braucht ihr nicht zu wissen. Sobald wir dort angekommen sind, treffe ich mich mit meinen Kontaktleuten, um das weitere Vorgehen zu besprechen. Aber im Augenblick kann ich mir kein geeigneteres Versteck vorstellen als Chinatown.«

KAPITEL 10

Sobald Jimmy Chinatown sah, wurde ihm klar, dass Viggo recht gehabt hatte. Es gab keinen besseren Ort, um unterzutauchen, nicht einmal eine Höhle in der Wüste oder eine Bergspitze in der hintersten Mongolei. Er hatte noch nie so dicht bevölkerte Straßen gesehen, nicht einmal im Zentrum Londons. Schulter an Schulter schoben sich die Menschen durch das Viertel.

Viggo hatte den Wagen ein paar Straßen weiter abgestellt und jetzt folgte ihm die Gruppe durch die Menge. Alle paar Sekunden stieg Jimmy ein neuer, exotischer Duft in die Nase. Der Nachthimmel über ihm wurde von einer Million bunter Neonlichter erhellt. Es waren hauptsächlich chinesische Schriftzeichen, aber auch vereinzelte koreanische und japanische. Plötzlich wurde Jimmy klar, dass er sie zum ersten Mal voneinander unterscheiden konnte.

Sein Blick blieb an einem der Neonschriftzüge hängen. Auf den ersten Blick war es nur eine verwirrende Kombination aus Linien und Schnörkeln, doch dann hörte er sich selbst murmeln: »*Mian tiao*. Nudeln!«

»Wo?«, rief Felix. »Ich hab total Lust auf Nudeln! Aber sollten wir nicht besser Chris folgen?«

Verdutzt schüttelte Jimmy den Kopf. Seine Konditionierung ermöglichte es ihm, Französisch zu sprechen, das wusste er. Aber er hatte bisher keine Ahnung, dass er auch Chinesisch lesen und sprechen konnte.

Jimmy begann sich zu entspannen. Hier würde ihn der *NJ7* niemals finden. Trotzdem durfte seine Aufmerksamkeit nicht nachlassen. *In einer dicht gedrängten Menschenmenge kann aus dem Nichts ein Killer auftauchen,* dachte er. Unwillkürlich spannte er seine Schultern an. Und immer wenn irgendwo eine glatte Oberfläche einen Lichtblitz reflektierte, zuckte er zusammen, aus Angst, es könnte ein auf seine Kehle gerichtetes Messer sein.

»Keine Sorge, Kumpel«, sagte Felix. »Später gehen wir Nudeln essen. Oder *Dum Sum*.«

»Meinst du *Dim Sum?*«, gluckste Georgie.

Jimmy fiel auf, dass New York ganz anders war, als er es sich vorgestellt hatte. Die Straßen waren genauso schmutzig wie zu Hause und auch hier standen Läden leer. Nicht so viele wie in London, aber doch einige. Jimmy war davon ausgegangen, New York wäre ein Ort, an dem alles sauber und jeder Mensch erfolgreich war.

»Amerika ist nicht so wie im Fernsehen«, flüsterte er Felix zu. »Es ist genauso trist wie England. Auch wenn das hier eine *echte* Demokratie ist, sieht es genauso aus wie eine *Neo*-Demokratie.«

»Ja«, stimmte Felix zu. »Aber hier gibt es echte Coca Cola. Ich glaube, das ist der Unterschied.«

Viggo blieb unter einer der Leuchtreklamen stehen. In

grell orangefarbenen Buchstaben stand dort: *Star of Manchuria.*

»Sind wir da?«, schrie Felix über den Lärm der Menge hinweg.

Viggo nickte.

»Abgefahren«, bemerkte Felix und klatschte in die Hände. »Wir wohnen in einem Restaurant.«

Er quetschte sich an Jimmy vorbei und öffnete· die Restauranttür. Als er eintrat, bimmelte eine Türklingel, und die Jalousie klapperte.

Jimmy folgte seinem Freund, bevor Viggo ihn aufhalten konnte.

Sofort stieg ihm ein unbekannter Duft in die Nase. Er war noch viel überwältigender als auf der Straße, aber absolut köstlich. Sämtliche Gäste im Restaurant fuhren herum und starrten sie an. Einem Mann baumelten ein paar Nudeln aus dem offenen Mund. Sogar der riesige Karpfen im Aquarium neben ihnen schien innezuhalten, um Felix und Jimmy zu mustern.

»Äh, hallo«, sagte Felix kleinlaut. Er grinste, wobei er die Lücke zwischen seinen Schneidezähnen entblößte und sich die Sommersprossen in seinem Gesicht zu Ovalen verzogen.

Dann tauchte auf der anderen Seite des Aquariums ein Gesicht auf. Durch das Wasser wurde es zu einer hässlichen Grimasse verzerrt. Die gruselige Fratze kam immer näher, bis sie neben dem Aquarium auftauchte und sich als das faltige Gesicht einer kleinen, asiatischen Frau erwies.

Sie begann sofort laut zu kreischen. Eine Flut unverständlicher Laute prasselte auf Jimmy und Felix ein. Jimmy befürchtete, seine Ohren könnten durch die schrillen Silben Schaden nahmen. Sein Verstand versuchte die Worte einzuordnen und zu übersetzen, aber er kam nicht ansatzweise mit. Die im Stakkato ausgespienen Sätze hallten in seinem Kopf wider, bis er nur noch eine absurde Mischung aus englischen Bruchstücken und jeder beliebigen Fremdsprache der Welt zu hören meinte.

In ihm begann sich alles zu drehen. Er trat zur Seite, um sich am Aquarium abzustützen.

»Okay, okay!« Es war Viggo, der versuchte, die alte Frau mit einer Geste zu beruhigen. Aber sie ließ sich nicht bremsen.

Jimmy atmete tief durch und versuchte erneut herauszufinden, was sie sagte. Aber keines der Wörter passte zum nächsten.

Viggo schob Jimmy und Felix aus dem Restaurant. Dort warteten die anderen mit fragenden Gesichtern.

»Kommt«, flüsterte Viggo. »Wir wohnen nicht *in* einem Restaurant, wir wohnen darüber.«

Eilig kramte er einen Schlüssel aus seiner Tasche und sperrte die Tür neben dem Restauranteingang auf. Dort hingen keine Jalousie, keine Speisekarte und kein *Geöffnet*-Schild. Hinter der Tür lag nichts als ein schmutziges Treppenhaus mit einem fleckigen braunen Teppich. Es gab nicht einmal einen Lichtschalter.

Ohne zu zögern, marschierte Viggo die Treppen hinauf.

Felix, der hinter Viggo eingetreten war, schien unsicher, ob er folgen sollte. Jimmy gab ihm einen ermutigenden Stoß.

»Na gut«, seufzte Felix und rümpfte die Nase. »Ich gehe ja schon. Aber in dem Restaurant hat es definitiv besser gerochen.«

Alle folgten Viggo durch das Treppenhaus zu den Zimmern über dem *Star of Manchuria*.

»Wieso hat diese Chinesin uns eigentlich so angeschrien?«, flüsterte Felix, als sie den ersten Stock erreichten.

»Das war Mrs Kai-Ro«, antwortete Viggo. »Ihr gehört der Laden. Sie hat sich bereit erklärt, uns für eine Weile zu verstecken.«

»Sie ist eine ziemlich wütende kleine Frau.«

»Sie ist keine Chinesin«, platzte Jimmy heraus.

»Was?«, fragte Felix.

»Du hast gesagt *diese Chinesin*, aber ...«, Jimmy unterbrach sich, verdutzt über sein eigenes Wissen, »... sie ist Koreanerin.«

Felix drehte sich um und starrte ihn mit offenem Mund an.

Jimmy lächelte verlegen.

Endlich löste Felix sich aus seiner Erstarrung und explodierte fast vor Begeisterung.

»Oh mein Gott«, entfuhr es ihm. »DU SPRICHST KOREANISCH! Das ist SO COOL!«

Jimmy erklärte, dass er wohl noch ein wenig Übung bräuchte, um sich wirklich mit Frau Kai-Ro unterhalten zu können, doch das dämpfte Felix' Enthusiasmus kein bisschen ab.

»Krieg dich wieder ein, Felix«, sagte schließlich seine Mutter. »Ich denke, das reicht.«

Viggo sperrte eine weitere Tür auf und sie betraten das Apartment im ersten Stock. Es war genauso schäbig wie das Treppenhaus: ein Wohnzimmer mit einer durchgewetzten Couch, einem alten Fernseher und einer Kochnische; ein unmöbliertes Schlafzimmer, in dem nur ein paar Matratzen lagen, und ein Badezimmer, das hauptsächlich aus Schimmel und Rost zu bestehen schien. Und so roch es auch. Das kleine quadratische Badezimmerfenster öffnete sich auf eine Feuertreppe an der Gebäuderückseite. Sie führte hinab in einen winzigen Hinterhof, wo die Mülltonnen standen.

»Der nächste Stock gehört auch noch uns«, verkündete Viggo und schaltete das Licht an – eine kahle Glühbirne in der Mitte des Raumes. »Neil und Olivia, wieso nehmt ihr euch nicht die Zimmer oben und …« Er unterbrach sich. Er und Helen standen zusammen vor der Tür des noch verbleibenden Schlafzimmers. Sie warfen sich einen kurzen Blick zu und Helen wurde rot, ebenso Viggo.

»Ähm, nein, wartet …«

»Wie wär's damit: Mädchen oben, Jungs hier unten?«, schlug Neil eilig vor.

Alle nickten zustimmend. Georgie, Helen und Felix' Mutter stiegen hinauf in den zweiten Stock.

Plötzlich griff Jimmy sich an den Kopf und stöhnte vor Schmerzen.

»Was ist?«, wollte Viggo wissen.

»Mein Kopf«, keuchte Jimmy. Seine Augen begannen zu tränen und er konnte kaum sprechen. »Es sind wieder diese Schmerzen. Autsch! In meinem Ohr…«

»Das ist heute Morgen auch schon passiert«, erklärte Felix. »Er sollte zu einem Arzt gehen.«

»Das Letzte, was wir brauchen können, ist ein gewöhnlicher Arzt, der ihn untersucht«, erwiderte Viggo. Dann wandte er sich wieder an Jimmy. »Alles in Ordnung?«

Jimmy fuhr sich mit dem Handrücken über die Augen. »Ja«, murmelte er. »Es hat wieder aufgehört. Es fühlt sich an wie ein Stechen, genau hier.« Er deutete an eine Stelle über seinem Ohr.

Genau in diesem Moment begann das Licht zu flackern und ging aus. Im Zimmer wurde es stockfinster.

»Jimmy«, flüsterte Felix. »Du hast einen Stromausfall verursacht.«

»Unsinn«, protestierte Jimmy. »Wie soll denn das gehen? Ich hab doch gar nichts gemacht.« Er horchte in sich hinein, plötzlich besorgt, die Dunkelheit könnte doch etwas mit ihm zu tun haben.

Geräusche aus dem Restaurant drangen zu ihnen hoch. Das laute Schimpfen der alten, koreanischen Frau, die sich über den Stromausfall in ihrem Restaurant erregte, schallte durch das ganze Gebäude.

»Sie ist definitiv eine sehr wütende Frau«, flüsterte Felix.

»Der Strom ist im ganzen Häuserblock ausgefallen«,

stellte Neil mit seiner tiefen Stimme fest. Er stand am Wohnzimmerfenster und blickte hinaus auf die Straße. »Ich denke nicht, dass du das warst, Jimmy.« Seine Tonlage hatte immer eine beruhigende Wirkung auf Jimmy, vor allem in diesem Moment.

»Lasst uns einfach abwarten«, schlug Viggo vor. »Ich bin mir sicher, das Ganze hat nichts mit uns zu tun.«

Jimmy war dankbar für diese Worte, aber er hörte auch den leichten Zweifel in Viggos Stimme.

»Alles in Ordnung da unten?«, rief Jimmys Mutter die Treppe runter.

»Ja«, rief Viggo zurück. »Alles bestens.«

Im Dunkeln schien die Zeit langsamer zu vergehen. Die Sekunden schienen sich endlos in die Länge zu ziehen. Jimmy musterte die Gesichter der anderen. Ohne Licht waren sie hilflos, standen einfach nur wie angewurzelt da. Jimmy war der Einzige, der im Dunkeln sehen konnte, trotzdem war er derjenige, der die Helligkeit am dringendsten herbeisehnte. Er wünschte sich, er könnte die Zeit beherrschen. Dann würde er diese Minuten der Dunkelheit mit einem einzigen Blinzeln verstreichen lassen, ohne dass jemand sie überhaupt bemerkt hätte. Gleichzeitig würde er die Zeit verlangsamen und Stunden zu Jahren ausdehnen, sodass er niemals dreizehn werden müsste.

Dieser Gedanke ließ Jimmy nicht los. Wenn er niemals dreizehn wurde, würde er auch nicht achtzehn, und seine Konditionierung würde nie zur vollen Entfaltung kommen. Ja, vielleicht würde sie eines Tages sogar ganz verschwinden. Dann könnte er ein normaler Mensch sein. Aber das war nur ein Wunschtraum. Er wusste, dass seine Instinkte in Wahrheit mit jeder Sekunde stärker wurden, sogar jetzt, hier im Dunkeln. Es gab nur ein Schicksal für ihn: Irgendwann würde er dem Agenten in seinem Inneren vollständig unterliegen.

KAPITEL 11

Flackernd ging das Licht im Zimmer an. Und gleich darauf leuchteten auch die grellbunten Neonreklamen von draußen wieder herein. Sie warfen merkwürdige, bunte Schatten auf ihre Gesichter.

»Das kann kein Zufall sein«, beharrte Felix. »Erst der Stromausfall in England. Und kaum sind wir hier, passiert genau das Gleiche.«

»Ich war's aber nicht, okay?« Jimmy versuchte, nicht zu nervös zu klingen. Die Vorstellung, unbewusst ein solches Phänomen auszulösen, machte ihm Angst. Ein einfacher Stromausfall ging ja noch, aber was, wenn er etwas noch viel Schlimmeres bewirkte?

Felix' Vater schlug ein paar Mal mit der flachen Hand auf den Fernseher. Auf dem Bildschirm war nur weißes Rauschen zu sehen. »Komm schon«, brummte er. »Wie krieg ich diese Kiste nur zum Laufen?«

Währenddessen stürmte Viggo durch alle Zimmer. »In Ordnung«, verkündete er schließlich, »scheint alles sicher zu sein. Ich schaue mich um. Dann muss ich los.« Er sah auf seine Uhr und ließ den Blick ein wenig länger als üblich dort ruhen. »Weiß jemand, wie viel Stunden die Zeitverschiebung genau ausmacht?«

Es macht keinen Unterschied, dachte Jimmy. *Die Zeit vergeht überall gleich schnell, egal wo wir sind.*

»Übrigens«, fuhr Viggo fort, ohne eine Antwort abzuwarten, »man hat uns ein wenig Bargeld zur Verfügung gestellt.« Alle drehten sich zu ihm um. »Damit wir etwas zu essen kaufen können.«

»Und wer ist *man*?«, erkundigte sich Jimmy.

Viggo wandte sich ab. »Das erkläre ich dir später«, murmelte er. »Besorgt euch etwas zu essen. Aber geht niemals in Gruppen raus. Es sollte sich immer eine Person alleine aufmachen und rasch und ohne Umwege wieder hierher zurückkommen.« Er nahm eines der Kissen vom Sofa und öffnete den Reißverschluss des Bezugs. Dann zog er ein Bündel Geldscheine daraus hervor.

»Und sobald ihr gegessen habt, seht zu, dass ihr ein bisschen Schlaf bekommt«, befahl er.

Er knallte das Geld auf den Fernseher. Der schien plötzlich zum Leben zu erwachen und zeigte ein scharfes Bild.

»Keine Sorge, Chris«, erwiderte Neil Muzbeke. »Ich kümmere mich um alles.«

Viggo nickte und marschierte aus dem Zimmer, ohne jemanden anzusehen.

»Er ist in letzter Zeit ein bisschen mürrisch, oder?«, fragte Jimmy.

»Er ist immer ein bisschen mürrisch«, gab Felix zurück.

Jimmy zuckte mit den Achseln. Er dachte an seine erste Begegnung mit Viggo. Klar, seit sie sich kennengelernt hatten, war viel geschehen, und es hatte sie alle irgendwie verändert. Doch mit Viggo stimmte irgendetwas nicht.

»Vielleicht macht er sich Sorgen um Saffron«, schlug Jimmy vor.

»Ich denke, da hast du wohl recht, Jimmy«, antwortete Felix' Vater. »Das tun wir schließlich alle, oder? Aber für ihn muss es besonders hart sein.«

Jimmy nickte. Natürlich war Viggo traurig wegen dem, was Saffron zugestoßen war. Doch die Verbissenheit in Viggos Gesicht ließ nicht auf Trauer schließen. Sein ruppiges Verhalten, seine Ungeduld und seine Geheimnisse … *Er wirkt eher so, als wäre er wütend. Wütend und ungeduldig.*

»Wie auch immer«, plapperte Felix. »Nudeln für alle, ja?« Er schnappte sich ein paar Geldscheine und sauste zur Treppe. »Bin in fünf Minuten zurück!«, rief er.

»Hey, wo willst du hin?«, schrie Neil Muzbeke und sprang auf.

Aber Felix war schon draußen auf dem Treppenabsatz. »Yo, Mädels«, rief er nach oben. »Sagt *Nein*, falls ihr keine Nudeln wollt.«

Eine halbe Sekunde später polterte er die Treppe herunter zur Haustür.

Sein Vater rief ihm hinterher. »Wenn du das Essen hast, kommst du sofort zurück, verstanden?«

Ein entferntes Grölen von Felix war zu hören. Sein Vater lief ihm hinterher. In der Tür blieb er stehen und drehte sich zu Jimmy um.

»Bin gleich zurück«, murmelte er. »Ich sehe besser mal nach Felix. Es ist nicht so, als würde ich ihm nicht vertrauen, aber er lässt sich ziemlich leicht ablenken.«

Jimmy lachte halbherzig. Er war fasziniert von der Liebe und Zuneigung, die Neil Muzbeke seinem Sohn entgegenbrachte. Aber unwillkürlich stiegen dabei Gedanken an seinen eigenen Vater in ihm hoch. Auch Ian Coates hatte sich früher einmal fürsorglich verhalten. *Doch das war alles nur gespielt*, erinnerte Jimmy sich selbst.

»Bisher haben die Energieunternehmen für die plötzlichen, landesweiten Stromausfälle noch keine Erklärung abgegeben.«

Jimmy kauerte vor dem Fenster und ignorierte den Fernseher so gut es ging. Die Nachrichten schienen hier bunter und unterhaltsamer zu sein als in England. Aber mehr Informationen schienen sie nicht zu bieten.

»Bisher keine Erklärung für den Stromausfall«, rief Neil Muzbeke.

Jimmy ignorierte ihn und starrte hinaus in den Regen. Er schob sich ein paar Nudeln in den Mund, während Felix noch mehr Cola in sich hineinkippte. Jimmy hatte chinesisches Essen nie wirklich gemocht – besonders wenn er Essstäbchen verwenden musste. Aber der Pappkarton auf seinem Schoß war fast leer und das meiste Essen tatsächlich in seinem Mund und nicht auf seinem T-Shirt gelandet. Entweder war amerikanisches chinesisches Essen anders als das zu Hause oder Jimmys Geschmacksempfinden veränderte sich mit der Zeit.

»Und nun zu der wichtigsten Meldung des Tages«, fuhr der Nachrichtensprecher fort. »Präsident Grogan hat in Hinblick auf die morgen stattfindende UN-Vollversammlung angekündigt, bei den diplomatischen Spannungen zwischen Frankreich und Großbritannien vermitteln zu wollen.«

Auf dem Fernseher erschien Grogan in Großaufnahme, lächelte und winkte. Er war ein großer Mann, mit vollen und erstaunlich rosigen Wangen für jemanden um die fünfzig. Allerdings lagen unter seinen Augen tiefe graue Ringe, die wohl mit der Führungsverantwortung für ein ganzes Land einhergingen.

»Können wir das bitte ausschalten?«, fragte Jimmy.

Neil hievte sich vom Sofa und drückte den Schalter am Fernseher. Und genau in dem Moment, als statt Grogans Bild eines von Ian Coates auftauchte, wurde der Bildschirm schwarz.

»Ich will diesen Mann nicht sehen«, krächzte Jimmy und drehte sich wieder zum Fenster.

»Er hat dich nicht verdient«, tröstete ihn Neil. »Er hat uns alle betrogen und verdient es nicht einmal, dass wir uns deswegen aufregen.«

Jimmy lächelte und nickte, doch in ihm breitete sich kalte Wut aus. Neils Worte hallten in seinem Kopf wider: *Er hat dich nicht verdient.* Jimmy wollte schreien: *Aber was hat er verdient?* Doch er brachte keinen Ton heraus.

Jimmy schreckte aus dem Schlaf hoch. In weniger als einer Sekunde war er hellwach. Er blieb unbewegt liegen, die Augen geöffnet. Sein Kopf pochte. Buntes Neonlicht fiel durch die zerschlissenen Vorhänge. Das Licht wurde durch seine Nachtsicht verstärkt, die einen blauen Schein über alles legte, fast so, als befände er sich unter Wasser.

Auf der Straße herrschte immer noch reger Verkehr. Die Geräusche mischten sich mit Neils Schnarchen und dem Ticken der Uhr. Jimmy drehte sich um. Sie hatten die zwei großen Matratzen aneinandergeschoben, damit sie so viel Platz wie möglich hatten. Aber jetzt rollte Jimmy immer wieder in die tiefe Kuhle, die Neils schwerer großer Körper machte. Neben ihm strampelte und wand sich Felix. Er kämpfte mit der improvisierten Bettdecke, die aus ein paar Mänteln und alten Kissenbezügen bestand. Alles verströmte einen modrigen Geruch.

Es müsste früher Morgen sein, aber Jimmy war sich nicht sicher. Die Uhr schien nicht richtig zu gehen und sein eigenes Zeitgefühl war vollkommen durcheinander. Doch egal wie spät oder früh es war: Viggo war offensichtlich noch nicht zurück. *Wer auch immer seine Kontakte sind*, dachte Jimmy, *sie haben anscheinend ziemlich viel zu besprechen.* Aber das war nicht das Einzige, was ihn beschäftigte.

Jimmy setzte sich auf und rieb sich die Augen. Seine Haare waren feucht von Schweiß, obwohl es im Zimmer gar nicht heiß war. Es kam von den Bildern in seinen Träumen. Sie waren dieses Mal noch stärker gewesen. Im Halbdunkel nahmen jetzt sogar die Gegenstände im Raum die Formen und Farben aus seinen Träumen an:

Dünne horizontale Streifen in Regenbogenfarben.

Rote und gelbe Kleckse.

Eine weiße 53 auf grünem Untergrund.

Der Buchstabe K, fett und schwarz auf einer weißen Wand.

Jimmy kroch aus dem Bett und griff nach seinem Notizbuch. Als er es durchblätterte, erkannte er alles wieder, was er gerade im Schlaf gesehen hatte. Aber jetzt waren die Bilder in seinem Kopf sogar noch lebendiger. Die Farben waren kräftiger. Die Umrisse schärfer. Was bedeutete das alles? Es waren nicht nur die Bilder, die ihn beschäftigten, sondern auch die Gefühle, die mit ihnen verbunden waren. Jimmy hörte das Blut in seinen Ohren pochen. Mit jedem Pochen wuchs die Panik in ihm.

Er warf das Notizbuch auf den Boden. Es landete geöffnet, sodass nun ein schwarzes *K* an die Decke starrte. Jimmy schleppte sich ins Bad. Die Kacheln waren angenehm kühl unter seinen nackten Füßen. Eine Brise wehte durch das offene Badezimmerfenster. Dankbar atmete Jimmy die Luft ein, auch wenn sie ein wenig nach den Abfällen des Restaurants roch. Er spritzte sich Wasser ins Gesicht. Es kam nur ein eiskaltes Rinnsal aus dem Wasserhahn. Außerdem gab es kein Handtuch, also lehnte sich Jimmy übers Waschbecken und ließ es einfach heruntertropfen.

Er starrte sich im Spiegel an. Seine blaugefärbte Nachtsicht trug dazu bei, dass er sich kaum wiedererkannte. Sein Spiegelbild sah so ganz anders aus als jener Jimmy, der vor einiger Zeit aus dem Fenster gesprungen war, um zwei mysteriösen Männern in Anzügen zu entkommen. Sein Anblick gefiel ihm nicht. Wenn es eine Sache gab, die Jimmy sich mehr wünschte als alles andere, dann war es, wieder in sein altes Leben zurückzukönnen. Aber er wusste, es war unmöglich. Trotz seiner Stärke und seiner übernatürlichen Instinkte hatte er nicht die Macht, die Zeit anzuhalten oder gar zurückzudrehen.

Jimmy schloss die Augen und versuchte sich zu entspannen. Langsam verblassten die Bilder vor seinem inneren Auge. Nach ein paar weiteren tiefen Atemzügen löste sich auch die Angst auf. Dann hörte er ein Klicken.

Er riss die Augen auf. Im Spiegel konnte er sehen, wie seine Pupillen sich schlagartig weiteten. Ein Schauer lief ihm über den Rücken. Seine Muskeln spannten sich. Ein warmer Energiestrom durchflutete ihn – seine Konditionierung hatte sich aktiviert. Irgendetwas stimmte nicht. Aber Jimmy war bereit, sich der Gefahr zu stellen.

KAPITEL 12

Jimmy verhielt sich absolut ruhig. Stammte das Geräusch von Viggo, der zurückgekehrt war? Die Badezimmertür stand immer noch offen. Jimmy warf einen Blick in den Spiegel und wartete darauf, dass im Wohnzimmer das Licht anging oder Viggo auftauchte. Er zählte die Sekunden. Doch nichts passierte.

Er war sich nicht mal sicher, woher das Klicken gekommen war. Von der Wohnungstür? Aus dem Schlafzimmer? Von der Feuertreppe? Langsam und völlig geräuschlos drehte er sich um. Er spähte in jede Ecke des Apartments. Die Nachtsicht war niemals komplett scharf, sodass er jeden Umriss im Raum auf Veränderungen hin studieren musste.

KRACH!

Etwas traf Jimmy im Rücken. Er bekam keine Luft mehr. Er taumelte vorwärts und schlug mit dem Kinn gegen die Wand. Er schmeckte Blut, aber er hatte keine Zeit, sich darum zu kümmern. Kaum hatte er die Wand berührt, wirbelte er wieder herum. Genau rechtzeitig – denn eine Faust mit einem Messer schoss auf ihn zu und zielte genau auf die Stelle, an der gerade noch sein Hals gewesen war. Die Klinge traf klirrend die Kacheln.

Jimmy sah zu den beiden Eindringlingen auf. Beide waren von Kopf bis Fuß schwarz gekleidet. Ihre Augen spähten durch einen schmalen Schlitz in ihren Skimasken. Der zweite Angreifer, der weiter von Jimmy entfernt war, drückte die Badezimmertür zu. Dann knipste er eine Taschenlampe an und blendete direkt in Jimmys Gesicht.

»Ist er das?«, flüsterte er.

»Ja.«

Ihre Stimmen wurden von ihrer Kopfbedeckung gedämpft, aber Jimmy hätte sowieso keine Zeit gehabt, sie zu identifizieren. Der Mann dicht vor ihm hob jetzt die Faust über den Kopf. Sein Messer blitzte im Mondlicht. Jimmy blieb kein Ausweg. Das Bad war kaum groß genug für eine Person, geschweige denn für drei.

Instinktiv schoss Jimmys Arm zur Seite und seine Hand packte zwei Zahnbürsten. Sein Instinkt hatte jetzt die volle Kontrolle übernommen, um ihn am Leben zu erhalten.

Er presste die Zahnbürsten aneinander, stieß sie in Richtung seines Angreifers und fing die Messerklinge zwischen ihnen ab. Mit einer Drehung seines Handgelenks riss er dem Mann das Messer aus der Hand. Es segelte durch die Luft und beide Männer versuchten vergeblich es zu fangen. Dann bückten sie sich und suchten hastig den Boden danach ab.

Jimmy benutzte den Rücken des einen Mannes als Sprungbrett und hüpfte auf das Waschbecken. Beinahe rutschte er aus, konnte sich aber mit einer Hand gerade noch an der gegenüberliegenden Wand abstützen. Er stand jetzt mit je einem Fuß auf einem Beckenrand. Er musste den Kopf leicht einziehen, um nicht an die Decke zu stoßen.

Bevor die Männer auch nur Luft schnappen konnten, fegte Jimmy mit der Ferse eine Flasche Mundwasser vom Waschbecken. Sie explodierte in tausend Stücke und mit der schaumigen Flüssigkeit breitete sich ein Duft nach Minze im Badezimmer aus. Die Mischung aus Mundspülung und Glassplittern auf dem Boden erschwerte den Männern zusätzlich die Suche nach dem Messer.

Der Strahl ihrer Taschenlampe tanzte verzweifelt über die Fliesen.

Jimmy atmete tief ein, um nach Hilfe zu rufen.

»Hi ...«

Sein Schrei wurde abgewürgt, noch ehe er seinen Mund verließ. Beide Männer griffen je einen von Jimmys Knöcheln und zerrten ihn vom Waschbecken. Jimmy drehte den Kopf zur Seite, um zu verhindern, dass sein Schädel mit voller Wucht auf das Porzellan schlug. Mit ihm segelten mehrere Kosmetikprodukte zu Boden. Er landete mit einem dumpfen Schlag. Die Männer stürzten sich auf ihn.

Mit der Kraft eines Schwergewichtboxers schnappte Jimmy sich den Klodeckel und knallte ihn auf den Kopf des einen Mannes. Gleichzeitig spritzte er dem anderen Mundwasser ins Gesicht. Dann tastete er nach dem nächstbesten Gegenstand auf dem Boden. In Sekundenschnelle wickelte er mehrere Meter Zahnseide ab. Er schlang sie mehrfach um die Knöchel des Mannes und knotete die Enden an die Heizung.

Währenddessen rieb sich der Mann mit der Taschenlampe den Kopf und richtete sich mühsam wieder auf. Jimmy verpasste ihm einen harten Stoß, der ihn rückwärts in die Badewanne taumeln ließ. Er versuchte sich am Duschvorhang festzuklammern, war jedoch zu schwer und riss ihn mit sich.

Schließlich fegte Jimmy mit einer Handbewegung Dutzende Tuben mit Duschgel vom Badezimmerregal. Manche von ihnen schienen schon seit Jahren dort zu stehen. Rasch trat Jimmy mit dem Fuß auf eine der Plastiktuben am Boden. Knallgrünes Duschgel schoss heraus und spritzte direkt ins Auge des Mannes mit dem Messer.

Jetzt konnte Jimmy endlich die anderen rufen. Er holte tief Luft, doch dann zögerte er. Erneut hatte es irgendwo geklickt. Noch mehr Angreifer? Millionen Gedanken schossen gleichzeitig durch seinen Kopf. Er warf einen Blick zu den beiden Eindringlingen, die sich schmerzerfüllt am Boden krümmten. Keiner von ihnen sah aus, als habe er vor, Jimmy noch weiter zu attackieren. *Das sind keine trainierten Agenten*, dachte Jimmy. *Ihr Angriff war schlecht durchdacht. Aber wenn sie nicht vom NJ7 waren, woher kamen sie dann?*

Jimmy griff nach der Skimaske des Mannes mit dem Messer, während er mit der anderen Hand Klopapier zerknüllte, um es ihm notfalls als Knebel in den Mund zu stopfen. Doch da rührte sich jemand im Wohnzimmer. Jimmys Konditionierung schaltete sofort wieder einen

Gang hoch. Er trat die Badezimmertür auf und hechtete sich mit einer Flugrolle in den Raum.

Dicht vor seinem neuen Angreifer sprang er auf und packte ihn am Kragen. Sein Schwung ließ sie beide durch das Zimmer taumeln. Jimmy presste den Angreifer gegen die Wand. Dieser Mann trug keine Kopfbedeckung. Durch Jimmys Nachtsicht verschwamm das Gesicht in einem Muster aus blauen Schatten. Jimmy hieb gegen den Lichtschalter und wandte sich wieder dem Mann zu.

Er starrte direkt in Christopher Viggos Gesicht.

»Was ist hier los?« Es war Neil Muzbeke, der in seinen Boxershorts ins Wohnzimmer hastete. Sein Bauch wackelte und seine Beine leuchteten blass.

Jimmy fuhr zurück und ließ Viggo los. Einen Moment lang waren sie beide sprachlos. Jimmy setzte seinen ganzen Willen ein, um seine Konditionierung zu unterdrücken. *Es ist vorbei,* sagte er sich selbst. *Der Kampf ist vorbei.*

Es fühlte sich an, als würde sich in seinem Inneren eine wilde Bestie widerwillig in ihren Käfig zurückziehen. Und als Jimmy anfing zu sprechen, klang es wie ein Knurren.

»Badezimmer«, stieß er hervor und deutete in die Richtung.

Viggo und Neil eilten zur offenen Badezimmertür.

Jimmy drehte sich um, in der Erwartung, nun endlich zu erfahren, wer seine Angreifer waren. Aber das Bad war leer. Lediglich der Mond spiegelte sich in den Fenstern des gegenüberliegenden Apartments und warf blasses Licht durch die zerbrochene Fensterscheibe. Der Duschvorhang flatterte in der kalten Brise. Jimmy zitterte. Er kam näher.

Blutspritzer bedeckten den Boden und einige der Kacheln an den Wänden. Das Messer war weg, genau wie die beiden Männer.

»Sieht ganz so aus, als wäre der Angreifer auf dem gleichen Weg verschwunden, wie er gekommen ist – aus dem Fenster und dann die Feuertreppe runter«, murmelte Viggo und steckte seinen Kopf durchs Fenster hinaus in die Nacht.

»Es waren zwei«, sagte Jimmy. Seine Stimme klang brüchig.

»Erzähl mir, was passiert ist«, sagte Viggo.

»Sie waren nicht vom *NJ7*«, begann Jimmy. »Sie waren stark, aber sie waren nicht als Nahkämpfer ausgebildet.«

»Warte«, unterbrach Viggo ihn. »Langsamer. Erzähl mir einfach, was passiert ist. Sie sind durchs Fenster eingedrungen, oder?«

»Wenn sie nicht vom *NJ7* waren«, fuhr Jimmy fort und ignorierte Viggos Aufforderung, »wer waren sie dann?« Er starrte Viggo an. Ärger wuchs in ihm und ließ ihn die Stimme erheben. »Wer waren sie, Chris?«

Viggo starrte zurück, erschrocken über die Feindseligkeit in Jimmys Stimme. Aber der war noch nicht am Ende.

»Wer außer uns weiß noch, dass wir hier sind?«, schrie Jimmy.

Endlich verstand Viggo, worauf er hinauswollte. »Das

hat nichts mit meinen Kontakten zu tun«, versicherte er Jimmy.

»Wer sind sie?«, rief Jimmy. »Wer sind diese Leute, denen du so vertraust? Und warum haben sie zwei Männer geschickt, um mich zu töten?«

Jimmy konnte keine weiteren Lügen ertragen. Seine Konditionierung versetzte ihn in höchste Erregung, schnürte ihm die Kehle zu und stieg ihm in den Kopf. Für einen Moment erinnerte sich Jimmy an seinen ersten Auftrag: *Töte Christopher Viggo.* Ungewohnte Gedanken schossen durch seinen Kopf. Er verachtete sich dafür, dass er solche Dinge dachte, aber irgendwie fühlte es sich auch befreiend an. Er fixierte Christopher.

Lüg mich nicht an oder ich töte dich, sagte die Stimme in seinem Kopf. *Selbst wenn du mein Vater bist, ich töte dich.*

Jimmy entfuhr ein gequälter Schrei. Er schauderte, als ihm klar wurde, was ihm gerade durch den Kopf gegangen war. Er schloss die Augen, ballte seine Hände und versuchte verzweifelt, die Kontrolle über sich selbst zurückzugewinnen.

»Meine Kontakte wollen uns beschützen, nicht umbringen«, beruhigte ihn Viggo.

»Das gelingt ihnen aber nicht besonders gut«, flüsterte Jimmy. Ihm fehlte einfach die Kraft weiterzuschreien. »Wir müssen hier weg.« Er hastete durch das Zimmer und raffte die wenigen Dinge zusammen, die sie mitgebracht hatten. Er war entschlossen, keine Sekunde länger als nötig in dieser Wohnung zu verbringen.

»Nein«, widersprach Viggo. »Jimmy, lass das!« Er packte Jimmy an den Schultern. »Denk doch mal nach. Weißt du eigentlich, wie lange es gedauert hat, eine sichere Unterkunft zu finden? Wie viel Aufwand es war, das hier zu organisieren? Es gibt keinen anderen Ort, an den wir gehen können. Die *NJ7*-Satelliten überwachen die ganze Erde. Sobald wir diesen Unterschlupf verlassen, sind wir in Lebensgefahr.«

Jimmy befreite sich aus Viggos Griff. Langsam begriff er den Sinn seiner Worte.

»Ich treffe meine Kontakte gleich morgen früh«, fuhr Viggo fort. »Ich frage sie, was sie über die beiden Angreifer von heute Nacht wissen. Ich werde noch mehr Schutz verlangen. Sie werden sich darum kümmern.« Er strich sich die Haare aus der Stirn und seufzte. »Die guten Neuigkeiten sind doch, dass du ziemlich lebendig aussiehst. Diese Angreifer, wer auch immer sie waren, hatten anscheinend keinen großen Erfolg.«

Jimmy bemühte sich, seine Gedanken zu sortieren. Langsam kam er wieder auf den Teppich. Vielleicht hatte Viggo recht. Jimmy hatte die beiden Einbrecher ziemlich leicht vertreiben können, und jetzt in eine andere Wohnung umzuziehen, würde nur neue Gefahren bringen, möglicherweise sogar viel bedrohlichere.

»Der beste Weg herauszufinden, wer diese Kerle sind«, fuhr Viggo mit ruhiger Stimme fort, »ist hierzubleiben und auf sie zu warten. Wenn sie dich tot sehen wollen, kommen sie mit Sicherheit zurück. Und dann werden wir sie uns schnappen.«

KAPITEL 13

»Was ist passiert?«, fragte Felix.

Jimmy hatte gar nicht bemerkt, dass er aus dem Schlafzimmer gekommen war. Und nach einem kurzen Klopfen an der Tür trat auch seine Mutter ein.

»Alles in Ordnung hier unten?«, erkundigte sie sich. »Wir haben jemanden schreien hören.«

Jimmy wusste nicht, wo er anfangen sollte – aber das musste er auch gar nicht.

»Alles in bester Ordnung«, erklärte Viggo. »Lasst uns am Morgen darüber reden.«

»Und dieser Unterschlupf hier ist wirklich noch sicher?«, wollte Jimmy wissen.

»Es ist der einzig sichere Ort«, erwiderte Viggo.

Helen warf Viggo einen fragenden Blick zu. Er nickte unauffällig in Richtung Badezimmer.

»Oh, nein«, keuchte Helen, als sie das Chaos im Bad erblickte und sich die Ereignisse zusammenreimte. »Jimmy, geht es dir gut?« Sie eilte zu ihm und kniete sich neben ihn. Jimmy senkte den Blick, als sie ihn an den Schultern fasste.

»Ja, mir geht's gut«, murmelte er.

»Woah, Jimmy«, sagte Felix und starrte auf den Badezimmerboden. »Du hast das Bad echt komplett zerlegt. Was hast du da drinnen angestellt?«

»Kommt jetzt«, sagte Felix' Vater sanft. »Lasst uns alle noch ein wenig schlafen.«

Felix ignorierte ihn und ließ sich aufs Sofa fallen.

»Also, *ich* für meinen Teil steig jetzt jedenfalls in den Nachtzug nach Penningen, mit Zwischenhalt in Ratzen und Pofen«, brummte Viggo.

Neil Muzbeke gluckste und folgte ihm ins Schlafzimmer.

»Bleib nicht zu lange wach«, flüsterte er und wuschelte Felix durchs Haar, als er am Sofa vorbeiging.

Jimmy, seine Mutter und Felix blieben im Wohnzimmer zurück.

»Ich bin froh, dass es dir gut geht«, sagte Helen und zog ihren Sohn in die Arme.

Erst versuchte sich Jimmy aus ihrer Umarmung zu winden. Normalerweise würde er seiner Mutter nie erlauben, das vor seinen Freunden zu tun. Doch dann spürte er deutlich, wie sehr er jetzt diese Nähe brauchte. Er wünschte, er hätte sein Herz öffnen und alle darin aufgestauten Sorgen einfach herauslassen können. Selbst in den Armen seiner Mutter ließen sie ihn nicht ganz los. Er fühlte sich getröstet, aber wie konnte er sich völlig entspannen, solange sie ihm nicht sagen wollte, wer sein wirklicher Vater war? Er befreite sich aus ihrer Umarmung.

»Was ist los?«, fragte Helen.

Jimmy wusste nicht, was er antworten sollte.

»Er hat wieder diese Bilder gesehen«, schaltete Felix sich ein. »Und er hat ständig diese Schmerzen im Kopf oder im Ohr oder wo auch immer. Du weißt, was ich meine.«

Helen drehte Jimmy zu sich her, um ihm in die Augen zu sehen.

»Werden die Schmerzen stärker?«, fragte sie und bemühte sich, die tiefe Sorge um ihren Sohn zu verbergen.

Jimmy nickte.

»Und die Bilder sehen immer gleich aus?«

Jimmy nickte erneut.

»Zeig ihr doch dein Notizbuch«, warf Felix ein. »Oh, sorry übrigens«, fügte er hinzu. »Ich, äh, hab ein paar Mal reingeschaut.«

Für einen Moment spürte Jimmy den überwältigenden Wunsch, alle seine Sorgen mit Felix zu teilen. Er hatte seinem Freund noch nicht erzählt, dass Ian Coates nicht sein echter Vater war. Er hatte es noch nicht mal Georgie erzählt. Er öffnete den Mund, aber die Worte wollten nicht herauskommen. Stattdessen schluckte Jimmy seine Gefühle hinunter.

»Ich hole es«, sagte Felix. Seine Stimme klang wach und munter. Sogar jetzt, mitten in der Nacht, hatte er so viel Energie, dass er förmlich zu glühen schien. Er stürmte ins Schlafzimmer, um Jimmys Notizbuch zu holen.

Jimmy war alleine mit seiner Mutter. Er sah ihr ins Gesicht.

»Deine Augen sind schon ganz rot«, flüsterte sie. »Du musst dringend schlafen.«

»Ich muss dringend wissen, wer mein Vater ist«, brummte Jimmy und starrte sie herausfordernd an.

Bevor Jimmys Mutter reagieren konnte, kam Felix zurück.

»Hier«, sagte er und blätterte durch das Heft. »Ich dachte eigentlich, du könntest besser zeichnen, Jimmy.« Er gab das Notizbuch an Jimmy weiter. Es war auf der Seite geöffnet, wo das große schwarze *K* prangte.

Jimmy beachtete Felix nicht. Er fixierte immer noch seine Mutter, der jetzt Tränen in die Augen stiegen.

»Vielleicht solltest du die Bilder noch mal so malen, wie du sie jetzt siehst«, schlug Felix vor.

Jimmy wusste, was Felix beabsichtigte. Sein Freund spürte die Spannung zwischen Jimmy und seiner Mutter und wollte die Stimmung lockern. Jimmy war dankbar, dass er hier war.

Er nahm den Stift aus Felix' Hand und begann auf die nächste Seite des Notizbuches zu kritzeln. Felix hatte den grünen Filzstift gebracht, also begann Jimmy mit den Umrissen der Zahl 53. Nur gelegentlich warf er einen Blick auf das Papier. Sein Kopf war zwar gebeugt, aber aus den Augenwinkeln beobachtete er seine Mutter.

Als Jimmy den ganzen Hintergrund um die Zahlen 5 und 3 grün ausgemalt hatte, blätterte er um und begann mit der nächsten Zeichnung.

»Es geht nicht nur um die Bilder«, erklärte er leise. »Oder darum, wie sie aussehen.«

»Was meinst du damit?«, fragte Felix, während er gebannt dem übers Blatt huschenden Stift folgte.

»Das Entscheidende ist, wie sie sich anfühlen.« Jimmy beobachtete immer noch seine Mutter. Der Stift tanzte wie von selbst über das Blatt. Seine Hand bewegte sich mit einer solchen Selbstverständlichkeit, als würde sie nicht zum Rest seines Körpers gehören. Jede Linie saß exakt. »Ich sehe diese Bilder in meinem Kopf, und ich habe keine Ahnung, was sie bedeuten. Aber ich weiß, dass sie für irgendetwas Schreckliches stehen. Ich habe das Gefühl, als wäre jemand in großer Gefahr. Ich glaube, meine Instinkte versuchen mich zu warnen. Als sollte irgendein Mord geschehen und ich müsste ihn verhindern.«

»Also versucht irgendjemand, dich umzubringen?«, fragte Felix. »Das ist ja echt nix Neues.«

Jimmys Mutter wandte sich ab und wischte mit dem Ärmel über ihre Augen.

»Nein«, sagte Jimmy. »Nicht mich. Jemand anderen. Ich weiß nur nicht, wen.«

Er blätterte auf die nächste Seite und zeichnete weiter, noch schneller als zuvor. Der Stift flog beinahe über die Seite.

Schließlich atmete Helen ein paar Mal tief durch und sammelte Kraft, um sich wieder am Gespräch zu beteiligen.

»Aber woher kann deine Konditionierung das alles wissen?«, fragte sie.

Jimmy zuckte mit den Schultern. »Vielleicht habe ich irgendetwas gehört oder gesehen. Vielleicht haben wir das alle und haben nur nicht bemerkt, wie bedeutend es ist. Vielleicht ergeben die ganzen einzelnen Informationen einen Sinn, wenn man sie alle zusammenfügt.«

»Zusammenfügt?«, wiederholte Helen. »Aber warum zeigt deine Konditionierung dann nur die einzelnen Bruchstücke? Wann wird sie dir verraten, wer genau in Gefahr ist?«

»Ähm«, schaltete Felix sich ein. »Ich glaube, das hat sie gerade.« Er schnappte sich das Notizbuch, drehte es um und hielt es hoch. Falsch herum zeigte es ein neues Bild. Es war keines der Bilder, die Jimmy ständig durch den Kopf geisterten. Und trotzdem erkannte er es.

Jimmy sah auf seine Hände, dann zurück zum Bild. Es war die Skizze eines männlichen Gesichts. Die Wangen waren rund, das Haar dünn. Unter den Augen lagen tiefe Schatten. Die Zeichnung war viel genauer als die anderen im Buch und besser als alles, was Jimmy je in seinem Leben gezeichnet hatte. Es war das exakte Porträt des amerikanischen Präsidenten, Alphonsus H. Grogan.

Am nächsten Morgen stopfte Jimmy sich mit Keksen voll. Einer nach dem anderen wanderte direkt aus der Packung in seinen Mund. Seine Kiefermuskeln waren so angespannt, dass sie bei jedem Biss knackten.

Neben ihm auf der Couch saß Georgie, während Felix sich aus der geöffneten Tür lehnte, um zu lauschen, was im unteren Apartment passierte.

Sie waren in der oberen Etage, während die Erwachsenen unten über die aktuelle Lage diskutierten. Eigentlich klang es mehr nach Streit als nach Diskussion.

»Seid leise«, flüsterte Felix.

»Ich sag doch gar nichts«, protestierte Jimmy. »Ich kaue nur.«

»Dann kau leiser.«

Jimmy wischte sich die Krümel von der Hose. »Es bringt eh nichts«, verkündete er und mampfte seinen letzten Keks. »Sie glauben mir sowieso nicht.«

»Was meinst du damit?«, fragte Georgie. Sie war gerade dabei, einen Zimt-Bagel von der Größe ihres eigenen Kopfes zu verschlingen.

»Ich meine«, antwortete Jimmy, »dass sie mit Sicherheit mein Notizbuch mitgenommen hätten, wenn sie mir tatsächlich glauben würden, dass der Präsident in Gefahr ist.« Er hob das Heft von der Armlehne des Sofas und wedelte damit in der Luft herum. »Und sie wären direkt zur Polizei gegangen, um sie zu warnen.«

»Sie zu warnen?«, spottete Georgie. »Vor was? Vor einem durchgeknallten Porträtzeichner, der mit grünem Filzstift Bilder vom Präsidenten malt?« Sie schnappte sich das Heft und warf es auf den Boden.

»Du glaubst mir also auch nicht?«

Georgie stöhnte verzweifelt und hob die Hände in die Luft.

»Was soll ich dir denn glauben?«

»Dass der Präsident in Gefahr ist. Ein Killer ist hinter ihm her. Ich spüre es.«

»Jimmy, es *spüren* ständig irgendwelche Leute, dass der Präsident in Gefahr ist. Manche von ihnen halten einfach die Klappe und leben glücklich bis an ihr Lebensende. Und andere gehen zur Polizei und behaupten, sie hätten Bilder im Kopf und Vorahnungen, dass der Präsident noch vor dem Wochenende sterben wird.«

»Und was passiert mit denen?«, murmelte Jimmy, als wüsste er die Antwort nicht genau.

Georgie seufzte und vergrub das Gesicht in den Händen.

»Was ich damit sagen will«, fuhr sie fort, »es mag ja durchaus sein, dass der Präsident in Gefahr ist. Er schwebt *immer* in Gefahr, weil er eben der Präsident ist. Deswegen hat er ja so viele Bodyguards. Und vielleicht haben deine *Bilder* irgendwas mit ihm zu tun, aber vielleicht auch nicht. Aber selbst wenn es so ist, dann gibt es nichts, was wir tun können. Sonst landen wir nämlich alle in der Klapse.«

»Und da würde Miss Bennett uns bestimmt finden«, fügte Felix hinzu. »Weil sie mit Sicherheit das Wochenmagazin *Neues aus der Klapse* abonniert hat.«

»Fang du nicht auch noch an«, flehte Jimmy.

»Keine Sorge«, erwiderte Felix. »Ich glaube dir.«

Jimmy zwang sich zu einem Lächeln. Auf Felix konnte er sich verlassen. Allerdings war das heute kein großer Trost. Das Schlimmste war, dass er an sich selbst zu zweifeln begann. Wenn er logisch überlegte, ergab alles Sinn, was Georgie gesagt hatte. Die Bilder in seinem Kopf konnten tatsächlich bedeuten, dass er langsam verrückt wurde. Und wenn sie sich an die Polizei wandten, konnte der *NJ7* sie leicht finden. Trotzdem war da dieses starke Gefühl in Jimmy. Und es überwog alle logischen und rationalen Gedanken.

Letzte Nacht hatte er immer wieder die Bilder gesehen. Das Gesicht des Präsidenten war auch dabei, schärfer als je zuvor. Jedes Mal, wenn Jimmy es vor seinem inneren Auge sah, fühlte es sich an, als würde er in das Gesicht eines todgeweihten Mannes schauen, der nach Jimmys Hilfe schrie.

Zu spät. Die Zeit des Mannes war abgelaufen.

Jimmy hörte die Tür im unteren Apartment zufallen, dann lief jemand die Treppe hinunter.

»Chris geht weg«, flüsterte Felix. Er lehnte sich so weit aus der Tür, dass Jimmy sich fragte, wieso er noch nicht das Gleichgewicht verloren hatte. »Wahrscheinlich trifft er seine Kontakte, um die Ereignisse von letzter Nacht zu besprechen.«

Jimmy war so sehr mit den rätselhaften Bildern beschäftigt gewesen, dass er gar keine Zeit gehabt hatte, sich Gedanken über die beiden Angreifer von gestern zu machen. Es war schon fast absurd: Er hatte keine Angst vor zwei Killern, die mit Messern über die Feuertreppe eindrangen, stattdessen aber vor ein paar Bildern in seinem Kopf. Die Visionen waren nicht real, trotzdem brachten sie ihn fast um den Verstand.

Georgie stand auf und spähte jetzt ebenfalls aus der Tür.

Jimmy sprang auf und griff sich ein paar Dollar vom Tisch.

»Was machst du? Deine Mum kommt gerade hoch. Mach keinen Quatsch.«

Jimmy ignorierte Felix und stürmte ins Bad. Die Schritte im Treppenhaus kamen näher. Helen Coates stieß die Wohnungstür auf.

»Jimmy«, verkündete sie. »Ich muss mit dir reden.« Sie sah gerade noch Jimmys Gestalt aus dem Badezimmerfenster verschwinden. Dann schepperte draußen die Feuertreppe.

»Jimmy!«, brüllte Felix. – »Schnell, wir sollten ihm hinterher.«

Er rannte zum Fenster und wollte gerade hinausklettern. Doch Helen hielt ihn sanft zurück.

»Lass ihn gehen«, sagte sie.

»Was?« Felix drehte sich um und sah ihren traurigen Gesichtsausdruck.

»Wie meinst du das, *lass ihn gehen*?« Es war Georgie, die hereinkam. »Du kannst meinen Bruder nicht einfach abhauen lassen, mitten in New York. Da draußen sind Tausende Gestörte, Kriminelle und Agenten unterwegs!«

»Es ist in Ordnung«, erklärte Helen. »Ihm wird nichts passieren. Er folgt Chris, oder?«

Die anderen nickten ratlos. Sie hatten keine Ahnung, was in Helen Coates' Kopf vorging. Und dann trug Helen noch zusätzlich zu ihrer Verwirrung bei.

»Er glaubt, dass Chris sein Vater ist.«

Georgie und Felix wechselten fassungslose Blicke.

»Ist er wahnsinnig geworden?«, fragte Georgie. »Seid ihr *beide* wahnsinnig geworden?«

Helen seufzte und sah ihrer Tochter in die Augen.

»Jimmy ist dein Halbbruder, Georgie«, antwortete sie.

Ein kühler Luftzug, der durch das Fenster hereinwehte,

ließ Georgie schaudern. Ihre Miene wirkte erst schockiert, dann nachdenklich. Sie sah aus, als müsste sie eine komplizierte, mathematische Gleichung im Kopf lösen.

»Wer ist Jimmys Vater?«, fragte sie schließlich mit wütendem Unterton.

»Das spielt keine Rolle«, antwortete Helen.

»Natürlich spielt es eine Rolle!«, schrie Georgie. Sie ballte die Fäuste und ihr stiegen Tränen in die Augen. »Du kannst nicht alles vor uns geheim halten. Es ist nicht fair!« Sie sah zu Felix hinüber, der vor lauter Verlegenheit rot angelaufen war und versuchte, jeglichen Augenkontakt zu vermeiden. Georgies Blick wanderte zum offenen Fenster. Sie kämpfte mit ihren Gedanken und Gefühlen.

»Du hast gesagt, er folgt Chris«, bemerkte sie endlich, jetzt mit ruhigerer Stimme. »Ist Christopher Viggo Jimmys Vater?«

Ihre Mutter wandte sich ab und machte eine Geste in Felix' Richtung.

»Hört zu«, sagte sie. »Wir sollten Jimmy das tun lassen, was er für nötig hält. Er wird Chris einholen und bei ihm ist er sicher.«

Sie schloss das Fenster und versuchte die beiden aus dem Badezimmer zu schieben, aber Georgie blieb wie angewurzelt stehen.

»Jimmys Vater ist tot«, verkündete Helen. »Mehr braucht ihr nicht zu wissen.«

KAPITEL 14

Jimmys Sinne waren überreizt von den grellen Lichtern und extremen Gerüchen Chinatowns. Er war es nicht mehr gewohnt, tagsüber draußen zu sein. *Nicht nach oben schauen,* flüsterte eine Stimme in seinem Kopf. *Die Überwachungssatelliten erkennen sonst dein Gesicht.* Jimmy bahnte sich einen Weg durch die Menschenmassen und versuchte Viggo einzuholen.

Er zog die Schultern hoch, um sich vor der Kälte und dem leichten Nieselregen zu schützen. An der U-Bahnstation Canal Street sprang Viggo die Treppen hinunter. Sein langer Mantel wehte wie ein Umhang, dann verschwand er in der Dunkelheit. Jimmy folgte ihm. Er musste sich an Touristen und Berufspendlern vorbeischlängeln, die sich scheinbar in Zeitlupe bewegten.

Als Jimmy unten anlangte, war Viggo bereits durch das Drehkreuz gegangen. Jimmy spähte um die Ecke. Er sah Viggo auf dem Bahnsteig stehen und unauffällig die Gesichter der Menschen um ihn herum mustern.

Die leuchtend gelben Ziffern der Anzeigetafeln sprangen um. Wann würde der nächste Zug kommen? Jimmy biss die Zähne zusammen und kramte in seiner Tasche nach dem Geld. Seine Nerven waren zum Zerreißen angespannt.

Dann ertönte ein lautes Rattern auf den Gleisen. Hinter ihm fuhr donnernd eine U-Bahn ein. Der Lärm des Zuges übertönte alle anderen Geräusche. Um Jimmy herum wurde Staub aufgewirbelt und seine Nackenhaare stellten sich auf. Doch die beiden Männer mit den schwarzen Lederhandschuhen, die sich am nächsten Ticketautomaten eine Fahrkarte kauften, entgingen Jimmys Aufmerksamkeit.

Der Zug hielt und die Türen glitten auf. Endlich war Jimmys Ticket ausgedruckt und er zwängte sich durch das Drehkreuz. Die Waggontüren begannen sich zu schließen. Viggo war bereits in einem der Wagen verschwunden.

Jimmy entwertete sein Ticket und stürmte weiter. Er flog geradezu durch die Menge. Im letzten Moment sprang er zwischen den sich schließenden Türen hindurch. *Geschafft*, dachte er lächelnd und lehnte sich an die Tür, um zu verschnaufen. Er befand sich in dem Waggon unmittelbar hinter dem Viggos.

Zwei große, schlanke Männer blieben am Bahnsteig zurück. Einer klopfte mit seinem schwarzen Regenschirm auf den Boden.

»Ist sowieso besser, wenn wir es nicht in der Öffentlichkeit machen«, murmelte er.

Sein Begleiter schob die Faust zurück in die Jackentasche und verbarg so diskret sein Messer.

»Wir kriegen ihn«, knurrte er. »Früher als er denkt.«

Beide Männer hatten einen auffallenden, englischen Akzent.

Viggo stieg am *Times Square* aus und Jimmy heftete sich an seine Fersen. Auf dem Bahnsteig herrschte so viel Betrieb, dass Jimmy nicht weiter auffiel. Doch dann beschleunigte Viggo seinen Schritt und löste sich aus der Menge. Er bog in einen Tunnel, über dem *Shuttle* stand.

Jimmy wartete ein paar Sekunden, bevor er ihm folgte. Viggo war hinter einer Biegung des Tunnels verschwunden, aber Jimmy hörte das Echo seiner Schritte. Dann verstummte das Geräusch plötzlich. *Ist das der Treffpunkt?*, fragte Jimmy sich. Falls es so war, musste er unbedingt einen Blick auf die Leute erhaschen, die Viggo traf. Er spähte um die Ecke und hielt den Atem an. Keine Spur von Viggo.

Jimmy verharrte an Ort und Stelle. Eine Minute verging, vielleicht mehr. Jimmy erschien es wie eine Ewigkeit. Niemand kam vorbei. Der Tunnel war verlassen und still. Es war, als hätte Christopher Viggo sich in Luft aufgelöst. Doch dann entdeckte Jimmy die Tür.

Es war eine alte Tür, von der die weiße Farbe abblätterte. Einige Fliesen am Rahmen waren zerbrochen oder abgefallen und an diesen Stellen zeichneten sich große feuchte Flecken ab. Der Tunnel verströmte einen merkwürdigen Geruch – als hätte man Fleisch zu lange außerhalb des Kühlschranks gelagert. All das waren Spuren der Zeit. Vermutlich gehörte dieser Gang zu den ältesten Teilen des New Yorker U-Bahnnetzwerks.

Die Tür sah vollkommen gewöhnlich aus, bis auf einen Umstand – über dem Türrahmen, wo die Fliesen fehlten, war ein Wort in den nackten Stein eingemeißelt: *KNICKERBOCKER.* Die Buchstaben waren abgeschliffen, von Dreck verkrustet und auf den ersten Blick kaum zu erkennen. Aber jetzt, wo Jimmy sie entdeckt hatte, konnte er den Blick nicht mehr abwenden.

Was sollte das bedeuten? War es eine Art Code? Welchen Grund konnte es geben, einen alten, maroden Eingang mit *KNICKERBOCKER* zu beschriften?

Jimmy drückte vorsichtig gegen die Tür, aber nichts passierte. *Nicht unbedingt eine Überraschung,* dachte er. Aber es gab auch kein Schlüsselloch, nicht einmal einen Türgriff. Für einen Moment überlegte er, die Tür einfach aufzubrechen, doch sein Bauchgefühl riet ihm davon ab. Er musste leise und unbemerkt hineingelangen.

Jimmy kramte in jeder Ecke seines Gehirns nach einer guten Methode, durch diesen Durchgang zu gelangen. Dann fiel ihm etwas auf. Direkt über dem ersten *R* von *KNICKERBOCKER,* dort wo die Buchstaben fast die Tunneldecke berührten, befand sich eine kleine weiße Box. Sie war fast so verdreckt wie der Rest der Tür. An einem Rand der Schachtel hing eine dicke weiße Schnur. Es war eine Art Kabel, stellte Jimmy fest, als er genauer hinsah. Es verlief neben dem Türrahmen in Richtung Boden und verschwand dort in der Wand.

In Jimmy begann es zu rumoren. Sein Instinkt schickte einen Impuls seine Wirbelsäule hinauf. Der Energie-stoß erreichte sein Gehirn so blitzartig, dass es Jimmy fast umwarf. Plötzlich wusste er, was zu tun war.

Er nahm einen kleinen Anlauf und sprang an der Tür empor. In der Luft streckte er seinen Arm und drehte die Box ein Stück nach rechts. Sie bewegte sich ein paar Milli-meter, dann klickte sie wieder in ihre Ausgangsposition zurück. Und noch bevor Jimmy landete, konnte er ein Surren hören. Der Elektromagnet, der die Tür geschlos-sen hielt, wurde für einen Moment außer Kraft gesetzt.

Jimmy war fasziniert von seinem neu gewonnenen Wissen über einfache elektrische Systeme, doch er hatte keine Zeit zu verlieren. Er lehnte sich gegen die Tür. Ohne Widerstand gab sie nach. Sie öffnete sich völlig lautlos, nicht einmal ein leises Quietschen war zu hören. So eine alte Tür, die ohne ein Knarzen funktionierte? Jetzt war Jimmy restlos überzeugt, dass sie mit irgend-einem Geheimnis verbunden war.

Vorsichtig zog er die Tür hinter sich zu und stand in der Dunkelheit. Er blinzelte und seine Nachtsicht akti-vierte sich. Direkt vor ihm führte eine kurze Treppe nach oben. Er schlich die Stufen empor, bis er über die oberste spähen konnte, dann legte er sich flach auf den Boden. Seine Nerven vibrierten förmlich. Dieser Ort war alles andere als einladend.

Jimmy blickte in einen großen, mit Teppich ausgeleg-ten Raum, mit zahlreichen Säulen und extrem hoher Decke. Einige Korridore schienen von dem Raum aus ab-zuführen, doch sie waren nur schemenhaft zu erkennen.

In der Mitte des Raumes befand sich etwas wie ein Schreibtisch oder eine Bar und dahinter eine breite geschwungene Treppe. Sie führte auf eine Galerie. Das war ungünstig, denn von dort aus konnte man den ganzen Raum gut überblicken und einen unerwünschten Eindringling jederzeit unschädlich machen.

In dem Raum war es kalt und roch ein wenig wie in einer Schultoilette, trotzdem kam es Jimmy nicht in den Sinn umzudrehen.

Er blieb auf dem Bauch liegen und zog sich mit den Ellbogen weiter. Dabei wanderte sein Blick durch den Raum. Überall schraubten sich Säulen zur Galerie empor.

Dann begann er Geräusche wahrzunehmen, leise aber eindeutig. Überall im Raum waren Schritte zu hören. Jimmy versuchte auszumachen, wo die Leute sich befanden oder wie viele es waren. *Einer auf dem Balkon,* dachte er. *Nein, zwei. Und einer hinter der nächsten Ecke. Nein, in der gegenüberliegenden Ecke.* Die Geräusche schienen aus allen Richtungen zu kommen und durch den Raum zu driften wie Gespenster.

Dann zerriss eine Salve die Luft und schmerzte in Jimmys Ohren: eine Maschinenpistole. Gleichzeitig zuckte Mündungsfeuer durch den Raum. Dann weitere Schüsse. Jimmy wurden Staub und Dreck ins Gesicht geschleudert. Wie eine Raubkatze sprang er auf und sprintete los. Er brauchte weniger als eine Sekunde, um hinter einer Trennwand Deckung zu suchen.

Ein weiterer Lichtblitz und ein weiterer Feuerstoß aus einer Maschinenpistole. Jimmy rannte zu einer Säule und zog sich an ihr empor. Seine einzige Chance bestand darin, immer in Bewegung zu bleiben und die Person zu überwältigen, die auf ihn feuerte. Wer konnte es sein? Dann fiel ihm etwas ein – diese Kontakte waren doch auf ihrer Seite, oder nicht? Sie schossen nur, weil ihnen nicht klar war, dass es sich bei dem Eindringling um Jimmy handelte. Einer der Schützen konnte sogar Viggo selbst sein.

»Hört auf zu schießen!«, brüllte Jimmy. »Ich bin es – Jimmy! Jimmy Coates!« Während er schrie, kletterte er Meter um Meter an der Säule empor. Seine Finger klammerten sich in den Gips und seine Arme spannten sich mächtig. Endlich konnte er das Geländer des Balkons packen und sich darüberziehen.

Es folgte eine weitere Salve. Sie traf die Säule, an der Jimmy gerade noch gehangen hatte. Der Gips zerbarst und fiel in großen Brocken zu Boden.

»Stopp!«, schrie Jimmy. Er musste es noch einmal versuchen, für den Fall, dass sie ihn nicht gehört hatten. »Chris! Ich bin's – Jimmy!«

Wer auch immer die Schützen waren, sie *hatten* Jimmy gehört. Und jetzt wussten sie genau, wo er steckte. Augenblicklich folgte neuerliches Maschinenpistolenfeuer. Jimmy ließ sich flach auf den Boden fallen. Er konnte den Luftzug an seinem T-Shirt spüren, als die Kugeln knapp über ihm vorbeisurrten und die Wand neben ihm zertrümmerten. Wenn er blieb, wo er war, würde ihn die nächste, etwas tiefer zielende Salve erwischen. *Wer sind diese Leute?*, schrie eine Stimme in seinem Kopf.

Jimmy machte eine Hechtrolle vorwärts und floh. Von Panik getrieben, bewegte er sich schneller als je zuvor, doch es war nicht schnell genug.

Im nächsten Moment ertönten neuerliche Schüsse und er spürte einen gewaltigen Stoß in seinem Rücken. Es fühlte sich an, als hätte ihn ein Elefant mit seinem Zahn aufgespießt. Er taumelte vorwärts. In seinen Lungen war keine Luft mehr. Ein roter Schleier legte sich über sein Blickfeld. Jimmy streckte die Hand aus, um sich irgendwo festzuhalten. Sie fand das Geländer des Balkons, doch durch den Treffer vorangepeitscht, stolperte er und kippte darüber.

Verzweifelt umklammerte er das kalte Metall. Doch plötzlich wich alle Kraft aus seinen Händen. Er stürzte kopfüber in die Tiefe. Die Zeit dehnte sich, während er fiel. Er erinnerte sich an den Tag, an dem er zum ersten Mal seine übermenschlichen Fähigkeiten gespürt hatte. *Ich bin schon einmal gestürzt,* dachte er. *Ich kann das überleben. Ich muss es überleben.* Doch gleichzeitig war ihm klar, dass weniger der Aufprall, sondern vor allem die Kugel sein Ende bedeuten würde.

KAPITEL 15

Trotz des Teppichs war Jimmys Landung grausam. Jeder einzelne Knochen schien zu zersplittern und der Schmerz in seinem Rücken vervielfachte sich. Er wünschte, er hätte das Bewusstsein verloren. Für einen Moment hielt er die Augen geschlossen und wartete darauf, dass dieses mörderische Stechen der Einschusswunde ihn ohnmächtig werden ließ.

Aber das passierte nicht. Stattdessen ließ der Schmerz langsam nach. Mit äußerster Vorsicht rollte Jimmy sich auf seine Schulter. Das Gelenk knackte, aber er verspürte keinen Schmerz. Dann bemerkte er noch etwas. Als er über den Teppich tastete, war er vollkommen trocken – kein Blut.

Außerdem strömte die Luft frei in seine Lungen. Natürlich hatte sein Körper besondere Fähigkeiten, aber eine Schusswunde mitten im Rücken hätte auch bei ihm deutlich mehr Schaden anrichten müssen.

Er wagte es, sich weiter auf die Seite zu drehen. Die Schüsse im Raum waren verhallt, aber bevor Jimmy aufstehen konnte, gingen die Lichter an. Jimmy blinzelte.

»Danke, Gentlemen«, hallte ein Ruf durch den Raum.

»Die Übung ist beendet.« Es war eine tiefe, heisere Stimme, die vermutlich einem älteren Mann gehörte.

»Allerdings ein bisschen zu spät«, ertönte die Antwort mit einem vertrauten, britischen Akzent. »Ihr habt Jimmy schon erschossen.« Es war Viggo.

»Chris?«, rief Jimmy. »Warum hast du sie nicht aufgehalten?« Er war erstaunt, seine eigene Stimme so klar und deutlich zu hören. War er wirklich getroffen worden oder hatte er sich alles nur eingebildet?

Immer noch auf der Seite liegend, spähte er in die düstere Ecke der Halle, aus der die Stimmen gekommen waren. Obwohl sein Kopf schräg lag, erkannte er Viggo, der auf ihn zulief.

»Ich hab es versucht«, sagte er eilig, »aber sie haben nicht auf mich gehört. Alles in Ordnung?«

»Ich wurde angeschossen«, sagte Jimmy leise.

»Ha!« Hinter Viggo folgte ein stämmiger, ungefähr sechzigjähriger Mann. Er trug eine dunkelblaue Militäruniform und seine Brust war über und über mit Orden und Medaillen dekoriert, sodass sie fast wie eine Patchwork-Decke aussah. Seine Schultern waren breit und unter einem Arm klemmte seine Mütze, sodass man sein spärliches Haar sah. »Ha!«, lachte er erneut und warf den Kopf in den Nacken, wobei er sein fleckiges, wabbliges Kinn zeigte. »Bist du etwa tot?«

Jimmy wusste nicht, was er erwidern sollte.

»Bist du tot, Jimmy Coates? Ich finde, du siehst noch recht lebendig aus! Ha!«

Der Mann trat neben Jimmy und beugte sich herab.

»Weggetreten, Gentlemen«, kommandierte er, ohne sich umzuwenden.

Als Jimmy über seine Schulter spähte, sah er zwei riesige Männer, die ihre Maschinenpistolen abschnallten, die Nachtsichtbrillen abnahmen und salutierten.

»Jawohl, Sir!«, riefen sie gleichzeitig und marschierten davon.

»Sie hätten die Übung abbrechen müssen, als Sie bemerkten, dass es Jimmy war«, beharrte Viggo.

Der Amerikaner zuckte mit den Schultern. »Ich wollte sehen, wie meine Männer auf ein unerwartetes Ereignis reagieren«, knurrte er.

»Und wie haben sie auf das *unerwartete Ereignis* reagiert?«, schaltete Jimmy sich ein. Er war stinksauer.

»Sehr gut«, kam die Antwort. »Sie haben es eliminiert. Ha!« Der Soldat warf erneut seinen Kopf zurück und fuhr sich dann mit der Hand durch das spärliche Haar.

»Oh, tut mir übrigens leid, Jimmy«, sagte er, als sein Glucksen verstummte. »Vielleicht war das nicht die beste Art, mich vorzustellen, he? Ich bin Oberst Keays.«

Er streckte die Hand aus und starrte Jimmy erwartungsvoll an.

Jimmy sah zu Viggo, dessen Blick fast flehend war. Es dauerte ein paar Sekunden, bevor Jimmy die Hand des Oberst ergriff. Kaum hatte er das getan, zog ihn der Mann mit Leichtigkeit auf die Füße. Er wirkte vielleicht alt, aber physische Stärke musste in seinem Leben immer noch eine große Rolle spielen.

Viggo drehte Jimmy um und betrachtete sich gründlich seinen Rücken.

»Ist es schlimm?«, fragte Jimmy. Er kreiste die Schultern, um zu testen, ob es noch wehtat. Er war fast schmerzfrei.

»Das ist fantastisch«, staunte Viggo.

»Hab ich doch gesagt«, murmelte Keays. »Nicht mal ein Kratzer.«

Jimmy und Viggo starrten ihn an, als käme er von einem anderen Planeten.

»Höchst geheime, moderne Technologie«, erklärte er. »Wir nennen sie *Laser-Übungsmunition*. Wir sind noch in der Testphase, aber im Moment sieht es aus, als wäre sie bestens für Manöver geeignet.«

»Laser-Übungsmunition?«, wiederholte Jimmy irritiert. »Ich verstehe nicht.« Die Vorstellung, dass sich ein Laserstrahl in seinen Rücken gebohrt hatte, ließ ihn schaudern.

»Jeder Schuss besteht aus einem Photonenbündel, also im Grunde eine Energieladung, die die Wirkung einer echten Kugel simuliert. Man kann diese Munition aus normalen Gewehren abfeuern und sie hinterlässt weder Patronenhülsen noch so eine riesige Sauerei wie diese lächerlichen Paintballkugeln. Aber am allerbesten ist, dass sie höllisch wehtut. Es besteht also ein ernsthaftes Interesse daran, nicht angeschossen zu werden, selbst im Training. Eine gute Vorbereitung für den echten Kampf.« Er legte eine Pause ein, um ein wenig Staub von seiner Mütze zu klopfen und das Adlerabzeichen darauf mit seinem Ärmel zu polieren.

Jimmy war noch zu verwirrt, um ernsthaft darüber nachdenken zu können, wer dieser Mann war oder für wen er arbeitete.

»Der Unterschied ist«, fuhr der Oberst fort, »dass man in Sekundenschnelle wieder auf den Beinen ist, nachdem einen die Laser-Übungsmunition erwischt hat. Allerdings hätte ein normales Zielobjekt am Tag danach noch leichte Schmerzen und ziemlich üble Blutergüsse. Aber wie ich gehört habe, bist du alles andere als normal.« Er strich sich übers Kinn und blickte mit einem merkwürdigen Lächeln auf Jimmy herab.

Jimmy wusste nicht, wie er reagieren sollte. Er hätte nie damit gerechnet, mit dem US-Militär in Kontakt zu kommen, vor allem nicht unter so merkwürdigen Umständen. Er wollte Viggo gerade um eine Erklärung bitten, doch der kam ihm zuvor.

»Du hättest mir nicht folgen dürfen«, knurrte Viggo. »Wieso hast du das getan?«

Jimmy gefiel Viggos heftiger Ton nicht, und er versuchte, seinen wütenden Blick zu vermeiden.

»Ich wollte herausfinden, wer deine Kontakte sind«, fauchte er.

»Ich hab dir versprochen, dass ich dir alles erkläre, sobald es nötig ist.«

»Es war nötig, okay?« Jimmy konnte den Ärger in seiner Stimme nicht mehr verbergen. Die beiden starrten einander zornig an. Jimmy hatte nicht vor, in dieser Sache nachzugeben.

»Hey, hey, immer mit der Ruhe«, mahnte Keays und

legte beruhigend eine Hand auf Viggos Schulter. »Sei nicht böse mit der armen, kleinen Killermaschine.« Er zwinkerte Jimmy zu.

Jimmy fühlte sich wie geohrfeigt. Wie konnte dieser Mann es wagen, ihn so zu nennen und es auch noch lustig zu finden? Seine Augen brannten. Aber schlimmer als die Beleidigung war die Tatsache, dass Viggo sein Geheimnis ausgeplaudert hatte.

»Er ist einfach seinem natürlichen Instinkt gefolgt, um seine eigene Sicherheit und die seiner Familie zu gewährleisten«, fuhr der Oberst fort und klopfte Jimmy auf die Schulter. »Jetzt bist du in Sicherheit, Jimmy. Willkommen bei der *CIA*.«

»Bei der *CIA*?« Jimmy schluckte.

»Richtig, Kumpel.« Der Oberst ließ ein weiteres schallendes Lachen ertönen. »Die *Central Intelligence Agency*. Wir schützen das *Land der unbegrenzten Möglichkeiten* mit allen Mitteln, die es erfordert.«

Rasch ließ Jimmy die Ereignisse der letzten paar Tage in seinem Kopf Revue passieren. Auf einmal ergab alles einen Sinn. Nur eine Organisation mit dem Einfluss, dem Budget und der Erfahrung der *CIA* konnte es ermöglichen, Jimmys Gruppe aus England durch den amerikanischen Zoll und bis in ihr Versteck nach Chinatown zu schmuggeln. Aber wieso machten sie sich überhaupt diese Mühe? Jimmy schossen tausend Fragen durch den Kopf. Voller Zweifel blickte er zu Viggo.

»Ich musste es geheim halten«, knurrte Viggo. »Du solltest mir dankbar sein. Weißt du, wie riskant es war, mit der *CIA* in Kontakt zu treten? Du kannst nicht einfach deren Kundenhotline anrufen, weißt du.«

Jimmy spürte, wie Hitze in ihm aufstieg. Er gab sich Mühe, die Kontrolle zu behalten und Viggo ausreden zu lassen.

»Es war das Beste für dich«, fuhr Viggo fort. »Wärst du denn nach Amerika mitgekommen, wenn ich dir gesagt hätte, wir arbeiten mit einem weiteren Geheimdienst zusammen? Bestimmt nicht. Du hättest dich geweigert. Ich weiß, dass du kein Vertrauen mehr in Regierungsorganisationen hast.«

Vermutlich hatte Viggo recht. Erst waren sie nur knapp dem *NJ7* entronnen, dann hatte sie der französische Geheimdienst hängen lassen, weil er nur auf seine eigenen Ziele bedacht war. Jimmy hätte sich niemals freiwillig in die Hände eines dritten Geheimdienstes begeben. Aber bis jetzt sah es so aus, als hätte Viggo mit der *CIA* die richtige Wahl getroffen.

»Okay«, murmelte Jimmy und senkte den Blick. »Aber du hättest …« Er beendete den Satz nicht. Es gab zu vieles andere, worum er sich kümmern musste. Er wollte seine Energie nicht in endlosen Diskussionen mit einem seiner letzten Vertrauten verschwenden.

»Gut, das ist gut«, verkündete Oberst Keays lächelnd. »Jetzt wo wir alle wieder Freunde sind: Willkommen im *Knickerbocker Hotel*.«

»Was?«, stieß Jimmy hervor. Er hatte den Raum noch gar nicht bei Licht betrachtet. Das holte er jetzt nach. Staub bedeckte alles und schien sogar in der Luft zu hängen. Die Wände waren dunkelrot und mit goldenen Mustern verziert. Das Treppengeländer war ebenfalls golden und kunstvoll verschnörkelt. Jimmy starrte mit offenem Mund nach oben, wo ein gigantischer Kronleuchter hing. Er war über und über von Spinnenweben bedeckt. Alles hier schien wie ein Relikt einer glamourösen, längst untergegangenen Epoche.

»In den Zwanzigerjahren war das hier ein sehr beliebtes Etablissement«, erklärte der Oberst und schritt auf die Treppen zu. »Die noblen Gäste hatten sogar ihren eigenen Zugang zur U-Bahn. Sie mussten nicht einmal nach draußen und sich dem Wetter aussetzen. Diese Tür ist heute der letzte noch existierende Eingang.«

Er stieg die Stufen hinauf und wedelte dabei mit seiner Kappe. »Seht euch das an! Das *Knickerbocker* ist perfekt geeignet, um mitten in der Stadt einen Häuserkampf zu simulieren. Der Balkon, die Säulen, sogar die Aufzüge. Das sind alles interessante Herausforderungen für unsere Spezialeinheit.«

Jimmy stellte sich ein Team von Soldaten vor, die in der großen Lobby von Deckung zu Deckung rannten.

»Es gibt aber noch einen weiteren Vorteil«, schrie Keays vom Balkon herunter. »Die oberen Stockwerke wurden inzwischen zu einem Kino umgebaut. Wir können also richtig Lärm machen. Wir können Waffen testen, Sprengstoffe, was wir wollen. Die Kinobesucher halten das dann für einen Teil des Soundtracks. Ha!«

Jimmy bemühte sich, in das Lachen des Oberst einzustimmen, aber er war einfach nicht in der Stimmung.

»Was will er von uns?«, flüsterte er.

Keays war jetzt außer Hörweite.

»Er sucht ein dauerhaftes Versteck für uns«, antwortete Viggo mit einem Seitenblick auf Jimmy. »Darüber habe ich mit ihm gesprochen: Wie wir mit einer neuen Identität untertauchen können.«

»Aber was hat er davon?«, hakte Jimmy nach. »Die Zeit, die Mühe und das Geld, die er schon in uns investiert hat. Was will er dafür? Etwa mich?« Er verschluckte sich fast an dem letzten Wort.

Viggo sah besorgt zu Keays hinauf, doch der Oberst konnte sie nicht hören. Er spazierte jetzt die Galerie entlang, während er weiter erläuterte, wie clever es von der *CIA* war, das *Knickerbocker* für ihre Zwecke zu nutzen.

»Er will das Gleiche, was wir wollen«, flüsterte Viggo. »Den *NJ7* zerstören.«

Ein kalter Schauer lief über Jimmys Rücken. Viggos Miene wirkte plötzlich, als wäre er von einem Dämon besessen. Du *willst das vielleicht*, dachte Jimmy. Ich *will nur in Ruhe gelassen werden.*

»Denk bloß daran, was sie uns angetan haben«, fuhr Viggo fort. »Und England.«

Jimmy zögerte mit seiner Antwort. Die plötzliche Rage Viggos sprach nicht dafür, dass er in erster Linie an England dachte, ja, nicht mal an sich selbst.

»Die *CIA* hilft uns sicher nicht, weil sie sich um England sorgt«, stellte Jimmy fest.

»Na und? Aber sie sind jetzt auf unserer Seite. Das ist die Chance, den *NJ7* kleinzukriegen. Wir rächen alle, die sie belogen, betrogen und denen sie in den Rücken geschossen haben.«

Viggo wandte sich ab und bedeckte seine Augen mit den Händen. »Sie sollen dafür bezahlen«, murmelte er kaum hörbar.

»Aber wir sind in dieses Land gekommen, um uns zu verstecken«, konterte Jimmy. »Wir wollen nicht kämpfen. Wir wollen irgendwo untertauchen, wo sie uns nie finden.«

»Wach endlich auf, Jimmy!«, brüllte Viggo.

Der Oberst bemerkte, dass die beiden hinter ihm zurückgeblieben waren, und kam jetzt zurück.

»Wir können uns nicht verstecken«, fuhr Viggo fort. »Jedes Kind kann auf Google Earth die ganze Erde betrachten – bis zum letzten Zentimeter. Kannst du dir vorstellen, wozu der *NJ7* fähig ist? Mit Milliarden Pfund in der Tasche, um neueste Militärtechnologien zu bezahlen?« Er seufzte tief und rieb sich die Schläfen. »Sie könnten eine Fliege zwischen den Kiefern einer Sardine im Indischen Ozean finden. Sperr die Augen auf. Es wird Zeit, genauso clever, hinterhältig und grausam zu handeln. Vielleicht wird es zu einem Krieg führen. Ich weiß es nicht. Und es ist mir mittlerweile auch egal.«

Jimmy war schockiert von Viggos plötzlicher Gewaltbereitschaft. Er hatte ihn noch nie so leidenschaftlich erlebt.

»Die haben genug angerichtet!«, brüllte Viggo. »Sie haben keine Gefühle. Sie töten skrupellos. Es wird Zeit, dass auch wir unsere Gefühle ausschalten.«

Eine Träne rann an seiner Nase herab.

Jimmy war so verdutzt, dass er fast zu atmen vergaß. Ein Teil von ihm wollte zu seinem Freund gehen und ihn trösten. Doch er stand wie angewurzelt und seine Kehle war wie zugeschnürt. Dann begann seine Konditionierung tief in ihm zu rumoren. Wie ein schlafendes Monster erwachte sie. Sie wollte töten.

War es wirklich an der Zeit, seine Gefühle auszuschalten und mit dem Töten zu beginnen? *Aber die Gefühle sind doch der einzige Teil von mir, der wirklich menschlich ist,* protestierte eine zitternde Stimme in Jimmys Kopf. Doch die Stimme wurde schnell leiser.

KAPITEL 16

Plötzlich krümmte sich Jimmy zusammen und presste seine Hände auf die Ohren. Er schrie vor Schmerz. Es fühlte sich an, als würde ein Bohrer sich durch die Schädeldecke direkt in sein Gehirn fräsen.

»Was ist los?«, fragte Viggo besorgt.

Jimmy brachte keinen Ton heraus.

»Dasselbe wie beim letzten Mal?«

Jimmy nickte keuchend. Nach weniger als einer Minute war die Attacke vorüber.

»Was hast du?«, fragte Keays.

»Keine Ahnung«, stöhnte Jimmy leise. Er wischte sich mit zitternden Händen über das Gesicht.

»Das geht schon seit Tagen so«, erklärte Viggo. »Außerdem sieht er merkwürdige Bilder. Gibt es einen *CIA*-Arzt, der ihn mal untersuchen könnte?«

Jimmy war völlig klar, dass ein Arzt ihm nicht helfen konnte. Es war seine Konditionierung, die ihm eine machtvolle Botschaft schickte. Und die einzige Lösung bestand darin, diesen Hinweisen zu folgen.

»Ich brauche keinen Arzt«, brummte er.

»Bist du sicher?«, begann Viggo. »Aber kürzlich hast du gesagt, dass ...«

Jimmy schnitt ihm das Wort ab.

»Jemand will einen Anschlag auf den Präsidenten verüben.«

Vermutlich würden sie ihn jetzt für verrückt halten. Georgie hatte ihn gewarnt. Aber nun stand er einem Führungsoffizier der *CIA* gegenüber. Und Jimmy fühlte sich verpflichtet, seine Vorahnung mitzuteilen. Andernfalls wäre er mitverantwortlich für die möglichen Konsequenzen.

Viggo und Keays blickten skeptisch.

»Kannst du jetzt sogar die Zukunft voraussagen?«, spottete Keays.

»Jimmy, du bist nicht bei klarem Verstand«, verkündete Viggo. »Glaubst du wirklich ernsthaft, dass die Bilder in deinem Kopf dir das mitteilen?«

Jimmy wollte sich von Viggo nicht als Dummkopf hinstellen lassen. »Ich bin sicher, dass sie mir *genau das* mitteilen«, beharrte er. »Und sie werden immer stärker. Wenn ich meine Augen schließe, kann ich das Gesicht des Präsidenten vor mir sehen. Ich bin überzeugt, dass ein Killer auf ihn angesetzt wurde.«

»Aber wie sollen deine Träume dir zuverlässige Informationen über die Wirklichkeit liefern können?«, fragte Viggo aufgebracht. »Das ist doch lächerlich.«

»Lächerlich?« Nur mit Mühe beherrschte Jimmy die Wut, die in ihm hochkochte. »Apropos lächerlich: Ich hielt mich früher mal für einen ganz normalen Jungen. Aber jetzt kann ich in der Dunkelheit sehen und unter Wasser atmen. Wieso ist das nicht lächerlich, aber meine Vorahnungen schon?«

Viggo und Keays blickten einander unsicher an.

»Ich bin mir hundertprozentig sicher«, fuhr Jimmy fort. »Jemand wird versuchen, Präsident Grogan zu töten – und das schon bald. Meine Konditionierung muss irgendetwas erfasst haben, vielleicht aus den Nachrichten. Oder sie erspürt einfach intuitiv die Pläne des *NJ7*.« Jimmy klang jetzt panisch. Er trat von einem Fuß auf den anderen, unfähig, die brodelnde Energie in seinem Inneren noch länger zu kontrollieren.

»*NJ7*?«, wiederholte Viggo. »Du glaubst also tatsächlich, der *NJ7* hätte jemanden geschickt, um den Präsidenten zu töten?«

»Ich kann es fühlen«, erwiderte Jimmy kleinlaut. Er senkte den Blick und schämte sich plötzlich, das Ganze überhaupt aufgebracht zu haben.

»Aber wieso sollte der *NJ7* Präsident Grogan töten wollen?«, fragte Viggo. »Er ist doch ihr Verbündeter, der ihnen helfen will, falls es zu einem Krieg gegen Frankreich kommt.«

Jimmy zuckte mit den Achseln. Er fand inzwischen selbst, dass seine Behauptungen reichlich abwegig klangen. Es gab schließlich nicht den geringsten Beweis dafür, außer seinem Glauben an die eigenen Instinkte. Und selbst der begann langsam aber sicher zu bröckeln.

Keays unterbrach das quälende Schweigen. »Allerdings ist das lediglich die Version, mit der man die Öffentlichkeit abgespeist hat.«

»Was?«, fragte Viggo verblüfft. »Grogan soll plötzlich ein Feind Englands sein?«

»Nicht ganz«, erklärte Keays. »Aber es ist sehr unwahrscheinlich, dass der Präsident eigene Truppen in einen teuren Krieg mit unsicherem Ausgang schicken wird, nur um den Engländern zu helfen. Besonders da England seit einiger Zeit alle wirtschaftlichen Verbindungen zu Amerika abgebrochen hat.«

»Was wollen Sie damit sagen?«

»Falls der *NJ7* davon ausgeht, dass sie in einem neuen Präsidenten einen geeigneteren Unterstützer finden, hätten sie durchaus ein Motiv, den gegenwärtigen Präsidenten zu beseitigen. Dies ist ein Szenario, das wir in meiner Abteilung bereits durchgespielt haben.«

Jimmy fühlte, wie sein Selbstvertrauen langsam wieder zurückkehrte. Doch dann machte Keays schlagartig wieder alles zunichte.

»Aber aus genau diesem Grund ist der Präsident absolut sicher«, betonte der Oberst. »Wir haben diese Möglichkeit bereits bedacht und entsprechende Sicherheitsvorkehrungen getroffen.«

Jimmy war völlig ratlos. Wie sollte er noch unterscheiden können, was berechtigte Sorge und was Verfolgungswahn war?

»Ich kann dich gut verstehen«, begann Keays. »Es war sicher nicht leicht für dich, mir das zu sagen.« Er zwinkerte Jimmy zu. »Aber du kannst dich entspannen. Der Präsident ist absolut sicher – im Augenblick ist er im Gebäude der Vereinten Nationen, einem der sichersten Orte der Welt. Und heute Nachmittag hält er gemeinsam mit dem britischen Premierminister eine Pressekonferenz ab. Auch an diesem Ort wird ihm niemand etwas anhaben können. Schon allein deswegen, weil bis kurz vor Beginn der Pressekonferenz niemand weiß, wo sie überhaupt stattfindet, von den Sicherheitskräften einmal abgesehen.« Ein Lächeln huschte über sein Gesicht. »Und wie die Lage dort vor Ort aussieht, das werde ich dir gleich anschaulich demonstrieren.«

Oberst Keays marschierte zum Empfangsschalter am anderen Ende der Lobby.

Jimmy war jetzt allein mit Viggo, der gedankenverloren auf den Teppich starrte. Jimmy studierte sein Gesicht. Er suchte nach etwas – einer vertrauten Mimik, einer Ähnlichkeit, einer Art tieferen Verbindung. Er suchte in Viggo nach Spuren von sich selbst.

Ist er …? Jimmy würgte die Frage in seinem Kopf ab. Sein Mund hatte sich geöffnet, doch es drang kein Laut heraus.

Währenddessen tippte Keays am Empfangsschalter etwas auf einem Laptop. Kurz darauf sprang ein Projektor an, der direkt daneben aufgebaut war.

Viggo hob die Augen und bemerkte Jimmys Blick.

»Was starrst du mich so an?«, zischte Viggo.

Jimmy sah rasch beiseite.

»Das wird dir gefallen, Jimmy«, verkündete Keays. Er erhob seine Stimme, um das ferne Dröhnen einer U-Bahn zu übertönen. Dann deutete er auf die Wand hinter Jimmy. »Blaupausen der Konstruktionspläne.«

Der Projektor warf gigantische Bilder auf die gesamte Rückwand der Hotellobby. Sie zeigten detaillierte Konstruktionszeichnungen eines Gebäudes vor einem leuchtend roten Hintergrund.«

»Aber die Blaupausen sind ja rot«, stellte Jimmy fest.

»Manchmal behält man einfach aus Gewohnheit den alten Ausdruck bei, mein Junge. Ha!« Keays lachte dröhnend und klatschte sich auf die Schenkel. »Soweit ich gehört habe, nennt ihr Jungs euer Land auch immer noch *Groß*britannien.«

Viggo schüttelte den Kopf und wandte sich ab.

»Jetzt verrate mir eines, Jimmy«, fuhr Keays aufgeregt fort. »Kannst du irgendeinen Schwachpunkt entdecken?«

»Wie meinen Sie das?«, rief Jimmy.

»Du siehst hier das *MoMa* – das Museum of Modern Art«, erklärte Keays. Er klickte sich durch eine Reihe von Bildern. »Du siehst alles genau vor dir – die Pläne des gesamten Gebäudes. Statische Konstruktion, wichtige Bauelemente, Ventilation, Energieversorgung, einfach alles. Das hier sind die Sichtlinien.« Er fuhr mit dem Cursor über die Blaupausen. »Diese Sternchen hier markieren die wichtigsten Sicherheitsposten.« Er marschierte durch den Raum und deutete dabei auf ein Dutzend davon, aber so schnell, dass Jimmy ihm kaum folgen konnte. »Und hier …«, er erreichte jetzt die Wand und deutete auf einen bestimmten Punkt, wobei ihm das rote Licht einen leicht dämonischen Ausdruck verlieh, »… genau hier wird der Präsident stehen.«

Jimmy war so überfordert von den ganzen Informationen, dass Keays ihm ebenso gut hätte erzählen können, der Präsident würde kopfüber von der Decke hängen. Das Ganze ergab im Augenblick überhaupt keinen Sinn.

»Eine Pressekonferenz im MoMa?«, fragte Viggo leise. »Ein bisschen ungewöhnlich, oder?«

»Reine Sicherheitsmaßnahme«, erwiderte der Oberst. »Wir benutzen bei jedem öffentlichen Auftritt des Präsidenten eine andere Örtlichkeit. Auf die Art sind die Terroristen immer einen Schritt hinterher.«

Während der ganzen Zeit schoss Jimmys Blick kreuz und quer über die Blaupausen. Es machte ihn schwindlig.

»Also, entdeckst du irgendwelche Schwachpunkte, Jimmy?«, bellte Keays.

»Ich weiß nicht«, stotterte Jimmy. »Keine Ahnung. Dazu müsste ich diese Pläne gründlicher studieren.« Er zwang sich, weiter auf die Wand zu starren, aber es waren einfach viel zu viel Details. Sobald er herausgefunden hatte, was eine Linie bedeutete, verlor sie sich schon wieder in dem Gewirr weiterer Zeichen und Symbole.

»Diese Pläne schauen ziemlich gründlich durchdacht aus, Jimmy«, erklärte Viggo. »Dürfen Sie uns das überhaupt zeigen, Oberst? Sind das denn keine Geheiminformationen?«

»Ha!«, dröhnte Keays. »Natürlich sind sie geheim. Sogar sehr streng geheim. Aber ihr Jungs seid ja jetzt auf unserer Seite, oder?«

Jimmy und Viggo wechselten rasche Blicke.

»Natürlich sind wir auf Ihrer Seite«, erklärte Viggo eilig.

»Klar doch, ganz bestimmt«, murmelte Jimmy, obwohl es ihn einige Überwindung kostete.

Keays schlenderte zurück zum Projektor und tippte
weitere Tasten auf dem Laptop. Die Blaupausen verschwanden. Es wurde erneut dunkel. Jimmy versuchte
das Gewirr aus Linien und Symbolen vor seinem inneren Auge zu reproduzieren. Aber je mehr er sich bemühte, desto weniger konnte er sich erinnern. Die Linien der
Konstruktionspläne schienen sich wie ein engmaschiges
Netz um sein Gehirn zu legen und es einzuschnüren.

»Du bist dir immer noch nicht ganz sicher, oder?«,
fragte Keays.

Jimmy schwieg. Sosehr Keays ihn auch zu überzeugen
versuchte, Jimmy war immer noch voller Zweifel. Die
Bilder aus seinen Träumen waren nach wie vor lebendig.
Es fühlte sich an, als hätte der Tod selbst einen Weg in
sein Innerstes gefunden, um ihm seine Geheimnisse zu
verraten.

»Hör zu«, fuhr Keays schließlich fort. »Wenn du immer
noch überzeugt bist, dass dem Präsidenten etwas zusto-
ßen wird, dann wäre ich ein Narr, wenn ich deine War-
nungen ignoriere. Ich verspreche dir, ich werde in den
nächsten Stunden jede Sicherheitsmaßnahme persönlich
überwachen. Ja, ich gehe sogar noch weiter: Ich möchte,
dass du mit zur Pressekonferenz kommst und selbst ein
Auge auf alles hast, was dir verdächtig vorkommt.« Er
griff in die Innentasche seiner Uniformjacke und zog
zwei laminierte Sicherheitsausweise an schwarzen Bän-
dern heraus. »Nimmst du bitte einen davon?«

»Sie wollen, dass ich mitkomme?« Jimmy war verdutzt. Er war froh, dass der Oberst seine Vorahnungen ernst nahm, doch das hätte er niemals erwartet.

»Sie auch, Viggo«, verkündete der Oberst und hielt nun beiden einen Ausweis hin.

»Hören Sie«, sagte Viggo vorsichtig. »Wir schätzen Ihre Hilfe sehr, aber ich glaube nicht, dass wir den Schutz des Präsidenten übernehmen sollten.«

»Ha! Ihr müsst den Präsidenten nicht schützen.« Keays' breites Lächeln blitzte in der Dunkelheit auf. »Diesen Job könnt ihr ruhig mir überlassen. Ihr beide seid meine Gäste. Das ist alles. Aber wenn ihr irgendwas bemerkt, das ich übersehen habe, dann könnt ihr Amerika einen großen Dienst erweisen, indem ihr mich darauf hinweist.«

Viggo zögerte. Schließlich erklärte er: »Ich will damit sagen, es ist nicht sicher für uns. Wir sind hier, weil wir uns verstecken müssen. Je eher die CIA uns beim Untertauchen hilft, desto besser. Aber in der Zwischenzeit sollten wir unterhalb des Radarschirms bleiben und uns aus allen Schwierigkeiten heraushalten.« Er blickte zu Jimmy, und sein Blick schien ihn fast anzuflehen, nicht auf Keays' Vorschlag einzugehen.

Jimmy versuchte eine möglichst rationale Entscheidung zu treffen.

Natürlich wäre es am sichersten, nach Chinatown zurückzukehren und sich dort versteckt zu halten. Er zwang sich, an all die Konsequenzen zu denken, die sein Auftauchen bei der Pressekonferenz haben könnte.

Doch all diese Überlegungen wurden von einem unwiderstehlichen inneren Drang beiseitegeschoben. Es war, als hätte sich seine Hand selbstständig gemacht – sie griff nach dem Sicherheitsausweis. Die Bilder in seinem Kopf ließen ihm keine andere Wahl.

Als Jimmys Finger sich nach dem Plastik ausstreckten, schnappte Viggo nach Luft.

»Jimmy«, rief er. »Denk nach! Der *NJ7* wird den ganzen Ort bevölkern. Wir sollten nicht einmal in derselben Stadt sein.«

»Unfug«, knurrte Keays. »Die haben ein paar Agenten als Bodyguards angeheuert, mehr nicht. Und ich leite die Operation. Ich werde dafür sorgen, dass die britischen Agenten so positioniert werden, dass sie keinen von euch sehen.«

Jimmys Hand griff nach dem Sicherheitsausweis und zog ihn zu sich her. Er war nicht länger verantwortlich für die Bewegungen seiner Glieder. Doch es fühlte sich gut an – so, als hätte er endlich die Kontrolle übernommen.

»Jimmy, stopp«, warnte ihn Viggo erneut.

Aber Jimmy konnte sich nicht bremsen. Und er wollte auch gar nicht. Er wusste genau, was Viggo als Nächstes sagen würde.

Er fixierte Viggo. Es war fast wie ein Kräftemessen. *Sag es*, dachte Jimmy. *Sag mir, dass mein Vater dort sein wird.* Und eine düstere Befriedigung überfiel Jimmy, als er die Resignation auf Viggos Gesicht bemerkte. *Du weißt, dass es eine Lüge ist, oder?*

Jimmy drehte sich der Magen um. Er zitterte am ganzen Körper und die Tränen traten in seine Augen. *Er ist gar nicht mein Vater.*

Viggos Stimme war kaum mehr als ein heiseres Flüstern: »Dein Vater wird dort sein.«

KAPITEL 17

Die Aussicht von der obersten Etage des Cranberry Towers in Brooklyn war spektakulär. Aber nie kam jemand hierher, um sie zu genießen. Auf den Stadtplänen existierte das Gebäude gar nicht, und das, obwohl es nur schwer zu übersehen war. Es war immerhin siebenundachtzig Stockwerke hoch und das einzige Bürogebäude in einer reinen Wohngegend. Dort wurden ausschließlich Regierungsgeschäfte abgewickelt.

Zafi entdeckte es schon aus über einem Kilometer Entfernung. Sie hatte allerdings den Vorteil, das Ganze aus der Vogelperspektive zu betrachten. Sie öffnete die Seitentür des Helikopters und deutete in Richtung des Gebäudes.

Der Pilot nickte geduldig. Natürlich hatte er es längst gesehen.

In weitem Bogen näherten sie sich dem Büroturm. Je mehr der winzige Helikopter schaukelte, desto breiter wurde Zafis Grinsen. Links von ihr saß Uno Stovorsky, ein erfahrener Agent des Französischen Geheimdienstes. Seit sie in Paris gestartet waren, war er grün im Gesicht. Ganz im Gegensatz zu Zafi, die das Fliegen liebte und amüsiert auf Stovorskys Stöhnen lauschte.

Außer Zafi, Stovorsky und dem Piloten war noch ein vierter Mann an Bord. Er gab sich als Mitarbeiter des diplomatischen Dienstes aus, war in Wahrheit aber nur ein Statist, der Zafi als seine angebliche Tochter ins Land geschmuggelt hatte. Er würde während seines gesamten Aufenthaltes streng bewacht, während Zafi sich unbeobachtet in der Stadt bewegen konnte. Die Amerikaner hätten niemals vermutet, dass ein Kind in einer Geheimdienstmission unterwegs sein könnte.

Und Zafi hatte einen äußerst wichtigen Auftrag.

Der Helikopter landete krachend und hüpfte ein paar Mal auf der Stelle.

Die drei Passagiere sprangen heraus, noch ehe er vollständig zur Ruhe gekommen war.

Zafi riss ihren Helm herunter und marschierte neben ihrem vermeintlichen Vater hinter Stovorsky her. Vergeblich versuchte sie, ihr Haar in Form zu bringen und nicht an das schreckliche Kostüm zu denken, das einen Teil ihrer Tarnung darstellte: weiße Ringelsöckchen, ein karierter Schottenrock und eine weiße, hochgeschlossene Bluse.

Eine Frau nahm sie in Empfang. Sie war in ihren Dreißigern, trug einen schwarzen Hosenanzug, war viel zu dick geschminkt und ihr Haar war streng nach hinten gebunden. Sie führte sie zum Rand des Daches, so weit weg vom Helikopter wie möglich. Das Dröhnen des Hubschraubers, in Verbindung mit dem Jaulen des Windes machte eine Unterhaltung fast unmöglich. Daher war es nur zu verständlich, dass die Frau sich nicht lange mit Höflichkeiten aufhielt.

»Der Präsident war verärgert, als er Ihre Nachricht bekommen hat«, schrie sie. »England ist unser Verbündeter. Warum wollen Sie Krieg gegen England führen?«

»Das liegt wohl in der Luft«, bellte Stovorsky zurück. Sein langer grauer Regenmantel flatterte im Wind. »Wenn der Präsident auf Englands Seite ist, warum haben Sie dann diesem Treffen überhaupt zugestimmt?«

»Obwohl wir offiziell Englands Verbündete sind, wollen wir trotzdem die Argumente beider Seiten hören. In vertraulichem Rahmen natürlich.« Das Gesicht der Frau zeigte immer noch keinerlei Gefühle.

Stovorsky blickte zu Zafi.

Sie lächelte süß, als hätte sie kein Wort verstanden.

Auch Stovorsky lächelte, wohl wissend, dass sie alles genau mitbekommen hatte. Er setzte wieder eine ernste Miene auf und drehte sich zurück zu der Amerikanerin.

»Können wir also mit der Unterstützung des Präsidenten rechnen?«

»Der Präsident hat Ihre Position überdacht«, verkündete die Frau. »Ich bin beauftragt, Ihnen mitzuteilen, dass die gegenwärtige US-Außenpolitik keine Eingriffe in fremde kriegerische Konflikte vorsieht. Trotzdem misst der Präsident der historischen Freundschaft unserer beiden Nationen große Bedeutung bei.« Sie spulte ihre Rede ab, als hätten die Worte keinerlei Bedeutung für sie. »Daher will er Ihnen ein Paket der modernsten Militärtechnologie zur Verfügung stellen, die die US-Industrie momentan zu bieten hat.«

»Wie viel?«, knurrte Stovorsky, ohne eine Miene zu verziehen.

»Achtzig Milliarden US-Dollar.«

»Teilen Sie Ihrem Präsidenten mit, dass ich nicht zu einem Einkaufsbummel hier bin.«

Und bevor die Frau auch nur Luft holen konnte, machte Stovorsky auf dem Absatz kehrt. Er zwinkerte Zafi zu und marschierte in Richtung Helikopter. Er kletterte hinein und gab dem Pilot das Startsignal.

Zafi blinzelte die amerikanische Frau an, ohne sich von der Stelle zu bewegen. Ebenso wie der Mann neben ihr.

Stovorsky rief der Frau seine letzten Instruktionen zu. Seine Worte wurden fast vom Wind übertönt.

»Kümmern Sie sich um den neuen Botschafter und seine Tochter!«, schrie er.

Rasch war die Maschine einige Meter über dem Boden.

»Zeigen Sie ihnen die Sehenswürdigkeiten, besonders die Kunstmuseen.«

Jimmy hörte das Knattern eines Helikopters. Instinktiv duckte er sich und schlüpfte in einen dunklen Hauseingang. Kurz darauf dröhnte der Hubschrauber über ihn hinweg. Jimmy hielt den Kopf gesenkt, sodass sein Gesicht von oben nicht zu sehen war.

»Ha! Keine Sorge«, kicherte Oberst Keays. »Das ist einer von unseren. Heute sind in der ganzen Gegend nur CIA-Helis in der Luft. Selbst die Vögel haben sich verkrochen.«

Obwohl Jimmy dem Mann vertraute, trat er erst wieder hinaus ins Freie, als der Helikopter in der Ferne zwischen zwei Wolkenkratzern hindurchsurrte. Ein unerwarteter Gedanke schoss ihm durch den Kopf. *Sieht aus wie ein bewaffneter Bell-450-Aufklärungshubschrauber*, dachte er. *Definitiv von der US Army.*

»Niemand vom *NJ7* ist hier in der Nähe«, fügte Keays hinzu, als er Jimmys besorgten Ausdruck bemerkte. »Dafür habe ich gesorgt.«

»Gehen wir weiter«, drängte Viggo. »Du hast schließlich darauf bestanden, dass wir an dieser Pressekonferenz teilnehmen.« Er warf Jimmy einen nervösen Blick zu.

Die drei marschierten die 6te Avenue hinunter, stemmten sich gegen den wütenden Wind. Es war Jimmys Obsession, die ihn hierhergeführt hatte. Die Vorahnung einer düsteren Bedrohung hatte ihn zum Handeln gezwungen. Vielleicht konnte Jimmy den Anschlag auf den Präsidenten verhindern, vielleicht war aber auch alles nur heiße Luft. Wie auch immer, er musste es herausfinden. Die quälenden Bilder in seinem Kopf ließen ihm keine andere Wahl.

Sie überquerten die 51ste Straße und dann die 52ste. Obwohl es mitten am Tag war, schien niemand außer ihnen unterwegs zu sein. Die Häuserblocks im Zentrum von Manhattan waren schon seit Stunden von einem Sicherheitsring abgesperrt.

»Wollen die Leute denn nicht dem Präsidenten bei seiner Ankunft zujubeln?«, fragte Jimmy, während er eine leere Dose vor sich herkickte. Ihr Geklapper hallte von den Hausfassaden wider.

»Sicher werden sie das tun«, erwiderte Keays. »Dafür haben wir doch das Team von Schauspielern.«

»Schauspieler?« Wegen des Windes glaubte Jimmy, sich verhört zu haben.

»Klar. Sie jubeln, wenn sie dazu Befehl kriegen. Und vor allem rufen sie die richtigen Sachen.«

»Was meinen Sie damit, sie rufen die richtigen Sachen?«

»Na ja, sie jubeln so, dass es in den Nachrichten gut ausschaut. Normale Leute kriegen das einfach nicht so perfekt hin.«

Jimmy wollte ihn eigentlich weiter dazu befragen, doch Viggo unterbrach ihn.

»Kein Wunder, dass dir das Vorgehen hier rätselhaft ist, Jimmy«, sagte er. »Das ist eine echte Demokratie.«

»Und schon bald«, fügte Keays hinzu, »werdet ihr in ihren vollen Genuss kommen. Die Vorbereitungen laufen bereits auf Hochtouren. Ihr werdet eine neue Identität und einen neuen Wohnort erhalten und fast genauso leben können wie alle Amerikaner.« Er wirkte äußerst zufrieden mit sich selbst. Dann fügt er rasch hinzu: »Natürlich könnt ihr nie echte Amerikaner werden. So funktioniert das nicht in einem freien Land.«

Jimmy war sich nicht ganz sicher, was Keays damit meinte. Eigentlich sollte er sich glücklich schätzen für die Chance, ein neues Leben anfangen zu können, trotzdem waren seine Gefühle zwiespältig. Irgendwie fühlte es sich nicht richtig an. Er wollte eigentlich kein Amerikaner werden, nicht einmal ein Beinahe-Amerikaner. Und je länger Jimmy darüber nachdachte, desto klarer wurde ihm, dass er sich nicht einmal verstecken wollte. Was für ein Leben sollte das sein, ständig so zu tun, als wäre man jemand anders, und ständig in Angst zu leben, entdeckt zu werden?

Jimmy wollte er selbst sein. Obwohl es immer schwieriger wurde festzustellen, wer das eigentlich war. Plötzlich blieb er wie angewurzelt stehen. Er starrte hinauf zu einem Straßenschild.

»Das ist es«, japste er.

»Was?«, fragte Viggo. Er folgte Jimmys Blick und wusste sofort, was los war.

Es war eines der üblichen Straßenschilder Manhattans. Sie hatten alle dasselbe Design: weiße Buchstaben auf grünem Grund. Aber für Jimmy war das Schild trotzdem bedrohlicher als ein Pistolenlauf direkt vor der Nase. Sie standen jetzt an der Ecke der 53sten Straße. Über ihnen auf dem Straßenschild prangte eine weiße 53 auf grünem Grund. Es sah aus wie die exakte Kopie eines der Bilder, die Jimmy immer und immer wieder in sein Notizbuch gezeichnet hatte. Selbst die Art, wie das Schild das Licht reflektierte, schien ihm vertraut.

»Gehen wir«, befahl Viggo.

Gemeinsam bogen sie in die Straße ein. Jetzt beherrschte nur noch ein einziger Instinkt Jimmys Körper: Er war entschlossen, den Killer zu finden, der auf den Präsidenten angesetzt war. Jimmy war mehr denn je davon überzeugt, dass dieser sich irgendwo im Museum für moderne Kunst verbergen musste. Aber er würde ihn aufhalten.

Die 53ste Straße war gesäumt von *CIA*-Agenten. Jimmy war überrascht, wie sehr sie den Männern und Frauen des *NJ7* ähnelten. Dieselben schlanken muskulösen Körper, die kurz geschnittenen Haare und schwarzen Anzüge. Nur die grünen Streifen fehlten.

In Jimmys Augen sahen England und Amerika sich überhaupt überraschend ähnlich: dieselben schmutzigen Straßen, die allgegenwärtigen Überwachungskameras, die Geheimdienste, die alle Nachrichten kontrollierten. Er versuchte, sich daran zu erinnern, dass in Amerika nicht die grünen Streifen, sondern die Freiheit herrschte.

Am Eingang des Museums zeigte Jimmy seinen Ausweis vor. Keays und Viggo folgten ihm.

»Wohin jetzt, Jimmy?«, flüsterte Keays. »Wohin führt uns dein sechster Sinn?«

Jimmy ignorierte den leicht spöttischen Ton des Mannes. Warum schien den Oberst das Ganze so zu amüsieren?

Die Lobby des Museums war eine große weiß gestrichene Halle. Hinter dem Empfangsschalter führte eine Treppe hinauf in den Hauptteil des Museums.

Jimmy bewegte sich auf die Treppe zu, wobei er sich die ganze Zeit nach irgendetwas Verdächtigem umsah.

»Ich erkenne nichts davon wieder«, flüsterte er kaum hörbar. Dann bemerkte er eine Reihe von *CIA*-Agenten, die ihn alle misstrauisch beäugten. Jimmy schauderte bei dem Gedanken, dass einer von ihnen Verbindungen zum *NJ7* haben könnte.

»Alles in Ordnung, Jungs«, beruhigte Keays die Agenten. »Zeig ihnen deinen Ausweis, Jimmy.«

Jimmy holte tief Luft und folgte der Anweisung. Es war ein gutes Gefühl, unter dem Schutz von Oberst Keays zu stehen.

»Sir«, erwiderte einer der Agenten, ein großer kräftiger Mann in einem schwarzen Anzug. »Die Presse hat bereits ihre Plätze eingenommen und der Präsident wird in vier Minuten eintreffen. Bitte nehmen Sie Ihre Position ein, um ihn zu begrüßen. Und Ihre Gäste sollten die Lobby jetzt besser verlassen.« Er nickte respektvoll, dann marschierte er davon. Als er sich wieder umdrehte, bemerkte Jimmy ein Kabel, das unter seinem Jackett hervorkam und zu einem Ohrhörer führte. Alle Agenten hatten diese Kopfhörer und die dazugehörigen Sender an ihren Gürteln. Und fast im gleichen Moment reichte Keays Jimmy ein identisches Funkset.

»Nimm das«, wies er ihn an. »Und sobald du etwas Verdächtiges siehst, schickst du ein Alarmsignal. Du musst einfach nur diesen Knopf drücken.« Er zeigte Jimmy, wo, und reichte dann Viggo ein weiteres Set. »Geht jetzt nach oben und seht euch den Ort an, wo der Präsident und der Premierminister sprechen werden. Dann zieht euch in einen der Personalaufgänge zurück, sodass der Premier euch nicht sieht. Er wird sein persönliches Sicherheitsteam dabeihaben. Auch von denen sollte euch keiner sehen.«

»Danke, Oberst«, sagte Jimmy. Er umklammerte den Sender. Er war viel kleiner und leichter als erwartet, kaum größer als seine Handfläche. Nach ein paar Sekunden hörte er plötzlich eine Stimme in seinem Kopf. Die *Icom-F-Serie*, sagte sie. *Sieht aus wie das neuste Modell.* Er drehte das Funkgerät um und bemerkte das Hersteller-Logo auf der Rückseite: *Icom.* Würde er diese unaufhörliche Stimme in seinem Kopf je wieder loswerden? Im Augenblick wünschte er sich nichts sehnlicher, als dass sie endlich die Klappe halten würde. Dann stieg er gemeinsam mit Viggo die Haupttreppe hinauf.

»Sieht ganz so aus, als sei das der Ort«, flüsterte Viggo. »Erkennst du irgendetwas wieder?«

Am Ende der Treppe öffnete sich eine große Halle. Die Decke wölbte sich hoch über ihnen, und die strahlend weißen Wände gaben ihnen das Gefühl, als hätten sie sich in einem gigantischen Kühlschrank verlaufen. *CIA*-Agenten führten Spürhunde durch die Stuhlreihen auf der Suche nach Sprengstoffen. Am anderen Ende der Halle standen zwei Rednerpulte, jedes mit einem einzelnen Mikrofon. Dort würden die beiden Staatsmänner verkünden, was den ganzen Tag über in den Vereinten Nationen verhandelt worden war. Dort hingen auch die riesigen Flaggen Amerikas und Englands: der Union Jack und die Stars and Stripes. Doch Jimmy schenkte ihnen keinerlei Beachtung.

Stattdessen fiel sein Blick auf die Wand direkt hinter den Rednerpulten: Dort prangte ein großes abstraktes Gemälde, das sofort Panik in Jimmy aufsteigen ließ.

Sein Pulsschlag beschleunigte sich rasant. Selbst seine Konditionierung konnte ihn nicht beruhigen. Das Bild bestand aus einer riesigen beigefarbenen Leinwand, die mit dicken Spritzern roter und gelber Farbe bedeckt war.

»Hier wird es passieren«, verkündete Jimmy mit krächzender Stimme.

Viggo hatte es ebenfalls die Sprache verschlagen. Beide drückten die Alarmknöpfe ihrer Funkgeräte. Innerhalb von Sekunden war Oberst Keays wieder bei ihnen.

»Was gibt es?«, wollte er wissen. »Der Präsident wird jeden Moment eintreffen.«

Journalisten und Fotografen drängten sich an ihnen vorbei, um ihre Plätze einzunehmen. Jimmy bemühte sich, sie zu ignorieren. Er deutete auf das Gemälde.

»Was soll das bedeuten?«, fragte Keays.

»Es ist ein Killer im Gebäude. Der Präsident ist das Ziel. Ich bin mir jetzt völlig sicher.«

Der Oberst verzog keine Miene, lediglich seine Augen wurden zu schmalen Schlitzen. Jetzt lachte er nicht mehr.

»Finde ihn«, rief er. »Ich schicke dir Verstärkung.«

Er wirbelte herum, ohne eine Antwort abzuwarten. Dann rannte er die Treppe hinunter und bellte dabei Befehle in sein Funkgerät. Aus dem Eingangsbereich brandeten ihm bereits Applaus und Jubel entgegen. Präsident Grogan war im Anmarsch. Und Ian Coates konnte auch nicht mehr weit sein.

»Wo beginnen wir?«, fragte Viggo.

Jimmy bewegte sich durch die Halle, auf der Suche nach irgendetwas Vertrautem. Das Museum war ein erstaunliches Gebäude, nüchtern und modern. Die zentrale Halle reichte bis hinauf zum Dach des Gebäudes, auf jedem Stockwerk gab es eine Galerie, von der aus man herabblicken konnte. Alles war weiß, bis auf die Flaggen und das Gemälde.

Inzwischen hatten sich sechs *CIA*-Agenten um Viggo geschart. Sie blickten erwartungsvoll zu Jimmy, doch dieser hatte keine Anweisungen für sie. Er wusste immer noch zu wenig über das Museum. All seine Informationen stammten von dem kurzen Blick auf die Blaupausen und den Bildern in seinem Kopf.

Und genau in diesem Augenblick wurde ihm klar: Er musste das Museum gar nicht durchsuchen. Die Bilder aus seinen Träumen würden ihn leiten. Also schloss er die Augen und lauschte stattdessen auf sein Inneres. Die 53 und die Farbspritzer waren bereits in der Wirklichkeit aufgetaucht. Jetzt waren nur noch drei Bilder übrig: die regenbogenfarbenen Streifen, das schwarze *K* und das Gesicht des Präsidenten.

»K«, platzte Jimmy heraus.

»Was?«, fragte Viggo verdutzt.

»Wo finde ich ein schwarzes *K*? Ein schwarzes *K* auf weißem Untergrund.«

Viggo zuckte mit den Achseln und blickte sich ratlos um.

Doch das *CIA*-Team rannte bereits auf einen angrenzenden Flur zu.

Jimmy folgte ihnen, sein ganzer Körper zitterte vor Spannung.

Dort bei den Aufzügen befand sich eine Personaltür. Sie war ebenso wie die Wände makellos weiß, aber in ihrer Mitte prangte ein Schriftzug: TREPPENHAUS K. Die Schrift war groß und schwarz und das *K* fetter als die anderen Buchstaben.

Jimmy zögerte keine Sekunde. Er stürmte durch die Tür, gefolgt von Viggo und den Geheimagenten.

Jimmy fand sich in einem engen Treppenhaus wieder. Es war weit weniger schick als das übrige Gebäude. Der Aufgang war nur für das Personal bestimmt. Als Jimmy nach oben blickte, sah er zehn Stockwerke über sich das silbern blitzende Geländer.

Jimmy sprintete die Stufen hinauf. Die polternden Schritte der ihm folgenden Agenten übertönten fast die aus der Lobby dringenden Jubelrufe. *Das Zielobjekt ist eingetroffen*, dachte Jimmy.

Im nächsten Stockwerk blickte er sich nur flüchtig um. Dort war nichts Ungewöhnliches, eine Tür führte hinaus auf die Galerie. Also rannte Jimmy weiter. Mit jedem Treppenabsatz stieg seine Zuversicht. Kam das durch seine Konditionierung, die ihn zu dem Killer führte, oder war es Jimmy der Junge, der sich jetzt in beruhigender Gesellschaft eines halben Dutzends Agenten befand? Sie folgten ihm, vertrauten ihm, verließen sich auf ihn.

Doch dann musste Jimmy abrupt innehalten. Das Treppenhaus endete. Früher als erwartet hatte er das oberste Stockwerk erreicht. Er war zwar kaum außer

Atem, fühlte jedoch erneut Zweifel in sich aufsteigen. Es gab hier nichts Verdächtiges.

»Regenbogenfarbige Streifen«, stieß er rasch aus. »Das ist das nächste Bild. Wo sind sie?«

Es war nichts dergleichen zu sehen. Die Wände waren hier ebenso weiß wie überall sonst.

»Wo sind sie?«, schrie er.

»Jimmy, beruhige dich«, keuchte Viggo, der seine Hände auf die Knie stützte. »Hier ist nichts. Du musst dich getäuscht haben.«

»Nein!«, fauchte Jimmy. Doch einer der Agenten murmelte bereits etwas in sein Funkgerät.

»Hier oben ist nichts«, erklärte er. »Sie können den Präsidenten in die Haupthalle einlassen. Weiteres Vorgehen dann wie geplant.«

Jimmy drehte sich um die eigene Achse, verzweifelt nach dem nächsten Hinweis suchend. Nichts würde ihn aufhalten. Die Uhr tickte und er würde nicht aufgeben. Seine Instinkte peitschten ihn weiter. Aber wohin sollte er sich wenden?

»Was ist dort?«, fragte Jimmy atemlos. Er deutete auf die in die Decke eingelassene Neonröhre.

»Ich vermute, du fragst jetzt nicht, ob dort der Himmel ist«, erwiderte Viggo ironisch. »Also würde ich denken, du zeigst auf die Decke.«

»Da oben ist nichts«, unterbrach sie einer der *CIA*-Agenten. »Man kann die Lampenfassung herausschrauben und erhält Zugang zu den Kabelschächten, aber dort ist nicht annähernd genug Platz für einen Menschen.«

Jimmy musterte die Agenten. Sie hatten alle breite Schultern und die Muskeln wölbten sich unter ihren Jacketts, selbst bei den Frauen. Aber in letzter Zeit war Jimmy klar geworden, dass die tödlichsten Gefahren oft unscheinbar und klein daherkamen.

»Und was ist mit einem Kind?«, zischte er.

KAPITEL 18

Jimmy schob sein Funkgerät in die Hosentasche und kletterte auf Viggos Schultern. Auf den Knien balancierend, streckte er die Arme nach der Lampenfassung. Das Licht strahlte ihm direkt ins Gesicht. Es war so grell, dass er zur Seite blicken musste und sich allein auf seinen Tastsinn verließ.

»Autsch!«, schrie er und riss die Hände zurück. »Das Ding ist heiß.«

»Natürlich ist es heiß, Dummkopf. Was hast du erwartet?« Viggo klang angestrengt. Offenbar war Jimmy schwerer als erwartet.

Jimmy holte tief Luft und wandte sich wieder seiner Aufgabe zu. Er musste einfach nur das Schmerzgefühl unterdrücken. Er rief seine inneren Kräfte auf. Wirbelnd stiegen sie in ihm empor, und als Jimmy jetzt nach der Fassung griff, spürte er nur noch ein leichtes Prickeln. Mit einem festen Ruck löste er die Fassung, bis die Lampe nur noch an ihren Drähten baumelte. Es war ein Loch von etwa fünfzehn Zentimetern Durchmesser entstanden. Nicht annähernd groß genug, um Jimmy durchzulassen.

Er schob seine Hand in die Öffnung und packte den

Rand der Deckenverkleidung. Seine Finger ertasteten eine Schraube.

»Wie wäre es, wenn du dir da oben noch ein bisschen mehr Zeit lässt?«, rief Viggo sarkastisch.

Jimmy erteilte ihm seine Antwort, indem er den Absatz seines Schuhs fest gegen Viggos Kinn drückte. Dann löste Jimmy die Schrauben der Deckenverkleidung. Vorsichtig hob er eine der Platten ab. Das viereckige Loch war nun etwa dreißig mal dreißig Zentimeter groß, und genau wie Jimmy es erwartet hatte, konnte er hindurchklettern.

Jimmy zog sich hoch. Er schob zuerst den Kopf hindurch. Dann musste er sich winden und krümmen, um seine Schultern hindurchzubekommen. Aber schließlich schaffte er es.

»Sieht so aus, als wärst du jetzt auf dich selbst gestellt, Kumpel«, rief Viggo. Sein Gesicht war knallrot. »Wenn dir irgendwann klar wird, dass da oben nichts ist, dann warte ich hier auf dich.«

Jimmy nickte und ignorierte Viggos skeptischen Tonfall.

»Und falls du doch etwas findest«, fügte einer der Agenten nervös hinzu, »dann benutz dein Funkgerät.«

Jimmy verschwendete keine Zeit mit einer Erwiderung und robbte flach auf dem Bauch liegend los.

Es war viel dunkler hier oben. Die Luft war staubig und heiß. Er war in dem engen Schacht überall von scharfkantigen Metallblechen umgeben. Trotzdem kroch er unbeirrt weiter, zog sich mit den Ellbogen voran, ohne zu wissen, in welche Richtung es ging. Und doch fühlte er mit jeder Sekunde mehr, dass er auf dem richtigen Weg war.

Auch wenn es keinerlei Beweise für seine Vorahnung gab, war er sich hundertprozentig sicher, dass irgendwo hier oben der *NJ7*-Killer auf den Präsidenten lauerte. Und es musste Mitchell sein. Wer sonst würde in diese engen Schächte passen?

Jimmy wischte sich mit dem Rücken der Hand über das Gesicht. Der Staub kitzelte ihn in der Nase. Er versuchte zu erkennen, was vor ihm lag. Seine Nachtsicht half ihm, die Formen deutlicher zu erkennen, doch es waren zu viele Hindernisse im Weg. Metallträger, Drähte, Röhren und alle möglichen Arten von Schutt. Das Ganze war wie ein Labyrinth, das nicht für lebende Wesen bestimmt war.

Jimmy arbeitete sich keuchend weiter voran. Schweiß rann ihm in die Augen und durch die verkrampfte Haltung begannen seine Muskeln zu schmerzen. Doch dann erregte etwas seine Aufmerksamkeit.

Wenn sich hier oben tatsächlich nie jemand aufhielt, wieso war dann in bestimmten Bereichen der Staub weggewischt? Es sah ganz so aus wie eine Spur. Jimmy mobilisierte die Kraftreserven in seinen Armen, beschleunigte das Tempo, ohne jedoch zusätzliche Geräusche zu machen. Die Lärmkulisse und Lichter des Museums schienen unendlich weit entfernt. Hier oben herrschten nur Stille und Finsternis. Einmal glaubte er, Viggo rufen zu hören, aber er war sich nicht sicher.

Jimmy folgte der Spur, und ein Lächeln huschte über sein Gesicht. Mitchell hatte ihn in eine Schredderanlage geworfen und ihn beinahe auf dem Dach eines Taxis erwürgt. Beide Male hatte er Jimmy hinterrücks überrascht. *Jetzt bin ich an der Reihe*, dachte Jimmy. Der Gedanke an Rache ließ seine Augen funkeln.

Dann entdeckte er vor sich eine Silhouette. *Definitiv ein Kind*, bemerkte Jimmy erfreut. Die Gestalt zeichnete sich vor einer Art Gitter ab. Es warf Lichtstreifen auf ihren Rücken.

Jimmy wurde klar, dass Mitchell auf die Haupthalle hinunterspähte und die Pressekonferenz verfolgte, bereit, jederzeit zuzuschlagen.

Jimmy fühlte eine warme Welle des Selbstvertrauens in sich emporsteigen. Er hatte recht gehabt, seinen Instinkten zu trauen. Sie hatten ihn zu dem Killer geführt und jetzt würde er das Leben des Präsidenten retten. Einen kurzen Augenblick dachte er daran, das Funkgerät zu verwenden, um einen Alarm auszulösen. Aber dann wurde ihm sofort klar, dass es das Dümmste wäre, was er tun konnte. Der Alarm würde Mitchell verraten, dass er entdeckt worden war, und er würde sofort feuern. Die Agenten hätten nicht genug Zeit, den Präsidenten in Sicherheit zu bringen.

Langsam kroch Jimmy weiter. Aber als er näher kam, bemerkte er, dass die schattenhafte Gestalt gar nicht Mitchell war. Jimmy schnappte nach Luft. Doch augenblicklich bereute der Agent in ihm den vorübergehenden Kontrollverlust. Die Gestalt fuhr zu ihm herum.

Es war Zafi.

Sie zögerte nicht den Bruchteil einer Sekunde. Ihr explosives Tempo überraschte Jimmy. Sie rollte zur Seite, packte eine der Metallverstrebungen und schwang sich in Jimmys Richtung. Krachend trafen ihre Füße seinen Kiefer. Jimmys Kopf wurde zurückgeschleudert und sein Hals verdreht.

Doch er hatte nicht vor, sich weiter davon beeindrucken zu lassen. Im Gegenteil. Jimmy nutzte die Energie von Zafis Tritt, um aus ihrer Reichweite zu gelangen. Er warf sich auf den Rücken und packte die Kabel an der Decke.

Zafi trat erneut nach ihm.

Aber diesmal zog sich Jimmy genau im richtigen Moment nach oben. Zafis Füße traten diesmal ins Leere.

In der gleichen Sekunde ließ Jimmy sich fallen. Dabei packte er Zafis Fußgelenk und dirigierte ihren Tritt geschickt gegen einen der Stützpfeiler. Knochen donnerten knirschend gegen Metall.

»*Zut!*«, stöhnte Zafi und krümmte sich vor Schmerz. Doch sie hatte sich rasch erholt.

Und nun wirbelten beide Kämpfer rund um die Stützpfeiler. Mal dienten sie ihnen als Deckung, dann wieder schwangen sie sich daran in die Luft, um ihren Gegner zu treffen. Es war rasante, horizontale Akrobatik in höchster Vollendung.

Während Jimmy sich hinter einem der Stützpfeiler duckte, griff er in seine Tasche, packte das Funkgerät und fummelte nach dem Alarmknopf.

»Das funktioniert hier oben nicht«, verkündete Zafi höhnisch. Sie kroch in quälender Langsamkeit auf ihn zu. »Wir sind hier von zu viel Metall und Beton umgeben. Nur das Signal des Mobilfunkmasts auf dem Dach schafft es bis hier rein. Und das auch nur, weil er direkt über unseren Köpfen steht und sein Signal zehntausend Mal stärker als das deines Funkgeräts ist.«

Obwohl Jimmy wusste, dass Zafi recht hatte, hämmerte er immer und immer wieder auf den Alarmknopf. Nichts geschah. Und während Jimmys Finger noch mit seinem Funkgerät beschäftigt waren, holte Zafi zu einer vernichtenden Attacke aus. Sie schoss in mörderischem Tempo zwischen den Stützpfeilern hindurch auf ihn zu. Jimmy warf sich zur Seite. Er wähnte sich bereits aus Zafis Reichweite, doch noch im Flug warf sie sich herum und rammte ihren Kopf in Jimmys Bauch.

Jimmy klappte in sich zusammen. *Wie schafft sie es nur, so viel Kraft in einen einzigen Schlag zu legen?*, schrie er innerlich. Er unterdrückte den Schmerz und überließ sich ganz seinen Instinkten.

Zafi stieß ihn gegen die Wand und zerrte seine Hände hinter den Rücken. Jimmys Gesicht war jetzt gegen das Gitter gepresst. Er konnte Zafis Atem in seinem Nacken spüren und die Wärme ihres Körpers, der sich gegen seinen presste. Ihr Haar duftete nach Kokosnussshampoo. Er verdrehte die Schultern, um sie abzuschütteln, aber Zafi hielt ihn fest umklammert.

Während er noch blinzelnd in das blendende Weiß auf der anderen Seite des Gitters starrte, trat Zafi zweimal scharf gegen einen eisernen Stützpfeiler. Sein oberer Teil brach ab, als wäre er aus Schokolade. Dann zog Zafi mit ihrem ganzen Gewicht an der Strebe, wobei sie Jimmy weiter mit ihren Schenkeln umklammert hielt. Seine Hände wurden förmlich unter ihren Knien zermalmt. Schließlich bog sie die Metallstrebe um Jimmys Handgelenke.

Jetzt konnte er zerren und schreien so viel er wollte, er steckte fest.

»Schön, dich wiederzusehen, Jimmy«, gurrte Zafi. »Aber bitte störe mich jetzt nicht weiter bei meiner Arbeit.«

Jimmy ließ sich dadurch nicht von seinen Befreiungsversuchen abbringen. Er drückte die Hände auseinander, um die Metallfessel aufzubiegen, aber seine Arme waren hinter dem Rücken, und das brachte ihn in eine schwache Position. Er verdrehte die Schultern und versuchte so, das Metall zu lockern, wobei er seine Handgelenke an den scharfen Kanten zerkratzte.

Dicht vor seinen Augen befand sich die Gitterwand und dahinter bot sich ein perfekter Blick auf die Pressekonferenz. Die Halle war von Journalisten bevölkert, die sich mit ihren Fragen vordrängten. Alle versuchten sie, die Aufmerksamkeit der Staatsmänner auf sich zu lenken.

Sicherheitsbeamte flankierten die Wände und sperrten den Bereich vor den beiden Politikern ab.

Jimmy bemerkte Paduk. Er war wesentlich größer als die anderen Agenten und sein Schädel wirkte wie aus kantigen Blechen zusammengeschweißt.

Hinter ihm stand Ian Coates. Da Jimmy sich nicht direkt über ihnen befand, konnte er das Gesicht des Mannes sehen. Der Anblick seines Exvaters ließ ihn schlucken. Er hätte erwartet, von Traurigkeit, Wut oder gar Erleichterung überwältigt zu werden. Doch sein Inneres fühlte sich einfach nur taub an. Er sehnte sich danach, etwas zu fühlen. Aber sein Kopf verbot es ihm. *Das verdient er nicht*, dachte er. *Er ist ein Nichts.*

Ein Klicken riss Jimmy aus seinen Gedanken. Er blickte zu Zafi.

Sie hantierte konzentriert mit einer dünnen schwarzen Metallröhre von etwa einem Meter Länge. Vorsichtig schraubte sie die Röhre auf eine Art Revolvergriff. Zafi baute ihre tödliche Waffe zusammen. Ihre schmalen Finger arbeiteten äußerst effizient, obwohl sie in schwarzen Lederhandschuhen steckten, die sie auch bei ihrer letzten Begegnung getragen hatte.

Als der Lauf an Ort und Stelle war, griff sie zur Seite und zog aus einer Ledertasche eine silbrig glänzende Metallspule von etwa einem halben Meter Länge. Zafi ließ sie auf der Metallstange einrasten. Falls das ein Gewehr war, hatte Jimmy noch nie dergleichen gesehen.

»Wie geht's Felix?«, fragte Zafi, ohne sich zu ihm umzuwenden. Trotzdem konnte Jimmy das schmale Lächeln auf ihrem Gesicht erahnen. Offenbar schien sie das alles immer noch zu amüsieren. Sie schob sich das Haar hinters Ohr.

»Du musst das nicht tun«, erwiderte Jimmy, und der

Staub in der Luft ließ ihn kurz husten. »Es gibt keinen Grund, irgendjemanden zu töten.«

»Aber was, wenn dadurch ein Krieg verhindert werden kann?«, konterte Zafi. »Ein einzelner Mord könnte viele Leben retten.«

Jimmy hatte keine Antwort parat. »Aber, aber …«

»Hör auf zu stottern«, schnappte Zafi. »Das alles hat nichts mit uns zu tun.«

»Was? Wer außer uns ist denn noch hier oben?«

Zafi kicherte.

»Du bist süß«, hauchte sie. »Aber du weißt genau, was ich meine. Wir sind nicht dafür verantwortlich.«

Ihre Hände waren jetzt damit beschäftigt, ihre Waffe auf ein Stativ zu schrauben, das sie aus lauter Einzelteilen zusammengebaut hatte. Dann löste sie den Ledergurt von ihrer Tasche, befestigte ihn an der Waffe und schlang das andere Ende um das Stativ. Alles war nun perfekt vorbereitet.

»Nichts, was wir tun, ist unser freier Wille. Es ist in unserem Blut. Es ist in unseren Instinkten. Fühlst du das nicht auch?« Endlich drehte sie sich zu Jimmy um.

Ihre Augen glitzerten spöttisch. Ihr smartes Lächeln, ihre lässige Haltung, die entspannt auf ihre Waffe gelegte Hand, all das versetzte Jimmy in Rage.

»Übernimm die Kontrolle!«, schrie er. »Natürlich ist es deine Verantwortung. Wer sonst hat den Finger am Abzug?«

»Oh, Jimmy«, seufzte Zafi und lächelte süß. »Dies ist nur der letzte Moment in einer langen Kette von Ereignissen, die vor langer, langer Zeit begonnen haben. Es ist nicht mein Fehler. Es ist nur zufälligerweise mein Finger. Ich gehorche einfach meiner Konditionierung. Und die hat nichts mit mir zu tun.«

Sie drehte sich um und blickte an dem Lauf entlang. Sie fixierte ihr Ziel.

»Tu es nicht«, flehte Jimmy. Erneut zerrte er mit aller Kraft an seinen improvisierten Fesseln. Doch vergeblich.

Zafi drückte den Abzug.

KAPITEL 19

Als Zafis Finger sich um den Abzug krümmte, zuckte Jimmy zusammen. Ein Schauder überlief ihn. Als er kurz darauf die Augen wieder öffnete, spähte er durch das Gitter in Erwartung eines Blutbades.

Aber unten in der Halle war alles wie zuvor. Die Journalisten wedelten immer noch Aufmerksamkeit heischend mit ihren Stiften, die Scheinwerfer der TV-Kameras brannten und die Sicherheitsbeamten standen auf ihren Posten. Doch was am wichtigsten war: Auch der Präsident stand immer noch an Ort und Stelle, fummelte an seinem Mikrofon herum und bat um weitere Fragen.

Jimmy blickte zu Zafi. Was war schiefgelaufen? Er hatte kein Geräusch gehört, als sie den Abzug betätigt hatte. Nicht, dass Jimmy wirklich damit gerechnet hätte. Ein so raffiniertes Gewehr hatte sicher einen eingebauten Schalldämpfer.

»Hast du vorbeigeschossen?«, flüsterte er.

Sie verdrehte die Augen. »Ich schieße nie daneben«, gab sie zurück. »Das ist kein Gewehr.«

Jimmy sah sie verdutzt an.

»Sieht es vielleicht aus wie ein Gewehr?«, fragte Zafi.

Sie blickte immer noch an der schwarzen Metallstange entlang und schien auf etwas zu warten. Aber auf was? »Das hier ist ein *MARS. Magnétism Appareil Rigolo Super-Spécifique*. Ich habe ihn selbst erfunden.« Ein stolzes Lächeln machte sich auf ihrem Gesicht breit. »Was hältst du davon?«

Jimmy zuckte mit den Achseln. »Was kann das Ding?«, fragte er kleinlaut.

Zafi kicherte leise. »Wenn ich den Abzug das erste Mal drücke, stellt die Waffe eine magnetische Resonanz zu einem Metallobjekt her, auf das es gerichtet ist. Beim zweiten Mal zieht es dieses Objekt mit einem elektronischen Magneten an. Der ist unglaublich stark.« Sie schob sich das Haar hinters Ohr und ein überlegener Ausdruck trat auf ihr Gesicht. »Jedes Objekt bis zur Größe einer *Pétanque*-Kugel wird mit der neunfachen Geschwindigkeit einer Gewehrkugel angezogen.«

»Was ist *Pétanque*?«, wollte Jimmy wissen. »Egal«, fügte er rasch hinzu und schüttelte den Kopf. Er starrte staunend auf die Waffe, die dieses Mädchen entworfen und gebaut hatte.

»Oh, du bist tatsächlich beeindruckt«, jubelte Zafi. »Ich mag es, wenn du beeindruckt bist, Jimmy Coates.«

Zwar lagen die Schatten des Gitters auf ihrem Gesicht, trotzdem war Jimmy sich sicher, dass sie ihm zugeblinzelt hatte.

»Und das ist noch nicht einmal das Beste daran«, fuhr Zafi fort. »Mein Ziel trägt eine Anstecknadel aus Metall an seinem Revers. Das habe ich anvisiert. Jetzt muss ich nur noch warten, bis er sich umdreht. Und wenn ich den Abzug erneut drücke, wird es aussehen, als hätte man ihn erschossen. Aber aus der entgegengesetzten Richtung. Und so bleibt mir jede Menge Zeit zur Flucht, während alle in die falsche Richtung rennen.« Das Funkeln war aus ihren Augen gewichen. Sie blickte nun so ernst, wie Jimmy es noch nie bei ihr gesehen hatte. »Dieser Anstecker mit der englischen Fahne wird sich direkt durch sein Herz bohren.«

Jimmy versuchte zu verarbeiten, was sie ihm da erzählte. Er fand es abstoßend, das alles im Detail zu hören. Erneut bemühte er sich verzweifelt, seine Handgelenke freizubekommen. Die Pressekonferenz wäre in wenigen Minuten vorüber. Jimmy musste rasch handeln. Aber plötzlich hielt er wie erstarrt inne.

»Moment«, flüsterte er. »Warum trägt Präsident Grogan einen Anstecker mit der englischen Flagge?«

Jimmy starrte hinunter zum Präsidenten und versuchte einen Anstecker auf seinem Revers auszumachen. Aber er konnte nichts entdecken.

»Das tut er auch nicht, *mon cher*«, erwiderte Zafi.

»Aber du hast doch gesagt, dass du darauf zielst.«

»Richtig. Aber nicht Präsident Grogan trägt den Anstecker, sondern der Premierminister.« Sie wandte sich um und sah Jimmy aus großen Augen an. Noch nie hatte jemand so Gefährliches so unschuldig ausgesehen.

»Und wie soll das dann den Präsidenten töten?«, fragte Jimmy. Er kapierte immer noch nicht, was hier eigentlich vor sich ging.

»Sei nicht albern, Jimmy«, spottete Zafi. »Es geht nicht um den Präsidenten. Ich bin nicht hier, um Präsident Grogan zu töten. Ich bin hier, um Ian Coates zu eliminieren.«

Ruckartig drehte Jimmy den Kopf wieder in Richtung Pressekonferenz. Er hatte auf den Anzug des falschen Mannes geblickt. Und tatsächlich, da war er – ein Anstecker mit der englischen Flagge auf dem Revers von Ian Coates. Jimmys Atem stockte.

»Nein«, keuchte er. »Die Bilder – sie wirkten so eindeutig. Ich war mir völlig sicher: Ein Killer würde einen Anschlag auf Präsident Grogan verüben.« Seine Stimme klang jetzt fast panisch. »Ich habe Grogans Gesicht gesehen«, beharrte er. »Warum ist alles andere so eingetroffen und das nicht? Es muss einen Killer geben, der es auf den Präsidenten abgesehen hat! Sag mir die Wahrheit!«

Zafi blickte ihn lange an. Und als Jimmy das Mitleid in ihren Augen sah, hasste er sie mehr als je zuvor.

»Vielleicht gibt es hier oben ja tatsächlich einen Killer, der Grogan töten soll«, flüsterte Zafi.

Jimmy fühlte, wie die Luft in seinen Lungen gefror. Plötzlich wurde ihm klar, worauf sie hinauswollte.

»Hast du schon vergessen, Jimmy? Auch du bist ein Agent mit dem Auftrag zu töten.«

Jimmy wollte losschreien. Aber seine Kehle war wie zugeschnürt. Er blickte hinab zum Präsidenten. Das Gesicht des Mannes verschmolz mit dem Bild in Jimmys Kopf. Hier war tatsächlich ein Killer, der es auf den Präsidenten abgesehen hatte. Aber es war weder Mitchell noch war es Zafi. Es war Jimmy Coates selbst.

Erneut durchzuckte ein bohrender Schmerz seinen Kopf. Jimmy schrie auf, sein ganzer Körper wand sich in Krämpfen. Es war die bisher stärkste Attacke. Er krümmte sich, stöhnte und strampelte mit den Beinen, wobei er ein Blech im Boden lostrat.

Als der Schmerz nachließ, standen Jimmy die Tränen in den Augen. Und als er auf den Boden unter seinen Füßen blickte, entdeckte er etwas, das ihn vor Entsetzen erstarren ließ: dünne horizontale Streifen in allen Regenbogenfarben. Es war das letzte Bild aus seinem Albtraum. Unter dem Blech, das er versehentlich weggekickt hatte, lag ein dicker Strang elektrischer Kabel.

Anfänglich konnte Jimmy den Blick nicht abwenden, konnte nicht einmal blinzeln. Dann übernahmen seine Instinkte die Kontrolle. Er drehte sich wieder in Richtung Halle. Und blitzartig wurde ihm alles klar: Der Raum war jetzt für ihn ein komplexes Puzzle aus Konstruktionselementen, in dem er sich besser auskannte als in seiner eigenen Hosentasche. Es war, als könnte er durch die Wände sehen. Er hatte die Blaupausen abgespeichert. Ohne es zu wissen, hatte seine Programmierung jede einzelne Linie, jeden Zentimeter der elektrischen Verkabelung des Museums in sich aufgenommen.

Er beugte sich vor, presste sein Gesicht ans Gitter. Er fixierte Grogan.

»Was sagt er?«, flüsterte Jimmy.

»Ach, ich hör schon lange nicht mehr zu«, erwiderte

Zafi. »Alles nur Lügen darüber, wie England und Frankreich ihre Probleme mithilfe der Vereinten Nationen diplomatisch lösen werden. *Blablabla.*« Sie stieß ein kleines Lachen aus, aber Jimmy war nicht sonderlich amüsiert. »Sie behaupten beide, sie seien beste Freunde und würden alles in ihrer Macht Stehende tun, um einen Krieg zwischen England und Frankreich abzuwenden. Aber sie lügen beide. Coates kratzt sich einfach viel zu oft an der Nase und Grogan fummelt unaufhörlich an seinem Mikrofon herum. Schau, jetzt tut er es schon wieder.«

Jimmy sah es nun auch und alles in ihm begann sich zu drehen. Sein Blick folgte dem Mikrofonkabel des Präsidenten bis zum Fuß des Stehpults. Dort verschwand es im Boden. Trotzdem kannte Jimmy seinen weiteren Verlauf genau. Er hatte sämtliche Kabelverbindungen abgespeichert. Und so folgte er dem Weg des Kabels durch den Boden und die Wand der Halle hinauf, bis zum Dach und zu der Kabelverbindung direkt zu seinen Füßen. Und aus seiner schrecklichen Ahnung wurde nun schlagartig Gewissheit: Der Präsident würde sterben, und zwar durch Jimmys Hand.

Seine Konditionierung hatte ihn hierher geführt, um einen Anschlag auf den Präsidenten zu verüben, und die horizontalen regenbogenfarbenen Linien – die Kabel – waren die Mordwaffe. Eine falsche Verknüpfung der Kabel hier oben würde einen heftigen Stromstoß in die elektrische Vorrichtung an ihrem Ende jagen: in das Mikrofon des Präsidenten. Und jedes Mal, wenn der Präsident log, berührte er das Mikrofon.

Eine leise Stimme in Jimmys Kopf dankte Zafi, dass sie seine Hände hinter seinem Rücken gefesselt hatte. Er schloss die Augen. *Bleib so*, befahl er sich selbst. *Beweg dich nicht und du wirst nicht töten.* Gleichzeitig spürte er einen so starken Drang in sich zu handeln, dass er fürchtete, sich übergeben zu müssen. Widersprechende Impulse durchzuckten seinen Kopf. Er fühlte sich wie ein überhitzter Computer kurz vor dem Absturz. Das Verlangen zu töten war nie zuvor so stark gewesen. Er spannte jeden Muskel in seinem Körper an.

»Nein«, schrie er, und Tränen strömten über sein Gesicht. »Tu es nicht.«

»Du kannst mich nicht aufhalten, Jimmy«, flüsterte Zafi, die glaubte, Jimmy rede mit ihr. Sie beugte sich über ihre Waffe und hielt sie ruhig in Position.

Jimmy öffnete seine Augen einen Spaltbreit, um sie zu beobachten. Was konnte er tun? Wenn er sich nicht befreite, würde Zafi den Premierminister töten. Und wenn er es tat, stünde ihm noch ein viel härterer Kampf bevor – er müsste sich selbst davon abhalten, Präsident Grogan zu töten.

Diese kurze Ablenkung schwächte Jimmys Widerstandskräfte. Während er noch mit seinem Dilemma haderte, pumpten die 62 Prozent in ihm, die ihn zu einem gnadenlosen Killer machen wollten, mehr Kraft in seine Arme als je zuvor. Der gewaltige Drang zu töten durchströmte alle seine Muskeln, zerrte an dem Metall um seine Handgelenke. Nach zwei Sekunden war es so locker, dass Jimmy seine Arme herausziehen konnte.

Zafi bemerkte nichts davon.

Unter ihnen näherte sich die Pressekonferenz dem Ende. Die Fotografen kamen jetzt nach vorne, während ein Journalist die letzte Frage stellte.

»Komm schon«, drängte Zafi. »Dreh dich endlich um.«

Lautlos beugte sich Jimmy zu den Kabeln hinab. Mit einem fachmännischen Griff pflückte er sie auseinander. Seine Hände bewegten sich mit kurzen, entschlossenen Bewegungen. Er war ein Musterbild an Effizienz. Mit seinen Fingernägeln streifte er die Plastikhüllen von zwei Kabeln: einem blauen und einem roten. Niemand würde bemerken, dass das Mikrofon des Präsidenten ausgefallen war, bis er wieder zu sprechen anfing. Und wenn er das tat, würde ihn eine einzige Lüge töten.

Jimmys menschliche Stimme schrie verzweifelt um Hilfe. Doch sie drang nicht mehr nach außen. Noch hielt er die beiden Kabel einen Zentimeter auseinander. Der Killer in ihm wartete auf den perfekten Moment.

»Dreh dich um!«, zischte Zafi nervös.

Jimmy betrachtete sie aus den Augenwinkeln. Ihre Hände waren ebenso ruhig wie seine. Sie waren zwei Profis, die ihrer Arbeit nachgingen, als wäre es eine ganz alltägliche Sache. Aber in Jimmy begehrte etwas auf. Ging es Zafi vielleicht auch so? Jimmy schaute genauer hin. Warum glitzerten ihre Augen? Waren das etwa Tränen? Plötzlich hatte Jimmy das Gefühl, als könne er tief in Zafis Herz sehen. Ihr Körper war möglicherweise bereit zu töten, doch in ihr war noch etwas anderes. Etwas zutiefst Verängstigtes.

In diesem Moment wurde Jimmy klar, dass Zafi noch nie zuvor so etwas getan hatte. Trotz ihrer herablassenden Art und dem Stolz auf ihre Fähigkeiten und ihre Geheimwaffen war sie ebenso wenig ein Killer wie Jimmy. In Zafi tobte derselbe Kampf wie in ihm, seit er seine Agentenfähigkeiten entdeckt hatte. Bis heute hatte er immer darüber gesiegt. Würde Zafi ebenso stark sein?

Jimmys Finger bewegten sich aufeinander zu, um die beiden todbringenden Kabel zusammenzuführen. Unter ihm beugte sich der Präsident vor, um zu antworten. Seine Hand streckte sich nach dem Mikrofon. Eine weitere Lüge. Dann begann er zu sprechen. Als niemand ihn hören konnte, beugte er sich noch näher und packte das Mikrofon fester.

Das war der Augenblick. Jimmys Hände zitterten, während sie sich aufeinander zubewegten und er gleichzeitig alles tat, um genau das zu verhindern. Doch die Killerinstinkte waren stärker. Er konnte sie nicht mehr beherrschen. Die Drähte waren nur noch Millimeter voneinander entfernt.

Jimmy konnte seine Hände nicht kontrollieren. Er blickte erneut zu Zafi. Auf ihrem Gesicht bemerkte er dieselbe Angst. Ihr Ausdruck spiegelte all die Widersprüche, die auch ihn innerlich zerrissen. Er war auf einer tieferen Ebene mit ihr verbunden. Für einen Augenblick war sie nicht mehr das französische Mädchen, das hinter einer Waffe kniete – Jimmy glaubte sich selbst zu beobachten.

Eine warme Woge durchflutete ihn. Es fühlte sich an, als würde die eisige Erstarrung seiner im Kampfmodus aufgepumpten Muskeln endlich doch schmelzen. Ein Finger nach dem anderen löste sich. Die Drähte fielen zu Boden. Sie schlugen Funken, aber sie verbanden sich nicht.

Jimmy hatte den Präsidenten gerettet. Jetzt musste er Zafi retten.

KAPITEL 20

In der Museumshalle hundert Meter unter ihnen lachten die Journalisten. Das Mikrofon des Präsidenten war ausgefallen, also rief er stattdessen seine letzte Antwort. Dann nickte er mit einem selbstzufriedenen Lächeln, winkte ins Publikum und streckte dem britischen Premierminister seine Hand hin.

Jimmy wusste, sobald der Premierminister ihnen den Rücken zuwandte, würde der Anstecker seinen Körper durchbohren. Um ihn zu retten, musste Jimmy sich lediglich auf Zafi hechten und ihr die Waffe entreißen.

Warum zögerte er noch?

Dann traf ihn die Wahrheit mit voller Wucht. Jimmy hatte in diesem Augenblick die einmalige, niemals wiederkehrende Chance: Er konnte den Mann sterben lassen.

Verdiente Ian Coates den Tod etwa nicht? Musste er nicht endlich für das ganze Blut bezahlen, das an seinen Händen klebte? Er war ein Killer – schon lange vor Jimmys Geburt. Wie viele unschuldige Menschen mochte er beseitigt haben, um den Tyrannen Ares Hollingdale an der Macht zu halten? Und jetzt war er selbst an der Macht. Wie viele ließ er jeden Tag liquidieren oder brutal einschüchtern, um sie sich zu erhalten? Und natürlich würde es noch jede Menge mehr Opfer geben, wenn Coates England und Frankreich in einen unnötigen Krieg trieb. Sein Tod würde höchstwahrscheinlich viele Menschenleben retten.

Doch dann wurde Jimmy klar, all das war nicht der Grund, warum er zögerte, ihn zu retten. Denn in Wahrheit gab es nur einen Grund, warum Jimmy diesem Mann den Tod wünschen könnte: Ian Coates hatte *ihn* verraten. Als sein Vater hatte er ihn jeden Tag belogen, hatte die Illusion aufrechterhalten, dass sie so etwas wie eine Familie wären. Seine vermeintliche Liebe war falsch und verlogen gewesen. Und so hatte er Stück für Stück Jimmys Leben zerstört. Und am Ende hatte er sogar seine Familie geopfert, um an die Macht zu gelangen.

Es wurde Zeit, dass er für all dies bezahlte. Nun war die Zeit der Rache gekommen.

Der Präsident ergriff die Hand des Premierministers. Fotografen drängelten vorne in der Halle, kämpften um den besten Aufnahmewinkel.

Jimmys Puls raste. Ian Coates stand immer noch dem Publikum zugewandt. Aber sobald das Posieren für die Kameras vorüber war, würde er sich umdrehen, und das wäre sein Ende.

Jimmy rührte sich nicht. *Er verdient es, für das, was er England antut,* dachte er. *Für das, was der* NJ7 *in seinem Auftrag tut.* Tränen rollten über Jimmys Wangen. *Und für das, was er mir angetan hat.*

Kameras blitzten auf wie ein Feuerwerk. Dann war es

vorüber. Die beiden Staatsmänner ließen ihre Hände wieder los. Ian Coates wandte sich zum Gehen.

Jimmys ganzer Körper zitterte. Er konnte sein Schluchzen nicht unterdrücken. Er hörte Zafi scharf einatmen. Sein Gehör war so sensibel, dass er den Abzug hören konnte, als ihr Finger sich krümmte.

Und plötzlich sprang Jimmy: Er prallte gegen Zafi, rammte sie mit der Schulter und fegte mit beiden Händen ihre Waffe beiseite. Er landete auf Zafi. Sie rangen miteinander, während ihre Magnetwaffe gegen das Gitter krachte. Durch die Wucht des Aufpralls löste sich ein Teil des Gitters. Helles Licht aus der Halle fiel in ihr Versteck. Die *MARS*-Waffe schwankte für einen Moment auf dem Rand des Gitters, dann stürzte sie in die Tiefe.

Jimmy sprang rasch hinzu, konnte aber nur noch verfolgen, wie die Waffe und das Gitterteil durch die Luft segelten. Sie schienen ewig zu fallen.

»Nein!«, schrie Zafi.

Und endlich, unter den Blicken der versammelten Menschenmenge in der Halle, knallte das Metall zu Boden. Kleinere Bruchstücke wurden meterweit geschleudert. Einige davon erwischten die Journalisten, die ihre Arme schützend nach oben rissen und panisch aufschrien. Doch ein Metallteil war stabil genug, um dem Aufprall standzuhalten: der Auslöser. Die Überreste der Waffe surrten fast unhörbar. Und dann explodierte die Schulter des Premierministers in einer blutigen Fontäne. Das Gemälde hinter ihm wurde mit weiteren roten Farbspritzern gesprenkelt. Dann brach er zusammen.

»Er ist getroffen!«, rief irgendjemand, und die Menge begann panisch zu schreien. Der Präsident wurde sofort aus der Halle eskortiert.

»Der Winkel war falsch«, flüsterte Zafi enttäuscht.

»Was?«, rief Jimmy und wischte sich mit dem Ärmel Schweiß und Tränen vom Gesicht.

»Die Waffe hätte hier oben aktiviert werden müssen, nicht dort unten.« Zafis Blick zuckte umher, während sie zu rekonstruieren versuchte, was gerade geschehen war. »Sie war etwa hundert Meter von der ursprünglichen Zielposition entfernt. Daher hat sie den Anstecker in die falsche Richtung gezogen. Schau bloß, er hat kaum einen Kratzer abbekommen.«

Die Journalisten drängten hektisch zu den Ausgängen, während die Sicherheitsbeamten ihre Waffen zückten und neue Positionen einnahmen. Sie blieben vollkommen ruhig, als hätten sie diese Situation eine Million Mal geprobt. Einige von ihnen starrten hinauf zur Decke, genau dorthin, wo Jimmy und Zafi sich versteckt hielten.

Jimmy beobachtete den am Boden liegenden Premierminister. Der Mann war umgeben von Geheimdienstleuten, doch Ian Coates winkte sie bereits weg. Jimmy konnte von seinen Lippen ablesen: »Mir geht's gut, alles in Ordnung. Es ist nur die Schulter.«

Paduk hielt den Kopf des Premierministers. Dann spähte er nach oben, dorthin, wo die Waffe heruntergefallen war. Für etwas weniger als eine Sekunde starrte er Jimmy direkt in die Augen. Dann knackte Paduk mit dem Kiefer, half Ian Coates auf und führte ihn aus der Halle.

»Hauen wir ab«, rief Jimmy. Er blickte sich um.

Zafi war bereits verschwunden.

Jimmy brach eine Fensterluke auf und kletterte hinaus auf das Dach. Der scharfe Wind zerrte an seinem Körper. Es war der einzige Ausweg. Die *CIA* würde wohl kaum davon ausgehen, dass *er* den Anschlag auf den Premierminister verübt hatte; aber hätte er den normalen Rückweg durch das Treppenhaus gewählt, wäre er dem *NJ7* direkt in die Arme gelaufen. Paduk hatte ihn entdeckt, daher musste Jimmy so schnell wie möglich fliehen. Er konnte sich später noch mit Viggo und der *CIA* treffen.

Er wollte losrennen, aber noch bevor Jimmy sich für eine Richtung entscheiden konnte, ließ ihn ein durchdringendes Kreischen zur Seite taumeln. Rasch presste er die Hände auf die Ohren, aber es half nichts gegen das ohrenbetäubende Rückkoppelungsgeräusch. Jimmy schüttelte verzweifelt seinen Kopf hin und her und versuchte so, das entsetzliche Kreischen loszuwerden. Aber nichts half.

Jimmy streckte einen Arm aus, um sich irgendwo festzuhalten, und ertastete eine Metallstange. Es war eine Art Funkantenne mit fünf langen, schmalen, in alle Himmelsrichtungen weisenden Lamellen. Das schien dieses Kreischen in seinem Kopf allerdings nur noch zu verstärken. Er stolperte rückwärts, kaum noch fähig, das Gleichgewicht zu halten. Dann wurde ihm klar, dass dies der

Mobilfunkmast sein musste, den Zafi erwähnt hatte. Sorgte dieses Ding etwa für die Störgeräusche in seinem Kopf?

Jimmy wusste, er sollte so schnell wie möglich von dort fliehen. Jeden Augenblick würden sie aus Helikoptern das Feuer auf ihn eröffnen oder Paduk würde aufs Dach stürmen. Doch stattdessen richtete Jimmy seine ganze Wut gegen den Mast. Erneut die Hände fest gegen seine Ohren gepresst, trat er mit aller Wucht gegen die Metallkonstruktion, bis sie zur Unkenntlichkeit verbogen war. Jetzt mischte sich auch noch das Heulen von Sirenen in das ohnehin schon unerträgliche Geräusch. Er verlor wertvolle Zeit, aber das war ihm egal.

»Raus aus meinem Kopf!«, schrie er. »Raus da! Das ist mein Kopf!«

Endlich ließ der bohrende Schmerz in seinem Gehirn nach. Es sprühten noch ein paar Funken aus dem Mast, dann gab er endgültig den Geist auf. Wie viele Millionen Gespräche auch von dort quer über New York gesendet worden waren, damit war es nun vorbei.

Jimmy wischte sich übers Gesicht. Der Wind hatte seine Tränen weggeweht. Und mit ihnen schien auch jedes Gefühl verschwunden. Zurückgeblieben war nur der Gedanke an seinen Vater.

»Warum habe ich dich gerettet?«, flüsterte er.

Auch wenn Jimmy immer noch zutiefst verstört über das Geschehene war, wusste er doch, dass ihm nur noch wenig Zeit blieb, wollte er nicht geschnappt werden. Er mobilisierte alle seine Kräfte für einen Sprint und schoss über das Dach des Museums, ohne richtig zu realisieren, was er da tat. Allein sein Überlebensinstinkt trieb ihn.

In wenigen Sekunden erreichte er den Rand des Gebäudes. Jimmy blickte hinunter und zog sich sofort wieder zurück. Er hatte noch nie unter Höhenangst gelitten, doch diese Entfernung zur Straße machte ihn schwindlig.

Viel zu hoch, um zu springen, dachte er. Dennoch kalkulierte sein Gehirn die Möglichkeit, berechnete die Wucht des Aufpralls. Erneut blickte er über den Rand des Gebäudes. Ein Windstoß fauchte ihm ins Gesicht und raubte ihm den Atem. *Auf keinen Fall*, befahl Jimmy sich selbst.

Er wischte sich die Hände an den Hosen ab, ließ sich auf die Knie sinken und machte sich bereit zum Klettern. Genau in diesem Augenblick bemerkte er aus den Augenwinkeln einen Schatten, der scheinbar aus dem Nichts auf ihn zusegelte. Jimmy ließ sich flach auf den Bauch fallen. Gerade noch rechtzeitig. Der Schatten sauste geräuschlos über ihn hinweg.

Jimmy warf sich herum. Sofort erkannte er die schlanke Silhouette eines jungen Mädchens: Zafi. *Kann sie etwa auch fliegen?*, fragte er sich, bis er des Rätsels Lösung entdeckte: Am anderen Ende des Daches ragte ein Kran empor und Zafi schwang an dem herabhängenden Stahlhaken wie ein Fisch an einer Angel. Die junge Agentin war allerdings so gefährlich wie ein menschenfressender Hai.

Jimmy sprang auf. Doch bevor er losrennen konnte, war Zafi schon wieder über ihm. Sie umklammerte mit einer Hand den Metallhaken und wirbelte dabei durch die Luft wie eine Akrobatin. Offenbar war sie auch noch eine Meisterin des *Capoeira*, einer brasilianischen Kampfkunst. Sie landete einen harten Tritt gegen Jimmys unteren Rücken. Er taumelte vorwärts. Der Schmerz in seinen Nieren verriet ihm, dass diese Attacke bitterer Ernst war.

Doch hier oben konnte Jimmy ihr entkommen. Er kletterte über den Rand des Gebäudes, krallte sich mit den Fingerspitzen in die Fugen zwischen den Ziegelsteinen und kletterte abwärts so schnell er konnte.

Wie eine Rakete kam Zafi erneut auf ihn zugeschossen, ließ den Haken los und landete direkt auf Jimmys Rücken. Sie schlang den Arm um seinen Hals und drückte zu. Jimmy wand und krümmte sich, konnte sie aber nicht abschütteln. Er löste eine Hand von der Ziegelmauer, um sich von ihrem Klammergriff zu befreien. Seine Finger waren schon ganz weiß, da jetzt sein ganzes Gewicht und das von Zafi an ihnen hing. Und nun wurden sie auch noch taub, doch zum Glück konnte er immer noch jeden noch so kleinen Vorsprung der Mauer ertasten.

Durch den Sauerstoffmangel wurde ihm schwindlig. Zafi holte mit ihrem anderen Arm aus, um einen mächtigen Schlag gegen seinen Hals zu landen. Für jeden normalen Menschen wäre es ein tödlicher Treffer gewesen. Da Jimmy keine Lust hatte herauszufinden, welchen

Schaden der bei ihm anrichten würde, ließ er die Mauer los.

Zafi schnappte nach Luft. Sie klammerte sich noch fester an ihn. Jimmys Gesicht war knallrot, es gelangte kaum noch Luft in seine Lunge. Gemeinsam stürzten sie einen Augenblick in die Tiefe. Dann streckte Zafi blitzschnell ihre Beine aus und erwischte mit den Fußgelenken einen Fenstersims. Dort hakte sie sich ein.

Das gab Jimmy die Gelegenheit, einen harten Schlag gegen ihre Rippen zu landen, sodass sie ihren Griff lockern musste und er ihren Arm packen konnte.

Dann hingen sie da. Zafi kopfüber und Jimmy unter ihr, nach oben starrend und mit stahlhartem Griff ihr Handgelenk umklammernd.

»Was soll das?«, schrie er.

»Fühlt sich an wie Yoga«, kicherte Zafi.

Jimmy war nicht zum Lachen zumute.

»Ich bin nicht dein Feind, schon vergessen?«

»Du bist vom *NJ7*«, verkündete Zafi. »Und du hast euren Premierminister gerettet.«

»Ich habe vielleicht den Premierminister geschützt, aber vor allem habe ich dich gerettet.«

»Wieso das denn?«, höhnte Zafi.

»Ich habe dich davor bewahrt, zur Mörderin zu werden«, keuchte Jimmy. »So weit muss es nicht kommen.«

Zafi versuchte ihn abzuschütteln, aber seine Finger bohrten sich wie stählerne Klammern in ihren Arm. So sehr sie sich auch drehte und wand, sie wurde ihn nicht los.

»Ich habe gesehen, wie du den Präsidenten töten wolltest«, schnappte Zafi. »Das war ein Auftrag des *NJ7*.«

»Das stimmt nicht«, brüllte Jimmy. »Ich war das nicht wirklich!«

»Das war kein Vorwurf, Jimmy. Aber leider muss ich dich trotzdem dafür töten.«

KAPITEL 21

Mit einer einzigen fließenden Bewegung zog Zafi ihn nach oben und schleuderte Jimmy mit aller Kraft hinauf. Er überschlug sich mehrfach und sein Magen krampfte sich zusammen. Krachend landete er wieder auf dem Dach. Der Aufprall ging ihm durch und durch, doch er blieb unverletzt. Rasch rollte er sich zur Seite. Er musste hier verschwinden.

Er wünschte, er hätte Zafi erklären können, dass ihm nichts ferner lag, als für den *NJ7* zu arbeiten. Dieses Missverständnis quälte ihn. Sie hatte keinen Grund, ihn zu töten. Aber sie wollte ihm ja nicht zuhören.

Jimmy sprang auf und wollte gerade losrennen, da schob Zafi ihre Finger über die Dachkante. Sie war immer noch hinter ihm her.

»Du weißt, dass du mich nicht so einfach töten kannst!«, schrie Jimmy, während er zurückwich. Ein leichter erfrischender Regen fiel auf sein Gesicht und hielt alle seine Sinne hellwach. Er befahl sich stehen zu bleiben, obwohl seine Knie zitterten. Befahlen ihm seine Instinkte wegzurennen oder war es pure Angst?

Zafi kletterte über den Rand des Dachs und blickte zu Jimmy auf. In ihren Augen lag eine mörderische Drohung.

»Bis wir diesen Kampf beendet haben«, fuhr Jimmy fort, »werden sie uns auf die Spur gekommen sein. Und ihre Sicherheitsabsperrung ist undurchdringlich. Du kannst mich nicht töten und dann fliehen. Du sitzt in der Falle.«

Zafi hob eine Augenbraue und zischte: »Hübsch eines nach dem anderen.«

Dann sprang sie. Zafi bewegte sich so rasch und geschmeidig, dass Jimmy ihr nicht ausweichen konnte. Sie war wie ein Tiger. Ihre Augen funkelten in der Dämmerung.

Jimmy warf sich zur Seite, aber Zafis Hand erwischte seinen Kragen. Sie schleift ihn drei Meter über das Dach, dann sprang sie hoch und zerrte Jimmy mit sich.

Jimmy hatte keine Ahnung, was sie vorhatte. Doch sie hatte jetzt eindeutig die Kontrolle übernommen. Ihre Geschwindigkeit war atemberaubend. Selbst seine voll aktivierte Konditionierung war machtlos gegen sie. Es war wohl alles andere als empfehlenswert, dieses Mädchen zum Feind zu haben.

Jimmy baumelte in Zafis Griff wie eine willenlose Puppe. Mit ihrer anderen Hand hatte sie den Haken des Krans gepackt.

Jimmy dämmerte, wie sie die Sicherheitsabsperrung überwinden wollte. An ihrer Stelle hätte er vermutlich dasselbe getan.

Sie flogen durch die Luft und die Welt verschwamm um ihn herum. Zafis Schwung trug sie hoch hinauf in die Luft. Es war wie auf einer riesigen Schaukel, nur dass man nicht selbst die Kontrolle hatte. Jimmy versuchte Zafi mit den Beinen zu umklammern wie ein Trapezkünstler, aber sie wischte seinen Fuß mit einer einzigen eleganten Bewegung beiseite.

Als der Haken des Krans den höchsten Punkt erreichte, holte sie energisch mit den Beinen aus und beschleunigte ihr Tempo, sodass das gigantische Pendel nun mit noch höherer Geschwindigkeit in die Tiefe sauste. Das Dach des Gebäudes kam auf sie zugeschossen. Jimmys Eingeweide krampften sich zusammen. *Wie schafft Spiderman das nur, ohne dass ihm übel wird?*, dachte er.

Er streckte die Beine und suchte irgendeinen Halt, um sich aus Zafis Griff zu befreien, aber sie zog ihn noch näher an sich heran. Und dann ließ sie den Haken los.

Plötzlich schien die Welt stillzustehen. Selbst Jimmys Herzschlag schien auszusetzen. Für ein paar kurze Sekunden überwog die Schönheit des Ganzen den Schmerz und die Angst. Sie segelten durch die Luft wie Vögel. Jimmy fand, es war ein grandioses Gefühl.

Doch es hielt nicht lange an.

Sie schossen über die Köpfe der Sicherheitsbeamten an der Absperrung hinweg, aber tief genug, um außer Sicht der Luftraumkontrolle zu bleiben.

Jimmy straffte sich. Sie befanden sich jetzt im freien Fall, und zwar aus beträchtlicher Höhe. Was, wenn Zafi seinen Körper benutzen würde, um ihren Aufprall abzudämpfen?

Doch sie war viel cleverer. Sie hatte ihre Flucht sorgfältig geplant und die Flugroute exakt berechnet.

Zafi und Jimmy landeten in einer schmalen Gasse, drei Häuserblocks weiter. Sie plumpsten exakt in die Mitte eines Müllcontainers, der jedoch nicht mit Abfall, sondern mit Schaumstoffstückchen gefüllt war. Auf die Art landeten sie wie auf einem Kissen und ihr Sturz wurde weich abgefedert. Jimmy konnte sich ein bewunderndes Lächeln über Zafis Sinn fürs Detail nicht verkneifen. Trotzdem hatte er keine Zeit zu verlieren. Bei der Landung hatte Zafi ihren Griff gelöst. Das war seine Chance.

Er spuckte ein Schaumstoffbröselchen aus und kletterte aus dem Container. Sobald er Boden unter den Füßen spürte, rannte er los. Blitzschnell war er aus der Gasse, aber Zafis Schritte hallten dicht hinter ihm.

Die Straße war voller Menschen. Sie befanden sich jetzt außerhalb der Sicherheitsabsperrung.

Jimmy zog den Kopf ein und tauchte in der Menge unter. Der Lärm New Yorks dröhnte in seinem Kopf. Doch er blendete ihn aus, um das Trommelfeuer von Zafis Füßen hinter sich zu hören. Einen Augenblick lang schien es fast so, als würden ihn zwei Personen jagen. Er wagte nicht, sich umzudrehen, aus Furcht, sein Tempo zu verlangsamen. Aber er wusste auch, wenn er einfach so weiterrannte, würde Zafi ihn in Kürze einholen. Sie war einfach schneller.

Jimmy mobilisierte seine letzten Energiereserven, um etwas Vorsprung zu gewinnen. Trotzdem war es nur eine Frage der Zeit, bis er den tödlichen Schlag in seinem Nacken spüren würde.

Am Ende der Straße sprang Jimmy über eine niedrige graue Mauer. Er hatte es bis zum Central Park geschafft! Vor ihm erstreckte sich eine Wiese und in etwa zweihundert Metern Entfernung erhob sich ein kleines Wäldchen. Vielleicht hätte er auf diesem unebenen Gelände bessere Chancen. Vielleicht war aber auch das Gegenteil der Fall.

Mit neuer Entschlossenheit sprintete er über das Gras. Er atmete rasch, aber regelmäßig. Sein Mund war trocken, und seine Kleider waren von Regen durchweicht, doch das war ihm egal.

Gruppen von Touristen blieben stehen und gafften ihnen überrascht hinterher. Sie staunten, wie schnell sie rennen konnten, doch in ihren Augen musste es wie ein kindliches Fangenspielen aussehen. Woher sollten sie auch wissen, dass sie Zeugen eines Zweikampfes zwischen den beiden gefährlichsten Agenten der Welt wurden?

Jimmy rannte unermüdlich, wechselte beständig die Richtung, um Zafis höherem Tempo etwas entgegenzusetzen. Er schaffte es bis zu dem Wäldchen, flitzte kreuz und quer zwischen den Bäumen hindurch. Doch es half nichts. Er konnte fast schon Zafis Atem in seinem Rücken spüren. Die Anstrengung trieb ihm die Tränen in die Augen, doch seine Spezialkräfte stellten ihm immer neue Reserven zur Verfügung.

Und dann sprang Jimmy ab: Er reckte die Arme über den Kopf, streckte sich, hechtete nach vorne und tauchte kopfüber in den See inmitten des Central Parks.

Das Wasser war eiskalt, aber es war eine wunderbare

Erfrischung. Jimmy tauchte mehrere Meter tief, seine Beine trieben ihn mit der Energie einer Turbine an. Nach ein paar Sekunden saugte er den ersten Schluck Wasser in seine Lungen. Es schmeckte ekelhaft und brannte auf der Zunge, doch das bremste ihn nicht. Die besonderen Fähigkeiten seines Körpers würden dafür sorgen, dass er unter Wasser problemlos atmen konnte.

Zafi sprang, ohne zu zögern, hinterher.

Jetzt gab es keinen Ausweg mehr für Jimmy. Wenn sie nicht nur auf dem Land, sondern auch im Wasser schneller war als er, dann war es an der Zeit, sich ihr zu stellen. Jimmy warf sich urplötzlich herum.

Zafi war überrascht, doch sie zeigte es nicht. Sofort stürzte sie sich auf Jimmys Hals. Jimmy wich im letzten Moment aus und Zafi fand sich in einem Schwarm erschrockener Fische wieder. In ihrem Haar verfingen sich einige der kleineren und sie schüttelte sie unwillig ab. Sie starrte Jimmy wütend an. Und zum ersten Mal sah Jimmy den Hauch einer Chance. Doch es gab nur einen Weg herauszufinden, ob er eine hatte.

Jimmy schnellte herum und bündelte genug Energie, um einen Gegenangriff zu landen. Aber anstatt zurückzuweichen, packte Zafi Jimmys Knöchel dicht vor ihrer Wange und stieß ihn tief hinab in einen von einem Zufluss verursachten Strudel. Er saugte ihn tief hinab ins Wasser, und je weiter er sank, desto dunkler und schlammiger wurde es.

Jimmy blickte hoch. Jetzt gab es keinen Ausweg mehr. Unter ihm war der Grund des Sees. Wenn er zur Seite auswich, konnte ihm Zafi leicht den Weg abschneiden. Und über ihm war Zafi selbst. Er konnte ihren Schemen gegen das fahle, durch das Wasser gefilterte Licht erkennen. Mit der Wendigkeit eines Aals drehte sie sich, streckte die Arme in seine Richtung aus. Sie war bereit zuzupacken.

Jimmys Gehirn raste. Wie lange konnte er sie abwehren, bevor sie den vernichtenden Schlag landete? Genau in dem Moment wurde seine Aufmerksamkeit von etwas anderem geweckt, das sich im Wasser bewegte. Es befand sich direkt hinter Zafi und raste wie ein Torpedo auf sie zu. Es wühlte den See auf und trieb Schlammwolken in alle Richtungen.

Als Zafi Jimmys Blick bemerkte, zögerte sie kurz. Sie blickte über die Schulter. Und genau in dem Moment traf sie das Projektil.

Jimmy wartete nicht ab, was geschehen würde. Er strampelte so hart er konnte, um zurück an die Oberfläche zu gelangen.

Als er endlich auftauchte, spuckte er eine Lunge voll Wasser aus. Es fühlte sich an, als würde er seine ganzen Innereien aushusten. Er wälzte sich aufs Ufer und lag eine Sekunde flach auf dem Rücken, um wieder zu Atem zu kommen.

Das Wasser neben ihm war aufgewühlt. Irgendetwas geschah dort; etwas Gewaltsames. Jimmy starrte nach unten. In diesem Augenblick sprangen zwei Gestalten aus dem Wasser, die wild miteinander rangen.

Jimmy duckte sich hinter einen Busch und beobachtete, wie Zafi und ihr Gegner sich auf das gegenüberliegende Ufer zubewegten. Zafis Abwehrversuche wühlten den See auf. Aber nicht ihr galt Jimmys Hauptaufmerksamkeit, sondern ihrem Gegner. Was Jimmy zunächst für ein riesiges Projektil gehalten hatte, war ein Junge aus Fleisch und Blut – Mitchell.

Jimmy schnappte nach Luft. Zafi und Mitchell standen jetzt bis zu den Hüften im Wasser. Keiner von beiden gab nach, aber es gewann auch keiner die Oberhand. Trotz Mitchells unglaublicher Stärke und Entschlossenheit bewegte sich Zafi so rasch, dass nur wenige seiner Schläge ihr Ziel trafen. Doch plötzlich ging er in die Knie und warf sich mit seinem gesamten Gewicht gegen Zafi. Sie taumelte und stürzte auf das gegenüberliegende Ufer.

Jimmys Beine zuckten. Seine Instinkte mahnten ihn, schleunigst zu verschwinden. Der Agent in ihm hätte niemals auch nur eine Sekunde am See ausgeharrt. Doch Jimmy hatte mittlerweile genug Kontrolle über seine Kräfte. Er war so gefesselt von Zafis und Mitchells Kampf, dass er sich nicht abwenden konnte.

Mitchell beugte sich drohend über Zafi. Er holte mit der Faust aus. Zafi krümmte sich. Es gab nichts, was sie noch tun konnte. In ihrer Angst starrte sie quer über den See hinüber zu Jimmy.

In diesem Augenblick sah Jimmy in ihren Augen denselben Ausdruck wie zuvor im Museum. Es war der Blick von jemandem, der in der Falle saß. Nicht nur körperlich, obwohl Zafi sich in Mitchells Griff wie im Schraubstock befand. Vielmehr wirkte es so, als sei sie innerlich in einem Käfig gefangen und bettele verzweifelt um Freiheit.

Ohne zu wissen, warum er es tat, packte Jimmy einen Stein und sprang auf.

»Hey!«, schrie er.

Mitchell drehte sich zu ihm um.

Jimmy spannte seinen Körper, holte aus und ließ den Stein über die Wasseroberfläche hüpfen. Er berührte den See dreimal, dann schlug er gegen Mitchells Knie.

Mitchell gab keinen Laut von sich, aber selbst aus der Entfernung konnte Jimmy erkennen, wie er sich krümmte und leicht zur Seite neigte.

Diesen Moment nutzte Zafi und krabbelte rasch rückwärts aus Mitchells unmittelbarer Reichweite. Sie blickte ungläubig zu Jimmy hinüber. Ebenso wie Mitchell. Für den Bruchteil einer Sekunde standen alle drei wie angewurzelt da und versuchten zu begreifen, was hier vorging. Jeder versuchte die Motive der anderen zu verstehen. *Jetzt muss Zafi doch begreifen, dass ich nicht für den* NJ7 *arbeite*, dachte Jimmy. Und war Mitchell klar, dass er Jimmy vor Zafi gerettet hatte?

Bevor sich einer von ihnen rühren konnte, blickte Jimmy direkt zu Zafi und rief: »Wenn du mich brauchst, ich bin nur einen Steinwurf weit entfernt.« Seine Stimme klang tief und ruhig.

Zafi lächelte, dann sprintete sie los.

Mitchell zögerte kurz. Auf seinem Gesicht zeichneten sich Verwirrung, Ärger und Enttäuschung ab. Jimmy hatte eine weitere seiner Missionen ruiniert. Dann heftete der Agent sich an Zafis Fersen. Wobei Jimmy keinen Zweifel hatte, dass ihr die Flucht gelingen würde. Für den Augenblick zumindest.

Und nun endlich spurtete auch Jimmy los – in die entgegengesetzte Richtung. Es war ihm egal, wohin er lief, solange er es lebend aus dem Central Park schaffte.

KAPITEL 22

Zitternd und tropfnass lehnte Jimmy sich an eine Außenmauer des Parks. Jetzt erst erinnerte er sich an sein Funkgerät. Er zog es aus der Tasche. Es war nass, aber er vertraute darauf, dass einem Produkt der *Icom-F*-Serie ein kleines Bad nichts anhaben würde. Er drückte den Alarmknopf und wartete.

Auf der Straße vor ihm rauschte der Verkehr. Touristen und Geschäftsleute warteten an einer Bushaltestelle. Er hörte, wie ein Mann im Anzug fragte: »Glaubst du, es war eine Verschwörung?«

»Ich habe gehört, es war ein einzelner Schütze«, kam die Antwort.

»Dann handelt es sich definitiv um eine Verschwörung.«

Jimmy blendete ihre Worte aus. Es war das Letzte, was er jetzt hören wollte. Er schloss die Augen und versetzte sich noch einmal in den Moment, als Mitchell und Zafi ihn angestarrt hatten. War ihnen denn nicht klar, dass sie gegen ihre Konditionierung ankämpfen konnten? Oder *wollten* sie es gar nicht wissen?

Wenige Minuten später hielt ein schwarzer *Lincoln Sedan* vor ihm. Die Hecktür der Limousine flog auf, noch bevor sie vollständig zum Stehen gekommen war. Jimmy sprang hinein, wobei es ihm völlig gleichgültig war, dass immer noch Seewasser aus seinen Kleidern tropfte. Auf dem schwarzen Lederbezug der Rückbank bildeten sich Wasserpfützen.

Oberst Keays saß in der Mitte und an seiner Seite Viggo. Der Fahrer war durch eine Glasscheibe von ihnen getrennt und chauffierte sie sanft durch Manhattan.

»Es war Zafi«, schnaufte Jimmy, bevor jemand ihm eine Frage stellen konnte. »Sie wollte meinen… Sie wollte den Premierminister töten.«

Sollte er ihnen auch davon berichten, dass er beinahe Präsident Grogan ermordet hätte? Vielleicht hob er sich das besser für später auf.

Viggo murmelte etwas von der anderen Seite des Wagens, aber Jimmy konnte es nicht verstehen.

»Wer auch immer diese Zafi ist«, krächzte Keays, »wir werden dich schützen. Du hast mein Wort.«

»Auch meine Freunde?«, fragte Jimmy. »Und Georgie und Mum?«

Keays seufzte und blickte durch die Frontscheibe. »Natürlich«, versicherte er Jimmy. »Ihr alle werdet geschützt.«

»Sieht ganz so aus, als würden Sie auch Ian Coates schützen«, schnaubte Viggo.

Keays blickte ihn nicht an, aber Jimmy konnte spüren, wie er sich straffte.

»Ich habe gesehen, wie Ihre Agenten zu ihm gerannt sind, als er getroffen wurde«, fuhr Viggo fort. »Auf wessen Seite stehen Sie wirklich?«

»Auf Ihrer natürlich«, schnaubte Keays.

»Warum verhalten Sie sich dann nicht entsprechend?«, erwiderte Viggo aggressiv. »Ian Coates ist hier in New York. Sie haben ihn auf dem Präsentierteller. Und Sie lassen ihn einfach ungehindert nach London zurückkehren, damit er weiter England zerstören kann und Frankreich gleich mit?« Er ballte die Fäuste und knirschte mit den Zähnen.

Aber auch Keays wurde jetzt sauer.

»Was erwarten Sie denn von mir?«, schrie der Amerikaner.

»Töten Sie Coates«, flüsterte Viggo. »Und dann schicken Sie Agenten, um den *NJ7* zu zerschlagen.«

»Es gibt immerhin noch so etwas wie Gesetze«, erwiderte Keays.

Viggo schnitt ihm das Wort ab. »Vergessen Sie die Gesetze! Was ist mit der Gerechtigkeit? Der *NJ7* ist eine illegale Organisation. Die haben das Gesetz so häufig gebrochen, dass sie nichts anderes verdienen. Außerdem muss ja niemand davon wissen. Oder führt die *CIA* keine verdeckten Operationen mehr durch?«

Jimmy war sprachlos. Er rutschte nervös auf seinem Platz hin und her. Was für ein anderer Mensch Viggo auf einmal war. Er hatte fast keine Ähnlichkeit mehr mit dem Mann, der einmal angetreten war, um Englands Probleme ganz ohne Gewalt zu lösen.

Im Wagen herrschte dicke Luft, der Dampf von Jimmys feuchten Kleidern mischte sich mit dem Ärger, der in der Luft lag.

Keays holte tief Luft. »Eins nach dem anderen«, brummte er. »Es ist nicht meine Aufgabe, Ihren persönlichen Kreuzzug gegen den *NJ7* für Sie zu führen. Im Augenblick kann ich nicht mehr tun, als Sie zu schützen.«

»*Mich* schützen?«, höhnte Viggo. »Ich bin doch kein Kind. Ich brauche keinen Schutz. Beschützen Sie den da.« Er wedelte mit der Hand in Jimmys Richtung und drehte sich dann zum Fenster.

Jimmy fühlte einen Stich. Er verdankte Viggo so viel. Und der Mann war zu Recht wütend. Jimmy hatte ihm nur Schmerz und Unglück gebracht.

Als Viggo sich wieder an die beiden wandte, klang seine Stimme noch zorniger.

»Wegen *Ihrer* Versprechungen habe ich Saffron verlassen«, fauchte er. »Ich habe sie in einem schmuddeligen Hinterzimmer mitten im Nirgendwo zurückgelassen. Mit einem zweifelhaften Arzt an ihrer Seite. Und sie lag praktisch im Sterben.« Viggo stieß die Worte mühsam hervor, seine Stimme drohte zu versagen. »Ich weiß nicht einmal, ob sie noch am Leben ist.«

Jimmy hätte gerne etwas gesagt, um den Mann zu trösten oder ihn zu beruhigen. Aber in seiner Wut ließ Viggo niemanden zu Wort kommen.

»Schutz ist nicht gut genug«, fuhr Viggo fort. »Ich bin hier, um die Menschen unschädlich zu machen, die ihr das angetan haben.«

Keays war sichtlich um eine Antwort verlegen. Er senkte den Kopf und starrte in seinen Schoß.

»Hier laufen gerade wichtigere Dinge ab, Chris«, sagte er schließlich in bemüht gelassenem Tonfall. »Diplomatie, Politik – es gibt für alles eine richtige Zeit.«

»Wichtigere Dinge?« Viggo, der immer zorniger wurde, spie die Worte förmlich aus. »Erzählen Sie mir doch nichts von *wichtigeren Dingen*. Erinnerst du dich noch, wie sie angeschossen wurde, Jimmy?«

Viggos Blick durchbohrte Jimmy förmlich.

Natürlich konnte Jimmy das, aber was sollte er dazu sagen?

»Seit es passiert ist«, tobte Viggo weiter, »kann ich an nichts anderes mehr denken. Wir hatten es fast bis zum Lift im Keller der französischen Botschaft geschafft. Es waren Dutzende von *NJ7*-Agenten hinter uns her, aber wir hätten es schaffen können. Du hattest bereits ein Loch ins Dach des Lifts geschlagen. Und ich bin als Erster hochgesprungen.« Sein Blick war hart wie Stahl, aber sein ganzer Körper bebte vor Gefühlen. »Ich hätte zuerst euch hinauflassen sollen.«

Jimmy spürte fast, wie der Schmerz die Kehle des Mannes zuschnürte. Dann sah er, dass sich eine Träne in Viggos Augenwinkel bildete.

»Als Nächster bist du hochgekommen«, fuhr Viggo fort. »Und du warst so schnell. Ich wusste, nichts konnte dich treffen.« Ein Lächeln huschte über sein Gesicht. »Sie folgte direkt hinter dir. Kannst du dich an das Geräusch erinnern, mit dem sich die Kugel in ihr Fleisch bohrte?«

Jimmy wurde übel. Er überlegte, wie er die qualvollen Erinnerungen an dieses Ereignis abwehren konnte, aber

Viggo war nicht zu bremsen. Selbst Oberst Keays schien wie gebannt.

»Dieses Geräusch, Jimmy«, schluchzte Viggo, »ich träume jede Nacht davon. Ich spüre, wie die Kraft aus ihrer Hand weicht, während ich ihr Gelenk umklammere – ich kann es einfach nicht mehr abschütteln.«

»Miss Bennett hat eigentlich auf mich gezielt«, flüsterte Jimmy heiser.

»Ich weiß. Aber es war nicht deine Schuld, sondern die des NJ7. Und ich muss für Gerechtigkeit sorgen. Diplomatie und Politik sind mir egal. Ich werde diese Leute zermalmen. Selbst wenn ich es ganz alleine tun muss, werde ich jeden einzelnen NJ7-Agenten auf dem Planeten aufstöbern und zur Rechenschaft ziehen, bis hin zu Miss Bennett und Ian Coates.«

Viggo wischte sich übers Gesicht. Er holte tief Luft, dann rief er: »Halten Sie den Wagen an!«

»Was?« Keays richtete sich auf. »Aber …«

»Halten Sie den Wagen an!«

Der Wagen kam mit kreischenden Bremsen zum Stehen.

Viggo stieß die Tür auf, die beinahe von einem vorbeifahrenden Auto abgerissen worden wäre.

Jimmy traute seinen Augen nicht. Er blickte in Viggos Gesicht, überlegte, was er sagen sollte, suchte nach tröstlichen Worten, nach irgendetwas, das ihn zum Bleiben bewogen hätte. Aber ihm fiel nichts ein. Lärm und Gestank des Großstadtverkehrs strömten in den Wagen. Der innere Konflikt zerrte an Jimmy. *Wenn er zurück-*

kehrt, um den NJ7 zu vernichten, dachte er, *dann sollte ich mit ihm gehen.* Trotzdem rührte er sich nicht von der Stelle.

»Es tut mir leid, Jimmy«, flüsterte Viggo. Dann schlug er die Wagentür zu und war verschwunden.

»Fahren Sie weiter, Kez«, befahl Keays. »Bringen Sie uns zurück nach Chinatown.«

Als Jimmy aus dem Wagen stieg, fühlte er sich, als wäre in seinem Inneren eine Bombe explodiert. Sobald Keays davongefahren war, rannte Jimmy die Stufen des *Star of Manchuria* hinauf. Und kaum hatte er das Apartment betreten, sprudelte es nur so aus ihm heraus.

»Ich fasse es nicht«, sagte Georgie nach Luft schnappend, als er seine Erzählung beendet hatte.

»Ich genauso wenig«, stimmte Felix zu, während er sich getrocknete *Wan-Tans* in den Mund stopfte und in der Tüte nach weiteren wühlte. »Die CIA beschützt mich! Das ist der Hammer!«

»Ich meinte eigentlich, ich kann nicht fassen, dass Chris einfach so verschwunden ist«, sagte Georgie.

Jimmys Mutter erhob sich vom Sofa und ging zum Wasserhahn, um ihr Glas zu füllen. Das Plätschern war das lauteste Geräusch im Raum. Niemand wusste so recht, was er sagen sollte. Weder Georgie und Felix auf dem Boden noch Felix' Eltern auf dem Sofa. Jimmy lehnte, in ein Handtuch gewickelt, an der Heizung.

»Also, was sollen wir jetzt tun?«, fragte Felix' Mutter sanft.

»Wir verhalten uns unauffällig und warten ab«, erwiderte Felix' Vater mit seiner weichen, tiefen Stimme. »Mehr können wir im Augenblick nicht tun. Wenn dieser Oberst Keays sagt, dass er uns beschützen wird, dann sollten wir hier warten, bis er einen sicheren Unterschlupf für uns gefunden hat. Du stimmst mir doch zu, Helen?« Er blickte zu Jimmys Mutter. »Ich meine, ich bin kein Geheimagent, aber das scheint mir das Vernünftigste zu sein.«

»Glaubst du, dass mit Chris alles in Ordnung ist?«, fragte Georgie.

Helen Coates trank einen Schluck und hatte den anderen den Rücken zugewandt. Sie antwortete nicht.

Plötzlich traten die ganzen schrecklichen Ereignisse des Tages für Jimmy in den Hintergrund: Dass er beinahe den Präsidenten ermordet hätte, an einem Kran durch die Luft geflogen, von einer französischen Killermaschine angegriffen und durch den Central Park gejagt worden war – in diesem Moment schien das alles fast keine Rolle mehr zu spielen. Denn die Haltung seiner Mutter versetzte ihm einen schmerzhaften Stich mitten ins Herz. Sie strahlte eine Traurigkeit aus, die er noch nie zuvor an ihr gespürt hatte, nicht mal als sein Vater sie verlassen hatte.

»Kommt jetzt«, sagte Felix' Mutter. »Wir sollten lieber beratschlagen, was wir heute Abend essen.«

Doch die Ablenkung kam zu spät. Georgie und Jimmy blickten einander an. Sie hatten beide den tiefen Schmerz ihrer Mutter bemerkt.

»Dieser Mann ist manchmal so ein Idiot«, seufzte Helen schließlich. »Glaubt er ernsthaft, er kann zurück nach England stürmen und den *NJ7* auf eigene Faust erledigen? Das ist reiner Selbstmord. Was für ein selbstsüchtiger Idiot. Ich kann das nicht zulassen. Tut mir leid. Ich muss ihm hinterher. Er ist vor zwölf Jahren schon einmal weggerannt und ich werde es nicht noch einmal zulassen.« Für einen Moment wurde ihr Gesicht ganz hart, doch dann schob sie offensichtlich ihren Ärger beiseite. »Ihr beiden bleibt hier«, befahl sie streng und blickte zu Georgie und Jimmy. »Ihr bewegt euch nicht von hier weg, bis ich zurück bin oder die *CIA* euch holt. Habt ihr mich verstanden?«

»Wir schaffen das schon«, erklärte Georgie. »Oder etwa nicht, Jimmy?«

Jimmy nickte.

»Was auch immer geschieht, ich bin morgen früh zurück«, versprach ihre Mutter. »Einverstanden? Selbst wenn ich ihn nicht aufspüren kann.«

»Er ist sicher unterwegs zum Flughafen«, erklärte Jimmy. »Wenn du jetzt gleich losgehst, kannst du ihn noch erwischen.«

Helen blickte zu ihren Freunden Olivia und Neil Muzbeke. Sie brauchte ihnen nicht eigens etwas zu sagen. Ihre ganze Haltung brachte zum Ausdruck, dass sie um ihre Hilfe bat.

»Wir kümmern uns um Jimmy und Georgie«, beruhigte sie Olivia. »Geh nur. Und bring Chris zurück.«

»In Ordnung.« Helen holte tief Luft. »Ich kann kaum

glauben, dass er mich zwingt, das zu tun.« Sie umarmte Jimmy und Georgie, dann verkündete sie: »Du bist jetzt der Boss, Felix. Kümmere dich in den nächsten Stunden um deine Leute hier.«

Felix salutierte, aber sein Lächeln wirkte unsicher.

Helen brauchte keine zehn Minuten, um das Nötigste zusammenzusuchen, dann war sie aus der Tür.

KAPITEL 23

»Schon wieder«, rief Felix, als er die Box mit seinen ge-
bratenen Nudeln aufriss. »Schau dir die Größe der Box
an und dann den mickrigen Inhalt.« Er hielt sie Jimmy
hin.

Jimmy klaute ihm mit seinen Essstäbchen ein Stück
gebratenes Huhn.

»Und sie wird mit jeder Sekunde leerer«, sagte er
mampfend.

»Hey!« Felix riss seine Schachtel wieder an sich.
»Halt dich an deine eigene. Es reicht, dass sie einen ver-
arschen, wenn sie die Boxen so groß machen. Wir sollten
sie bei der *CIA* anzeigen. So was ist eine absolute Unge-
rechtigkeit.«

»Glaub nicht alles, was du siehst«, warf Neil Muzbeke
vom Sofa aus ein. »Und wo ist unserer Essen? Muss ich
etwa zu euch rüberkommen und es mir holen?«

Felix hatte wieder einmal die Essenseinkäufe erledigt.
Er verteilte die Boxen aus einer Plastiktüte auf dem Boden.

»Aber Mrs Kai-Ro kennt mich mittlerweile«, beharrte er und reichte seinem Vater eine Packung mit
scharf gewürztem Rindfleisch. »Ich bin inzwischen ein

Stammgast. Sie hat mir sogar ihre Stabheuschrecken gezeigt.«

Jimmy spähte misstrauisch in seine Box.

»Die sind natürlich nicht im Essen, Blödi«, beruhigte ihn Felix. »Sie hält sie in einem Terrarium. Wie Haustiere. Da war eine Heuschrecke, die sah tot aus. Aber sie war in Wahrheit nur ein vertrockneter Stock. Aber dann war da noch eine andere, die tatsächlich eine Stabheuschrecke war, die aber auch irgendwie vertrocknet aussah. Und dann gab es noch dieses eine …«

»Hat diese Geschichte auch ein Ende?«, unterbrach ihn Georgie.

»Warte, ich bin noch nicht fertig.« Felix wedelte hektisch mit seinen Essstäbchen.

Jimmy war unklar, wie jemand sich so für Insekten begeistern konnte.

»Und bei dieser Dritten«, fuhr Felix in seinem irrwitzigen Redetempo fort, »da dachte ich erst, es wäre einfach nur ein toter Ast, aber es war wieder eine Stabheuschrecke, nur war die diesmal echt tot und vertrocknet.«

Jimmy lachte, wobei er beinahe ein Stück Nudel durch die Nase ausgeschnaubt hätte. Es war wunderbar, wieder etwas zum Lachen zu haben.

»Die musste Mrs Kai-Ro dann aus dem Terrarium nehmen«, fügte Felix hinzu, »weil das natürlich nicht in Ordnung war.«

»Aber bei dir im Oberstübchen ist hoffentlich so weit alles in Ordnung?«, spottete Jimmy. »Und was hast du heute sonst so getan, außer mit einer alten koreanischen Dame zu flirten?«

Sie hatten die katastrophalen Ereignisse dieses Tages so oft miteinander besprochen, dass Jimmy heilfroh über die Ablenkung war.

»Zuerst haben Georgie und ich einen Dienstplan aufgestellt«, begann Felix. »Du weißt schon, damit wir uns mit der Wache abwechseln, falls diese beiden Typen zurückkommen, die dich angegriffen haben.«

Erneut fühlte Jimmy einen sorgenvollen Stich. Er hatte geglaubt, endlich außer Gefahr zu sein. Doch Felix hatte ihn daran erinnert, dass selbst dieser Unterschlupf alles andere als sicher war.

»Aber niemand ist aufgetaucht«, fuhr Felix fort. »Also haben wir uns bald gelangweilt. Deswegen haben wir …« Er unterbrach sich. Was Felix hatte sagen wollen: Sie hatten lange diskutiert, wer wohl Jimmys wahrer Vater war. Nach einem Moment peinlichen Schweigens beendete Felix schließlich seinen Satz.

»Also haben wir aufgegeben und stattdessen Fernsehen geschaut.«

Felix' Mutter verdrehte die Augen. »Klingt ganz so, als hätte Amerika bereits seine Auswirkungen auf euch«, stöhnte sie.

Felix grinste schief.

Georgie streckte ihre Arme aus, zog ihren Bruder an sich und umarmte ihn. Jimmy war ein wenig überrumpelt von dieser plötzlichen Demonstration schwesterlicher Zuneigung.

Im Hintergrund liefen die Nachrichten. Ein Experte der amerikanischen Regierung bemühte sich zu erklären, wie ein verrückter Attentäter es ohne fremde Hilfe geschafft haben könnte, sich unter dem Dach des Museums für Moderne Kunst versteckt zu halten.

Zwei Männer marschierten nebeneinander durch Chinatown. Sie hielten die Köpfe gesenkt und schwiegen. Es war mitten in der Nacht, trotzdem waren noch Leute auf den Straßen unterwegs, und sie wollten keine Aufmerksamkeit erregen. Sie waren unauffällig in Jeans und Kapuzenshirts gekleidet. Schwarz war keine gute Tarnung auf den Straßen von Chinatown, die grell und neonbunt beleuchtet waren. Einer der beiden hielt einen Regenschirm in der Hand. Beide trugen schwarze Lederhandschuhe.

Als sie den *Star of Manchuria* erreichten, blieben sie stehen. Es bedurfte keiner weiteren Verständigung über ihren Plan. Der mit dem Regenschirm schraubte den Griff ab. Daran war ein dünnes schwarzes Seil befestigt, das im Inneren des Regenschirms aufgerollt lag. Der andere Mann nickte ihm zu, während sie darauf warteten, dass der Verkehr in der Straße nachließ.

Ein betrunkenes Pärchen torkelte um die Ecke. Ihre Schritte hallten von den Gebäuden wider und übertönten jedes andere Geräusch. Endlich verschwanden sie mit quälender Langsamkeit um die Ecke.

Dann warf der Mann mit dem Regenschirm den hakenartigen Griff mit einer einzigen raschen Bewegung hinauf zu einem Fenster im ersten Stock. Er hatte perfekt gezielt. Die Schnur rollte reibungslos aus dem Regenschirm ab und der Haken blieb am Fenstersims hängen.

Und nun zögerten die beiden Männer nicht länger. Jeden Moment konnte ein Passant die Straße herunterkommen und sie entdecken. Sie stemmten die Beine gegen die Fassade des Gebäudes und kletterten hintereinander an dem Seil hinauf.

In Sekundenschnelle erreichten sie das Fenster. Dort hielten die beiden großen, drahtigen Gestalten inne und überprüften, ob die Straße immer noch leer war. Erst jetzt verbargen sie ihre Gesichter unter schwarzen Skimasken. Die Hände der beiden Männer zitterten leicht. Doch Nervosität war bei einem solchen Einsatz normal. Sie wussten um die besonderen Kräfte und Fähigkeiten des Zielobjekts, mit dem sie es gleich zu tun bekommen würden.

Jimmy konnte nicht einschlafen. Kein Wunder nach den Ereignissen des heutigen Tages. Und jetzt machte er sich auch noch Sorgen um seine Mutter. Er wartete darauf, dass endlich die Apartmenttür aufgehen und seine Mutter gemeinsam mit Viggo lächelnd eintreten würde. Dann würde die *CIA* sie alle zusammen verstecken, und sie könnten so tun, als wären sie eine große Familie. Oder vielleicht mussten sie ja nicht einmal so tun.

Er wünschte, er hätte Viggo nicht aus der Limousine steigen lassen. Egal wie wütend der Mann gewesen war, er hatte doch völlig recht gehabt, oder? Jimmy war davon überzeugt, dass Viggo ein guter und aufrechter Mann war. Selbst wenn seine Handlungen in diesem Moment nicht seinem Gerechtigkeitsgefühl und Glauben an die Demokratie, sondern seiner Wut entsprungen waren. Das bedeutete aber noch lange nicht, dass er falsch handelte, oder?

Vielleicht war es tatsächlich an der Zeit, dass jemand den *NJ7* zerschlug. Jimmy hatte bereits seine Chance gehabt, sich an seinem Exvater zu rächen. Aber irgendetwas hatte ihn davon abgehalten. Und auch jetzt sagte ihm eine innere Stimme, dass es möglicherweise der falsche Weg war, den *NJ7* mit dessen eigenen gewaltsamen Mitteln zu schlagen. Aber wie konnte man ihn sonst treffen?

Plötzlich richtete er sich im Bett auf. Er hatte ein Geräusch gehört. Zuerst klopfte sein Herz freudig – vielleicht kehrte ja seine Mutter zurück. Doch rasch wurde ihm klar, dass es nur Wunschdenken war.

Felix und Neil neben ihm hatten sich nicht gerührt. Neils Schnarchen erfüllte den Raum, und Jimmy musste es ausblenden, um die Quelle des verdächtigen Geräuschs zu orten. Sanft rüttelte er Felix wach.

»Was …?!« Felix verstummte sofort, als er Jimmys auf die Lippen gelegten Finger sah.

Jimmy wartete, lauschte aufmerksam und dann deutete er auf das Fenster. Von dort kam das Geräusch – seine Instinkte verrieten es ihm.

Felix rollte sich herum und stieß seinen Vater mit dem

Ellbogen an. Der Mann grunzte einfach nur und schnarchte dann ein wenig lauter weiter. Felix probierte es erneut, während Jimmy vorsichtig zum Fenster schlich. Neil Muzbeke wollte einfach nicht aufwachen.

»Dad!«, flüsterte Felix viel zu laut.

»Pst!«, zischte Jimmy.

»Was?!« Neil wälzte sich blinzelnd herum. Felix legte seinem Vater die Hand auf den Mund, bevor er noch weitere Laute von sich gab.

Dann gab Jimmy den beiden mit stummen Gesten Befehle. Felix und Neil zogen sich in die vom Fenster entfernten Ecken des Raums zurück, während Jimmy sich unter das Fenster duckte. Sein Herz pochte. Die Energie pulsierte durch seinen ganzen Körper bis hinein in seine Fingerspitzen. Sein Gehirn war hellwach – seine Konditionierung hatte sich eingeschaltet. Er verarbeitete die Informationen, die bruchstückartig durch sein Bewusstsein schossen: Dort draußen warteten zwei Angreifer. Amateure. Vermutlich dieselben wie am Abend zuvor.

Ihre Geräusche hatten sie verraten. Es waren keine Agenten. Jimmy musste daran denken, wie gekonnt Zafi in ihre Frühstückspension in England eingestiegen war. Verglichen mit ihr, waren diese beiden Typen echte Clowns. Doch deswegen stellten sie trotzdem eine Gefahr dar. Jeder, der es auf dein Leben abgesehen hatte, war eine Bedrohung.

Und dann schlugen sie zu. Das Fenster splitterte. Glasscherben regneten auf Jimmys Kopf, aber damit hatte er gerechnet. Die Eindringlinge waren immerhin clever genug, das Geräusch zu dämpfen, indem sie eine Jacke gegen das Glas hielten. Doch dummerweise versperrte ihnen genau diese Jacke auch den Blick.

Jimmy schnappte sich mit jeder Hand eine Glasscherbe vom Boden. Und während die beiden Männer immer noch auf dem Fenstersims standen, wirbelte er herum. Blitzschnell fuhr Jimmy mit deren scharfen Kanten über ihre Fußgelenke. Beide Männer verkniffen sich nur mühsam Schmerzensschreie. Jimmy ließ die Glasscherben fallen und packte die Männer bei den Füßen. Ohne seinen Zugriff wären beide rückwärts auf die Straße gestürzt.

Jimmy schleuderte die Männer über seine Schultern hinweg in den Raum. Sie krachten völlig benommen auf das Bett. Sobald sie gelandet waren, schlugen Felix und Neil zu. Sie warfen Decken über die beiden maskierten Eindringlinge und machten sie so bewegungsunfähig. Felix hatte dabei ein bisschen mehr Schwierigkeiten als sein Vater, aber Jimmy kam ihm zu Hilfe.

Nach weniger als einer Minute gaben die beiden Eindringlinge jeden Widerstand auf. Jimmy griff aus dem Fenster und zog ihr Seil herein. Dann wälzte er die beiden Männer herum und fesselte ihnen damit die Hände. Schließlich setzte er sie Rücken an Rücken auf die Matratze.

»Am besten du gehst und schaust nach, ob es den Mädchen gut geht«, wies er Felix an. »Hol sie zu uns runter. Nur für den Fall.«

Felix sauste aus dem Raum, um seinen Auftrag auszuführen.

»Wer sind die beiden, Jimmy?«, fragte Neil Muzbeke. »Sind die vom *NJ7*? *CIA*? Mafia?«

Jimmy schüttelte den Kopf. »Sicher nicht«, brummte er.

»Wer dann?«

»Fragen wir sie doch einfach.«

KAPITEL 24

Jimmy riss den beiden Männern ihre Skimasken vom Kopf. Zum Vorschein kamen zwei rote Gesichter. Die Männer waren überraschend jung. Vermutlich Anfang oder Mitte zwanzig. Ihre Haare waren zerdrückt und ihr Ego durch die rasche Niederlage sichtlich angeschlagen. Einer war blond und hatte einen flaumigen Bart. Der andere war dunkelhaarig, hatte scharfe Gesichtszüge und wirkte etwas jünger.

»Dafür wirst du bezahlen, Jimmy Coates«, zischte der jüngere Mann. Er sprach perfektes Englisch.

»Wer seid ihr?«, konterte Jimmy. »Und wofür soll ich bezahlen?«

Bevor sie antworten konnten, flog die Tür auf und Georgie stürmte herein, dicht gefolgt von Felix' Mutter.

»Oh, mein Gott!«, kreischte Georgie.

Jimmy war völlig verdutzt, als er das breite Lächeln auf ihrem Gesicht bemerkte.

»Wie geht es Eva? Ist sie hier?«, fragte Georgie.

»Eva?«, erwiderte Jimmy verwundert.

»Eva?«, stöhnten die beiden Männer auf dem Boden. »Eva ist tot.«

Jimmy blickte sie entsetzt an.

Alle erstarrten.

»Und du hast sie getötet«, fauchte der blonde junge Mann.

»Was?« Jimmy fühlte sich, als hätte man ihn in einen Zuber voller Eis geworfen.

»Und deshalb sind wir hier.«

Jetzt war Jimmy restlos verwirrt. »Ich habe keine Ahnung, wovon ihr redet«, sagte er leise.

Er war plötzlich voller Sorge. Was, wenn ihr letztes Zusammentreffen Eva das Leben gekostet hatte? Was, wenn er eine Freundin auf dem Gewissen hatte?

»Jimmy hat niemanden getötet«, erwiderte Georgie rasch. »Und schon gar nicht Eva. Warum sollte er das tun? Sie geht gerade ein großes Risiko ein, um uns zu helfen.«

»Hey!«, schrie Jimmy seine Schwester an. »Vorsicht, was du sagst. Wir wissen doch gar nicht, wer diese Männer überhaupt sind.«

»Natürlich wissen wir das«, erwiderte Georgie. »Das sind Quinn und Rick, Evas Brüder.«

Jimmy starrte sie an. Die kleinen, ineinandergreifenden Zahnrädchen in seinem Gehirn schienen wie von einer zähen Masse verklebt.

»Ich denke, irgendjemand sollte uns erklären, was hier vor sich geht«, schlug Felix' Mutter gelassen vor. »Und könnten wir irgendwas vor das Fenster hängen? Es ist eisig kalt hier drinnen.«

Neil eilte zum Fenster und hängte eine Decke über die leere Vorhangstange. Es machte zwar keinen großen

Unterschied, aber wenigstens blies der Wind jetzt nicht mehr in ihre Gesichter.

»Gut«, fuhr Olivia fort. »Und nun bitte einer nach dem anderen.«

Georgie reagierte als Erste. »Das hier sind Evas Brüder«, begann sie. »Aber ich habe keine Ahnung, was sie hier zu suchen haben. Was tut ihr hier?« Sie drehte sich zu ihnen. »Wer hat euch gesagt, dass Eva tot ist? Sie arbeitet doch für Miss Bennett beim *NJ7*.«

»Was?«, schnaubte Quinn angewidert. Das mickrige Bärtchen auf seinem Kinn zitterte. »Aber Eva wurde doch von euch verschleppt. Und später hat Miss Bennett behauptet, sie wäre tot.«

»Moment, Moment«, unterbrach ihn Jimmy. »Erstens: Eva wurde nicht verschleppt. Sie hat darauf bestanden, mit uns zu kommen, und wir konnten sie nicht loswerden.«

»Hey!«, protestierte Georgie. »Das ist jetzt aber echt gemein von dir.«

»Es ist aber die Wahrheit. Tut mir leid.«

»Na gut, stimmt, das trifft so ziemlich ins Schwarze«, stimmte Felix zu. »Ich konnte sie am Anfang auch nicht so gut leiden.« Dann fügte er rasch hinzu: »Aber inzwischen finde ich, sie ist ziemlich cool. Na ja, ihr wisst schon, für ein Mädchen halt.«

Jimmy war dankbar für Felix' Unterstützung und fuhr mit seiner Erklärung fort.

»Die Einzigen, die Eva wirklich töten könnten, sind die Agenten des *NJ7*«, sagte er vorsichtig. »Vielleicht haben sie herausgefunden, dass eure Schwester auf unserer Seite steht.«

Rick war völlig von den Socken. »Du willst also ernsthaft behaupten, Eva sei immer noch am Leben und arbeite für Miss Bennett beim *NJ7*?«

Jimmy, Georgie und Felix nickten.

Rick und Quinn sahen sich über die Schulter hinweg an. Schließlich brach Quinn das Schweigen.

»Ich kann es einfach nicht fassen.« Tränen rannen über sein Gesicht.

»Warte«, schnaubte sein Bruder. »Woher willst du wissen, ob das die Wahrheit ist?«

»Vertraust du Miss Bennett etwa mehr als diesen Leuten hier?«, antwortete Quinn. »Georgie und Eva waren beste Freundinnen. Wir kennen sie gut.«

»Wir sind immer noch beste Freundinnen«, verbesserte Georgie ihn. »Und ich bin mir sicher, dass Eva noch am Leben ist. Sie ist viel zu clever, als dass sie sich von denen überführen ließe.«

»Ich hoffe, du hast recht«, flüsterte Quinn.

»Rasch«, mahnte Jimmy. »Wir brauchen etwas, um ihre Fußknöchel zu verbinden.«

Er beeilte sich, die beiden Brüder loszubinden, während Felix von dem Sofa im Nachbarraum zwei alte Kissenbezüge holte.

»Ich werde niemals vergessen, wie Miss Bennett sich uns gegenüber aufgeführt hat«, erklärte Quinn. »Wir wussten, dass irgendwas nicht stimmte. Wir konnten nicht herausfinden, wo Eva war oder ob irgendjemand nach ihr suchte. Und keiner hat unsere Fragen beantwortet oder uns in die Nähe von Miss Bennett gelassen, um sie persönlich zu sprechen. Es war unmöglich. Am Ende haben wir dann gedroht, uns an eine Gondel am Londoner Riesenrad zu ketten. Erst dann hat sie endlich eingewilligt, uns zu treffen.«

Jimmy lauschte aufmerksam, während Quinn und Rick ihre Wunden mit den provisorischen Verbänden versorgten.

»Wir haben uns in der Lobby des Hauptquartiers vom Geheimdienst *MI6* getroffen«, fuhr Quinn fort. »In der Lobby, Jimmy! Sie ließen uns nicht mal in ein Büro.«

Jimmy sah die Wut in seinen Augen funkeln.

»Wir sind dann alle dorthin marschiert. Wir beide, Mum und Dad. Alles, was wir wollten, war, einfach ein paar Fragen stellen und genauere Informationen haben. Und dann erzählte sie es uns. Ich kann mich noch genau an ihre Worte erinnern.« Quinns Stimme wurde heiser. Er tat alles, um seine Gefühle zu unterdrücken. »Sie sagte: *Ich habe schlechte Nachrichten für Sie.* Und da war es mir bereits klar. Noch bevor sie den Satz zu Ende brachte. Es war einfach ihr Gesichtsausdruck. So kühl. Und sie blickte keinem von uns in die Augen. *Niemand hat Schuld daran*, erklärte sie. *Es ist eine schreckliche Tragödie. Eva ist tot. Sie starb im Dienst für ihr Land.*« Quinn schüttelte den Kopf. Seine Lippen zitterten. Neben ihm stützte Rick seinen Kopf in die Hände.

»Erst hat niemand von uns etwas gesagt«, erklärte Quinn flüsternd. »Es herrschte einfach fassungsloses

Schweigen. Dann ist Mutter zusammengebrochen. Sie klappte einfach in sich zusammen und Dad musste sie auffangen. Dann begann sie zu schreien. Ich glaube, das habe ich auch getan. Danach ist alles in einer Art Nebel verschwommen. Ich weiß nur noch, dass Rick wie erstarrt neben mir stand und eine unglaubliche Wut hier drin brannte.« Er stieß mit dem Daumen gegen seinen Solarplexus.

Rick nickte zustimmend. »Ich erinnere mich, wie ich etwas schrie«, sagte er. »Aber ich weiß nicht mehr genau, was. Ich war völlig neben der Spur. Möglicherweise wäre ich der Frau an die Kehle gegangen, wenn Quinn mich nicht zurückgehalten hätte.«

»Sie murmelte irgendetwas über psychologischen Beistand, glaube ich«, fügte Quinn hinzu. »Aber wir waren nicht interessiert. Mir war klar, dass ich Mum so schnell wie möglich nach Hause bringen musste. Und dann wollte ich irgendetwas unternehmen, um der Gerechtigkeit Genüge zu tun. Die haben behauptet, Eva wäre für ihr Land gestorben«, höhnte er bitter. »Also beschlossen wir, dass auch jemand für sie sterben sollte.«

Sie blickten zu Jimmy auf, aber dann wechselte ihr Gesichtsausdruck von Wut zu großer Verwirrung. Sie starrten fasziniert in Jimmys Gesicht.

»Du wirkst so menschlich«, sagte Rick. »Ich dachte, du wärst eine Art Maschine oder Roboter.«

Jimmy blickte beiseite. Es tat weh, so etwas zu hören. Es gefiel ihm nicht, wie Rick ihn anstarrte.

»Wir wollten dich töten«, fuhr Rick fort, doch seine Stimme wurde dabei immer sanfter. »Wie konnten wir

nur so dumm sein? Wir können doch kein Kind töten.«
Er wandte sich an seinen älteren Bruder.

»Es tut mir so leid«, erklärte Quinn. »Wir dachten, du
verdienst es nicht anders. Wir haben einfach nur das
geglaubt, was man uns erzählt hat. Bitte gib uns nicht die
Schuld.«

»Er hat jedes Recht, uns die Schuld zu geben«, erwiderte Rick rasch. »Wir hätten es besser wissen müssen.
Es tut mir leid, Jimmy.«

Jimmy nickte peinlich berührt. Es war das erste Mal,
dass jemand ihn zu töten versuchte und sich anschließend dafür entschuldigte. *Aber immer noch besser, sie
entschuldigen sich grundlos, als dass sie mich grundlos
töten,* dachte er.

»Es war nicht euer Fehler«, murmelte Jimmy. »Der
NJ7 ist schuld. Miss Bennett belügt alle, um ihren Willen
und den der Regierung durchzusetzen. Dort sitzt der
wahre Feind.«

Quinn und Rick nickten ernst.

»Ihr könnt heute Nacht bei uns bleiben«, schlug
Georgie vor.

»Nein, ist schon in Ordnung«, erwiderte Quinn. Er
wischte sich übers Gesicht und holte tief Luft. »Wir haben ein Zimmer in einem Hotel. Dort bleiben wir, bis
wir einen Rückflug nach London kriegen. Wenn es eine
Chance gibt, dass Eva noch am Leben ist, müssen wir
wieder nach England und sie finden.«

»Aber falls ihr irgendwann Hilfe braucht«, fügte sein
Bruder hinzu, »könnte ihr uns jederzeit anrufen.«

Die beiden erhoben sich schwankend. Die Schmerzen in ihren Fußknöcheln und ihre Verwirrung ließen sie viel weniger agil erscheinen als bei ihrem Überfall auf Jimmy am Abend zuvor.

Sie blieben nicht mehr lange. Sobald sie sich von allen verabschiedet und erneut mehrfach entschuldigt hatten, waren sie verschwunden.

Die anderen blieben schweigend zurück.

Kurz darauf hatte Neil hinter dem Restaurant ein Stück Pappkarton gefunden und damit das Fenster repariert. Jimmy kehrte die Glassplitter auf. Und schon bald lag er wieder zitternd unter seiner Decke.

Eigentlich hätte er sich jetzt sicherer fühlen müssen. Doch ihm war noch unwohler zumute als zuvor. Ihn beschäftigte nicht nur das, was Quinn und Rick durchgemacht hatten. Da war noch etwas ganz tief in seinem Inneren, wie ein dumpfer Schmerz, das beständig an Intensität zunahm.

Eine Frage ließ Jimmy nicht mehr los: Wie konnte es sein, dass Evas Brüder ihn so rasch gefunden hatten, während es dem *NJ7* bisher nicht gelungen war?

Jimmy riss die Augen auf und seine Pupillen passten sich sofort an das helle Licht an. Seine Lungen saugten Luft ein. *SILVERCUP*. Was sollte das bedeuten? Das Wort hallte in seinem Kopf wider. Dann wurde ihm klar, dass es kein Wort war, es war ein Bild. Selbst mit offenen Augen konnte er es vor sich sehen: *SILVERCUP* – in großen roten, altmodischen Buchstaben geschrieben.

Der obere Rand des Wortes war gerade, während die unteren Enden der Buchstaben eine Art Bogen bildeten.

Jimmy war verzweifelt. Gerade als er dachte, er wäre diese quälenden Bilder in seinem Kopf endlich losgeworden, passierte so etwas. Und diese Vision war so viel stärker als das *K* oder die 53 oder die Regenbogenstreifen. Er rieb sich die Augen und hielt seinen Kopf in den Händen. Vielleicht war er einfach nur übermüdet. Aber je mehr er sich zu entspannen versuchte, desto klarer traten die Buchstaben von *SILVERCUP* hervor. Und es war nicht das allein. Gleich darauf überschwemmte ein weiteres Bild sein Gehirn: vier schlanke, bunt bemalte Türmchen. Unten waren sie rot, in der Mitte weiß und oben wieder rot.

Nein, schrie Jimmy innerlich. *Ich will das nicht.*

Aber sein Gehirn ließ ihn nicht in Ruhe. Da war noch ein weiteres Bild. Und es war verbunden mit dem Gefühl einer tödlichen Bedrohung. Es war eine Ruine; ein verfallenes kleines Schloss aus braunem Sandstein mit gotischen Spitzbögen über den Fenstern. Die Ruine war verlassen und von Efeu überwuchert. Die Pflanze war mindestens so verschlungen wie die Gedanken in Jimmys Kopf. Darin wucherten diese Bilder, krochen in jeden Winkel, besetzten sein ganzes Denken. Er sprang auf und schüttelte sich heftig.

»Beruhige dich«, zischte er leise und versicherte sich wieder und wieder, dass dies alles nur in seiner Vorstellung existierte, auch wenn er es selbst nicht glaubte. Diese Bilder fühlten sich realer an als der ihn umgebende

Raum. Sie überlagerten alles andere: *SILVERCUP*, vier rot-weiße Türmchen, eine Ruine. Jimmy zitterte.

»Was ist los mit dir?«, fragte Felix. »Wie viel Uhr ist es?«

Jimmy antwortete nicht. Schweigend lief er hinüber in den Nebenraum.

Felix folgte ihm und ließ seinen schnarchenden Vater zurück.

Jimmy marschierte in dem Zimmer auf und ab wie ein Raubtier im Käfig.

»Alles in Ordnung bei dir?«, fragte Felix, immer noch leicht benommen vom Schlaf.

Das einzige Licht im Raum stammte von den Neonreklamen vor dem Fenster. Sie warfen merkwürdige Schatten auf die Wände und verliehen den Gesichtern der beiden Jungen etwas Dämonisches.

»Noch mehr Bilder«, keuchte Jimmy.

Die Visionen waren so übermächtig, dass er kaum richtig sprechen konnte. Stattdessen ging er zurück, um sein Notizbuch und die Stifte zu holen, die er unter der Matratze versteckt hatte. Als er wiederkehrte, begann er wie besessen zu zeichnen, den Kopf seitlich geneigt und die Augen starr auf das Papier geheftet. Sobald eine Seite voll war, blätterte er zur nächsten um und zeichnete weiter.

Felix blickte ihm über die Schultern. »*SILVERCUP*? Was soll das bedeuten?«

Jimmy schüttelte verzweifelt den Kopf. »Woher soll ich das wissen?«, stammelte er. »Letztes Mal habe ich mir eingebildet, meine Visionen würden mich davor warnen, dass ein Mordanschlag auf den Präsidenten verübt wird.«

»Aber das war doch richtig, oder?«

»Schon. Nur, der Killer war ich selbst.« Jimmy sprang auf und schleuderte sein Notizbuch zu Boden. »Wer weiß, zu was dieser neue Kram mich zwingen wird.«

Felix versuchte, Jimmy zum Hinsetzen zu bewegen, aber sein Freund ließ sich nicht beruhigen.

»Du verstehst das nicht!«, flüsterte Jimmy außer sich. »Es fühlt sich an, als würden irgendwelche fremden Leute da oben drin sitzen.« Er klopfte gegen seinen Schädel. »Sie kontrollieren mich. Bringen mich dazu, etwas zu tun, was ich nicht will. Ich halte das alles nicht mehr aus.« Seine Augen waren rot gerändert. »Ich muss das endlich stoppen!« Plötzlich sank Jimmy auf die Knie und schrie schmerzerfüllt auf.

»Was ist?«, fragte Felix zutiefst besorgt. »Alles in Ordnung?«

Jimmy presste die Hände gegen die Schläfen.

»Eine weitere Attacke?« Felix rannte zum Waschbecken und holte ein Glas Wasser. Seine Hände zitterten und er verschüttete einen Teil des Wassers.

Jimmy nahm das Glas und kippte es in einem Schluck hinunter. Dann warf er sich nach vorne auf Hände und Knie.

»Danke«, schnaufte er. »Es tut mir leid.«

»Ist schon in Ordnung«, flüsterte Felix. »Das bist nicht du. Es ist nicht dein Fehler.«

Jimmy wischte sich mit dem Ärmel über das Gesicht und richtete sich langsam wieder auf. Er starrte aus dem Fenster und holte tief Luft. Als er sprach, war seine Stimme kaum zu verstehen. »Was auch immer dazu erforderlich ist, ich muss das endlich stoppen.«

Dann ertönte hinter ihnen eine tiefe, klare Stimme. Es war eine alte Stimme mit einem vornehmen englischen Akzent.

»Ich glaube, ich kann dir dabei helfen.«

Jimmy und Felix fuhren herum.

Die Tür des Apartments stand offen. In der Türöffnung stand ein Mann, von dem keiner der beiden erwartet hätte, ihn je wiederzusehen.

KAPITEL 25

Jimmy wurde übel. Ein dicker Kloß saß in seinem Hals.

»Sind Sie denn nicht ...«, japste Felix. Er brachte den Satz nicht zu Ende.

Vor ihnen stand ein großer Mann, dessen ausgemergelter Körper in einen dicken Wollmantel gewickelt war. Das Kleidungsstück roch muffig. Um seinen Hals war ein gestreifter Schal geschlungen und er trug eine dicke Wollmütze tief über die Augen gezogen. Trotzdem handelte es sich unverkennbar um Doktor Kasimit Higgins.

Er war jener Wissenschaftler, der vor vielen Jahren das *NJ*7-Team geleitet hatte und für die Entwicklung genetisch veränderter Agenten beauftragt gewesen war.

Jimmy straffte sich.

»Wo ist denn Ihr feiner weißer Mantel, Doktor?«, fragte er sarkastisch.

»Bitte nicht so feindselig, Jimmy«, krächzte Dr. Higgins. »Was auch immer du denkst, das Einzige, was mich angetrieben hat, war der Wunsch, etwas wirklich Großartiges zu erschaffen. Und ich bin mir nicht mal sicher, ob mir das nicht sogar gelungen ist.«

Seine Augen glitzerten, aber in dem hellen Neonlicht konnte man sehen, dass seine Wangen eingefallen waren und die Augen tief in ihren Höhlen lagen. Die Furchen in seinem Gesicht wirkten wie Abgründe.

»Der *NJ7* hat Sie also noch nicht geschnappt«, stellte Jimmy wütend fest.

»Und das werden sie auch nie«, erwiderte Dr. Higgins. »Sie haben mich trainiert. Jemanden wie mich werden sie niemals fangen. Ich bin ein Phantom.«

Seine blutleeren Lippen spalteten sich zu einem Lächeln und gaben den Blick auf seine schwarz-gelben Zähne frei. Er machte einen Schritt in den Raum hinein.

»Bleiben Sie stehen«, befahl Jimmy.

Dr. Higgins erstarrte. »Ich habe keine Angst«, flüsterte er. »Du kannst mir nichts tun, Jimmy. Das weißt du.«

Jimmy bewahrte eine ausdruckslose Miene. Es kostete ihn all seine Kraft. Die Konditionierung erfüllte ihn mit einem warmen Gefühl, das seinen Ärger dämpfte. Es war fast so, als wolle es ihn glücklich über das unverhoffte Wiedersehen machen – gegen sein eigenes besseres Wissen.

»Aber«, fuhr der Doktor fort, »du solltest ebenfalls wissen, dass auch ich dir niemals etwas zuleide tun könnte. Du bist meine größte Schöpfung.«

»Raus hier«, wiederholte Jimmy. *Ich bin niemandes Schöpfung, nur meine eigene,* dachte er. »Verschwinden Sie und verursachen Sie woanders weiter Unglück. Denn *ich* möchte Sie niemals wiedersehen.«

»Ich bin hier, um zu helfen. Willst du denn nicht wissen, was mit dir geschieht?«

Jimmy fehlten die Worte. Sein Herz hüpfte bei der

Aussicht, zumindest ein paar Antworten zu erhalten. Aber er hatte keine Lust, diesem Mann seine Gefühle zu offenbaren.

»Du hast Visionen«, fuhr Dr. Higgins fort. »Bilder. In deinem Kopf. Habe ich recht?«

Jimmy verzog keine Miene.

»Und er hat Anfälle«, platzte Felix heraus.

»Ich wusste es!« Dr. Higgins strahlte. »Und Kopfschmerzen, richtig? Sie zucken wie Blitzschläge direkt in dein Gehirn.« Er tippte mit dem krummen Zeigefinger gegen seine Schläfe. Seine andere Hand behielt er in der Tasche.

»Was geschieht mit mir?«, keuchte Jimmy heiser. Seine Neugier überwog zuletzt doch. Er kämpfte mit den Tränen.

Dr. Higgins' Blick zuckte durch den Raum. »Nicht hier«, flüsterte er. »Möglicherweise hören sie uns ab.«

Ein Schauder überlief Jimmy. »Sie leiden unter Verfolgungswahn«, erklärte er. »Dies ist ein sicherer Unterschlupf.«

Dr. Higgins hob eine Augenbraue. »Du wirst nicht mehr so überzeugt sein, dass dieser Ort sicher ist, sobald du gehört hast, was ich zu sagen habe«, verkündete er. »Und was ist das für ein sicherer Unterschlupf, in den ein alter Mann mit schwachen Augen und nur einer Hand problemlos eindringen kann?«

Er zog beide Hände aus den Taschen. In seiner Linken hielt er ein Stück Draht, mit dem er offensichtlich sämtliche Schlösser geöffnet hatte. Seine andere Hand war unter dem dicken gelblichen Verband kaum zu erkennen.

Jimmy sah weg. Er war selbst Zeuge gewesen, wie Dr. Higgins mit Mitchells Bruder experimentiert hatte. Der alte Mann hatte dabei seine Hand übel mit dem eigenen Laser verbrannt.

»Und was für eine Art von sicherem Unterschlupf ist es«, fuhr der Doktor fort, »wenn zwei untrainierte Jungs dir hierher folgen und dich angreifen können. Nicht nur einmal, sondern gleich zweimal?«

Jimmy schluckte.

»Ja, ich habe sie gesehen«, sagte Dr. Higgins. »Ich habe alles genau beobachtet.«

»Aber wenn Sie uns finden können, und wenn Evas Brüder uns finden konnten«, überlegte Felix, »wie kommt es dann, dass der *NJ7* uns nicht aufspürt?«

»Oh, das könnte er sehr wohl«, flüsterte Dr. Higgins. »Wenn er denn überhaupt nach euch suchen würde.«

Felix und Jimmy blickten einander an und wurden mit jeder Sekunde unsicherer.

»Also, wollt ihr hören, was ich zu sagen habe?«, fragte der Doktor.

Jimmys Kopf nickte, noch bevor er wirklich nachgedacht hatte.

»Gut«, sagte der Doktor. »Draußen wartet ein Taxi auf uns!«

»Felix«, sagte Jimmy eilig, während er in seine Jeans schlüpfte und einen Pullover überstreifte, »du bleibst hier. Kümmere dich um deinen Dad.«

»Was?«, protestierte sein Freund. »Du kannst doch nicht einfach gehen!«

»Ich werde bald zurück sein.«

»Das hat deine Mum auch gesagt.«

Jimmy zögerte. War es verrückt von ihm, ganz alleine mit Dr. Higgins in die Nacht hinauszuspazieren? Vielleicht. Aber Jimmy brauchte Antworten. Außerdem war er überzeugt, dass Dr. Higgins einfach zu stolz auf seine eigene Schöpfung war, als dass er ihm etwas zuleide tun würde. Jimmy bemühte sich, Felix anzulächeln, und packte beruhigend seine Schulter.

Felix schüttelte besorgt den Kopf. »Sei vorsichtig«, flüsterte er. »Und komm lebend wieder zurück.«

»Der *NJ7* sucht dich nicht mehr, weil er die Kontrolle über dich hat. Zumindest glaubt er das«, verkündete Dr. Higgins.

»Was?«, schnaubte Jimmy fassungslos. Doch tief in seinem Inneren wusste er, dass der Doktor recht haben musste. Genauso fühlte es sich an. Jemand *war* da in seinem Kopf und versuchte, ihn gegen seinen Willen zu etwas zu zwingen.

Das Taxi hatte sie einige Straßen weiter am Bahnhof Grand Central Station abgesetzt. Und es bedurfte jetzt Jimmys ganzer Konzentration, um Dr. Higgins folgen zu können. Der alte Mann war vielleicht mitgenommen und gekrümmt, aber er bewegte sich rasch und entschlossen. Sie marschierten direkt zu der *Grand Central Oyster Bar* im Untergeschoss des Bahnhofsgebäudes.

Das Lokal lag zwei Stockwerke unter der Haupthalle, außer Reichweite jeder Satellitenüberwachung, und die gekachelten Wände machten es fast unmöglich, ihre Unterhaltung abzuhören.

»Und sobald sie glauben, die vollständige Kontrolle über dich zu haben«, fuhr Dr. Higgins fort, »kommen sie nach Chinatown und schnappen sich deine Freunde. Dieser Unterschlupf ist kein gutes Versteck. Zu viele Leute gehen täglich ein und aus. Nachdem wir hier fertig sind, holst du sie alle dort raus.«

Jimmy wusste nicht, wie er reagieren sollte. Dr. Higgins sprach ganz beiläufig, trotzdem bohrten sich seine Worte wie Dolche in Jimmys Herz. Panisch überlegte er, wohin sie gehen könnten. Er verfluchte die *CIA*, dass sie sich so viel Zeit mit allem ließen. Gleichzeitig war ihm klar, dass es keine leichte Aufgabe sein konnte, ihnen allen eine neue Identität zu verschaffen.

»Willst du die nicht essen?«, fragte Dr. Higgins. Er deutete auf den Teller mit einem Dutzend roher Austern vor Jimmy.

Jimmy hatte keinen Appetit. Schon gar nicht auf ein Essen, das aussah wie ein gigantischer Schleimbatzen.

Die Bar mit ihren gekachelten Kuppeln ähnelte einer antiken Katakombe. Es schien, als könnte sie jeden Moment eine Schar Fledermäuse umflattern. Der Raum war düster und das von den weißen Tischen reflektierte Licht beleuchtete die Gesichter der Gäste von unten. Das Lokal war spärlich besetzt. *Wer will auch schon mitten in der Nacht Austern essen?*, überlegte Jimmy.

Der Doktor griff über den Tisch und schnappte sich eine Auster nach der anderen von Jimmys Teller.

»Ich liebe diese Muscheln. Mir bleibt auch nicht viel anderes übrig. Es ist eines der wenigen Gerichte, das man auch gut mit einer Hand essen kann.« Er wedelte mit seinem Verband vor Jimmys Gesicht herum.

»Klar, aber es ist ein bisschen früh für Frühstück«, murmelte Jimmy.

Ein Klumpen ballte sich in seinem Magen zusammen. Er wollte keine Zeit verlieren und seine Freunde so schnell wie möglich in Sicherheit bringen.

Dr. Higgins schlang eine weitere Auster hinunter, riss ein Beutelchen Tabascosauce mit den Zähnen auf und verspritzte es mit etwas Zitronensaft über seinen Teller.

»Als mir die plötzlichen Störungen in der Energieversorgung Englands und Amerikas auffielen«, erklärte er leise flüsternd, »habe ich Verdacht geschöpft. Dann gab es diese Unterbrechung im Funknetzwerk, das viele Flugzeuge zum Landen zwang. Irgendetwas musste das Netzwerk gestört haben. Und üblicherweise steckt da immer ein Geheimdienst dahinter.« Er wischte sich mit dem Ärmel über den Mund, dann schlürfte er eine weitere Auster. Zitronensaft rann sein Kinn hinab, aber es fiel ihm nicht auf. Er war zu sehr in seine Erzählung vertieft.

»Und als ich von den Ereignissen heute Nachmittag erfuhr, war mir klar, dass du in der Stadt sein musst. Aber warum solltest du versuchen, den Premierminister zu töten? Das war das Einzige, was mich verwirrte. Ich dachte, sicherlich hat es der *NJ7* auf den amerikanischen Präsidenten abgesehen, in der Hoffnung, dass ihnen eine neue Regierung freundlicher gesonnen ist und ihren Krieg gegen Frankreich unterstützt. Aber warum sollten sie den Premierminister töten? Dann wurde mir klar, etwas musste schiefgelaufen sein. Du warst nicht wegen des Premierministers dort, oder?«

Jimmy blinzelte völlig benommen angesichts der Flut an Informationen.

»Ich wusste es!«, rief der Doktor. »Du warst dort wegen des Präsidenten! Und sobald ich das durchschaut hatte, war mir klar: Der *NJ7* musste ein Signal geschickt haben, um dich zu manipulieren. Verdammt clever.«

»Ein Signal?« Jimmy versuchte mit Dr. Higgins' Ausführungen Schritt zu halten, aber der Mann redete so schnell und so leise, dass Jimmy immer wieder den Faden verlor.

»Ich habe nur noch nicht herausgefunden, wie sie ein starkes Signal in einem so großen Bereich senden können. Man braucht dazu ein ganzes System von Übertragungsstationen.«

»Der Mobilfunkmast ...«, stöhnte Jimmy.

Endlich kapierte er. Jimmy erinnerte sich an den Mast auf dem Dach des Museums und was dieser bei ihm ausgelöst hatte.

»Ja, genau«, zischte Dr. Higgins. »Natürlich. So haben sie es gemacht.«

»Und sie tun es immer noch«, verkündete Jimmy.

»Tut mir leid, Jimmy. Ich bin ein kleines bisschen

schwerhörig. Sagtest du, dass sie immer noch ein Signal senden?«

Jimmy zog einen roten Filzstift aus seiner Tasche. Er schnappte sich eine Papierserviette und zeichnete die vier Türmchen mit ihrer Bemalung: rot an der Basis, weiß in der Mitte und dann wieder rot an der Spitze.

»Diese Bilder sind neu«, erklärte Jimmy. »Und ich kriege sie nicht mehr aus meinem Kopf. Was soll das diesmal bedeuten?«

Neben die Türmchen skizzierte er die Ruine, dann schrieb er SILVERCUP in dieser altmodischen Schrift. Nie zuvor hatte er Schriften so exakt wiedergeben können. Er drückte so fest auf, dass die Serviette an einigen Stellen zerriss.

»Ich habe keine Ahnung, was das bedeuten soll, Jimmy«, seufzte der Doktor. »Und das ist ein ganz neues Signal?«

»Sehen Sie hier«, erwiderte Jimmy nickend. Wütend zog er sein Notizbuch aus der Hosentasche und klatschte es vor sich auf den Tisch. »Erst habe ich tagelang nur diese Bilder hier gesehen.« Er blätterte die ersten Seiten auf. »Und erst als es beinahe zu spät war, wurde mir klar, dass sie mich dazu zwingen wollten …«, er senkte die Stimme, »Sie wissen schon, den Präsidenten zu töten. Aber was in aller Welt sollen dann diese Bilder hier bedeuten?« Er blätterte zu den aktuellsten Zeichnungen. »Ich muss es herausfinden, bevor ich …« Er verstummte, da er sich lieber nicht vorstellen wollte, zu was ihn die Bilder dieses Mal zwingen würden.

»Entspann dich«, drängte Dr. Higgins. »Du hast deiner Programmierung jetzt schon einige Male widerstanden. Du wirst es auch diesmal schaffen.« Er musterte Jimmy lange. Seine Augen waren rätselhaft glitzernde graue Punkte. »Wenn du älter bist, wirst du dazu nicht mehr imstande sein. Aber ist dir denn gar nicht klar, wie erstaunlich es ist, dass es dir überhaupt gelungen ist? Du bist ein sehr bemerkenswerter Junge, Jimmy. Die Hardware in dir ist tausend Mal komplexer als ein Supercomputer. Sie kontrolliert das Wachstum deines organischen Materials nach einer exakt ausgetüftelten Formel. Und dabei hat sie es nicht mit einem einfach zu bearbeitendes Material wie Metall zu tun. In dir steckt kein bisschen Metall.«

Jimmy überlegte einen Moment. Irgendwie passte das nicht mit dem zusammen, was seine Mum ihm erzählt hatte.

»Was ist mit dem Chip?«, fragte er.

»Welcher Chip?«, fragte Dr. Higgins. »Du meinst den Chip, der durch Mikroimpulse deine DNA verändert hat? Natürlich hatte dieser Chip metallische Bestandteile, aber schließlich befindet er sich ja nicht in deinem Körper, oder?«

»Aber meine Mum hat mir erzählt, dass mir vor meiner Geburt der Chip implantiert wurde, um meine Entwicklung zu steuern.«

»Ach, deine Mum.« Erneut seufzte der Doktor, lehnte sich zurück und starrte eine Weile ins Leere. »Also, Jimmy, ich befürchte, dass ich ihr da vor Jahren eine kleine Lüge aufgetischt habe. Es ist so wichtig für eine Mutter, das Gefühl zu haben, ihr Kind sei einzigartig.«

Eine weitere Lüge, dachte Jimmy. *Warum bin ich nicht im Mindesten überrascht?* Ein bitterer Geschmack machte sich in seinem Mund breit. *38 Prozent Mensch und 99 Prozent Lügen.*

»Dein Körper könnte niemals einen Chip assimilieren«, fuhr Dr. Higgins fort. »Er hätte ihn abgestoßen. Und wozu sollte dieser Chip auch gut sein? Schließlich ist es deine DNA, die dein Wachstum steuert, und diese war bereits vorprogrammiert.«

»Also ist gar kein Chip in mir?«

»Nein.«

»Wo ist er dann?«

Dr. Higgins blieb ihm die Antwort schuldig.

KAPITEL 26

Für einen Augenblick starrte Dr. Higgins vor sich hin wie ein verwirrtes Kleinkind. *Lässt ihn etwa sein enormer Intellekt im Stich?*, fragte sich Jimmy. Dieser Mann erinnerte sich an so viel, und doch hatte er keine Ahnung mehr, wo sich dieses so entscheidende Stück militärischer Hardware befand. Der alte Mann schüttelte sich kurz, dann nahm er sich erneut Jimmys Notizbuch vor, um von seinen geistigen Lücken abzulenken.

»Ich kann mir keinen Reim auf diese Bilder machen, Jimmy«, murmelte er, während er seine letzte Auster schlürfte. »Aber höchstwahrscheinlich ist es eine Falle. Sie wollen dich irgendwohin locken, um dich zu beseitigen. Es ist besser, wenn du gar nicht weißt, was das alles bedeutet.«

»Sie sind völlig nutzlos!«, schrie Jimmy. »Das ist alles in meinem Kopf.« Er sprang abrupt von seinem Stuhl auf, der hinter ihm zu Boden krachte.

Seine Worte hallten in der Bar wider. Die beiden einsamen Gäste am anderen Ende des Raumes hoben kurz den Blick und schüttelten dann den Kopf.

Die Kellnerin kam herüber und wischte sich die Hände an der Schürze ab. Sie war eine kleine Frau mittleren

Alters, mit einem Bleistift hinterm Ohr und offensichtlich schlechter Laune.

»Alles in Ordnung hier?«, knurrte sie mit breitem New Yorker Akzent.

Jimmy lächelte unschuldig. Er stellte seinen Stuhl wieder auf und setzte sich.

Die Kellnerin sammelte ihre leeren Teller ein, dann stutzte sie, als sie Jimmys Serviette entdeckte. »Hast du das gemalt?«, fragte sie barsch.

Jimmy nickte.

»Du magst also *Big Allis*, hä?«, fragte die Kellnerin.

»Welche Alice?« Jimmy zuckte mit den Achseln.

»Du weißt schon«, erwiderte die Kellnerin. »Dieses Gebäude mit den Türmchen.« Sie hielt die Serviette hoch und deutete auf die roten und weißen Türmchen. »Das große Elektrizitätswerk drüben in Brooklyn. Aber es sieht ganz so aus, als hättest du das von der Seilbahn aus gezeichnet, die rüber nach Roosevelt Island fährt. Richtig? Hast du's dort gesehen?«

Jimmy nickte langsam.

»Wusst ich's doch, dass ich recht habe«, strahlte die Kellnerin. »Jeder echte New Yorker kennt diesen Ausblick.«

Sie wollte gerade gehen, da entdeckte sie etwas auf der anderen Seite der Serviette. »Hey«, rief sie mit einem erfreuten Grinsen. »Du hast ja auch die Ruine unten am südlichen Zipfel der Insel gemalt. Bist ein talentierter Knabe.« Sie zwinkerte ihm zu und wandte sich zum Gehen.

Jimmy sog die Luft ein. *Roosevelt Island.* Dahin wollten sie ihn also führen.

»Wenn du dorthin gehst, wirst du sterben«, flüsterte Dr. Higgins, der Jimmys Miene studierte.

Jimmy starrte ins Leere.

»Vielleicht ist das der einzige Weg, wie ich das Ganze beenden kann«, krächzte er.

Der Doktor erwiderte etwas, doch Jimmy ignorierte es. In seinem Kopf blitzte immer wieder das Wort *SILVER-CUP* auf, wie eine dieser Neonreklamen über den Imbissläden in Chinatown. Er sah die Ruine vor sich. Er sah die Türmchen, die zum *Big-Allis*-Elektrizitätswerk gehörten. Die Bilder tanzten vor seinem inneren Auge.

»Es wird niemals enden«, zischte Jimmy. »Wir werden immer auf der Flucht sein. Jeden Tag. Wir werden ständig in Gefahr schweben. Selbst wenn uns die *CIA* versteckt, werden wir für den Rest unseres Lebens Angst haben. Und ich werde Schmerzen leiden. Sie können mich damit bis in alle Ewigkeit foltern.« Er legte den Kopf in die Hände und umklammerte seinen Schädel.

»Jimmy …« Dr. Higgins versuchte ihn zu unterbrechen, doch Jimmy ging zu viel durch den Kopf, um ihm weiter Aufmerksamkeit zu schenken.

»Meine Freunde«, murmelte er, »meine Familie. Ich muss das in Ordnung bringen. Es ist alles meine Schuld.« Doch sobald er die Worte ausgesprochen hatte, zuckte er zusammen. »Nein, Moment.« Er richtete sich auf und wandte sich an Dr. Higgins. »Es ist nicht alles meine Schuld, oder?«

»Jimmy«, begann der Doktor, und plötzlich hatte sein Gesicht einen traurigen Ausdruck. »Wenn ich gewusst hätte, dass ...«

»Das ist keine Entschuldigung«, unterbrach ihn Jimmy. »Sie hätten es wissen müssen.«

»Du bist grausam.«

»Aber ich habe recht.«

»Ja«, gab Dr. Higgins zu. Er ließ den Kopf hängen, wodurch sein Nacken sichtbar wurde, dessen Haut eine gräuliche Farbe hatte. »Man sagt, die Zeit sorgt für Gerechtigkeit«, flüsterte er. »Aber manchmal muss man der Zeit ein bisschen nachhelfen.« Er zögerte und starrte auf den Tisch. »Du solltest mich töten. Ich verdiene es.«

»Was würde das ändern?«, fauchte Jimmy.

»Vielleicht ja den Lauf der Welt?« Dr. Higgins hob leicht den Kopf und grinste schief.

Jimmy wurde übel. Wie konnte der Mann nur dämliche Witze reißen, wenn hier Leben auf dem Spiel standen?

Mit frischer Energie warf Dr. Higgins den Kopf zurück und kippte den Rest seines Cidre herunter.

»Ah«, seufzte er. »Nichts ist besser als Austern mit einem Schluck kühlem Cidre.«

Jimmy war jetzt so wütend, dass er am liebsten den Kopf des alten Mannes auf den Tisch gedonnert hätte. Er spürte, wie sein Zorn in jeden seiner Muskeln kroch. Aber dann wischte Dr. Higgins den Mund mit seinem Ärmel ab und Jimmy erstarrte. Er ließ diese Geste noch einmal vor seinem inneren Auge ablaufen und studierte dann das Gesicht des alten Mannes.

»Wer ist mein …« Jimmy hatte einen Kloß im Hals.
»Wer ist mein Vater?«

Jimmys Herz pochte wie verrückt.

Dr. Higgins starrte ihn an, sichtlich verwirrt. Es dauerte ein paar Sekunden, bis er antwortete. Es waren die längsten Sekunden in Jimmys Leben.

»Ich verstehe«, erwiderte der Doktor in quälender Langsamkeit. Seine Augen öffneten sich weit. »Ich hätte nicht erwartet, einmal darauf antworten zu müssen.«

»Es ist nicht …«, stammelte Jimmy.

»Es ist nicht Ian Coates«, ergänzte Dr. Higgins rasch. »Du weißt das vermutlich bereits und das ist sicher auch der Grund für deine Frage.«

Jimmy nickte. Er spürte, wie seine Unterlippe zitterte, und er hasste sich selbst dafür.

»Dein biologischer Vater ist tot«, verkündete der alte Mann.

»Belügen Sie mich nicht!«, rief Jimmy und packte den Doktor am Kragen.

»Es ist die Wahrheit, Jimmy. Wirklich.«

Jimmys Arm erschlaffte.

»Was ist mit meiner Mutter«, murmelte er. »Ist sie …« Er unterbrach sich. Hitze stieg in seiner Brust empor. Wenn er fortfuhr, würde er anfangen zu heulen, und diesen Gefallen wollte er Dr. Higgins nicht tun.

»Sie ist deine Mutter«, erwiderte der Doktor rasch. »Mach dir keine Sorgen. Natürlich ist sie deine Mutter.«

Jimmy ließ sich nach vorne auf den Tisch sinken. Hoffentlich war ihr nichts zugestoßen. Er konnte nur beten, dass sie bei seiner Rückkehr nach Chinatown dort auf ihn warten würde.

»Also, wer ist es?« Er hob den Kopf vom Tisch und versuchte, wieder die unbeeindruckte äußere Fassade zu wahren. »Wer ist mein Vater?«

Dr. Higgins schwieg. Aber er schnappte sich Jimmys Stift und griff sich eine weitere Papierserviette. Er kritzelte etwas darauf, verbarg es aber vor Jimmys Blick. Dann faltete er die Serviette und schob sie über den Tisch. Doch seine Finger ließen sie noch nicht los.

»Dein Vater ist tot, Jimmy«, wiederholte er, diesmal noch langsamer. »Ich habe seinen Namen auf diese Serviette geschrieben. Es bleibt dir überlassen, ob du ihn dir anschaust.«

Jimmy hatte keine Geduld für solche Spielchen. Er griff nach dem Papier. Doch der Doktor zog es weg.

»Einen Moment«, beharrte Higgins. »Es bringt große Gefahr mit sich, wenn du diesen Namen liest, Jimmy.« Er holte tief Luft.

Jimmy starrte ihn an, unsicher, ob er ihm weiter zuhören oder sich einfach die Serviette schnappen und wegrennen sollte.

»Du hast deine Programmierung schon so viele Male überwunden«, fuhr der Doktor fort. »Und das unter äußerst schwierigen Umständen. Damit hast du mir etwas bewiesen, das ich niemals für möglich gehalten hätte.«

»Und das wäre?« Jimmy klang jetzt kleinlaut.

»Du hast das Potenzial, dein eigener Herr zu werden. Du bist nicht wie Mitchell. Nach allem, was ich gesehen und gehört habe, wird er jeden Tag ein wenig mehr zum willenlosen Objekt seiner Konditionierung. Aber du, du stellst die Regeln auf den Kopf, Jimmy. Doch von jetzt an wird es immer härter für dich. Deine Kräfte haben sich bereits so weit und so rasch entwickelt, dass sie immer stärker in dir werden und bald ganz die Regie übernehmen. Wenn du sie weiter im Griff halten willst, dann gibt es nur einen einzigen Weg: Du musst jeden Tag hart darum kämpfen, dein eigenes Schicksal zu bestimmen.«

Sein Blick schien Jimmy zu durchbohren.

»Übernimm die Verantwortung für deine Handlungen«, drängte Dr. Higgins. Sein Flüstern schien jedes andere Geräusch im Lokal auszublenden. »Übernimm die Kontrolle. Vielleicht gelingt es dir dann, dem Schicksal zu entgehen, das ich in deinen Genen festgelegt habe.«

Der Alte machte eine Pause und blickte hinab auf die Serviette. Seine Fingerspitzen waren weiß und drückten härter und härter auf das Papier, nagelten die wahre Identität von Jimmys Vater fest.

»Wirst du dazu noch imstande sein, Jimmy, wenn du den Namen deines genetischen Vaters erfährst? Wenn du dich ständig selbst daraufhin überprüfst, ob du dich in ihn verwandelst? Wenn du beständig dem Schatten deines Vaters zu entgehen versuchst?«

Mit quälender Langsamkeit hob er die Finger von der Serviette. Da lag sie, säuberlich gefaltet. Die Buchstaben leuchteten verschwommen durch das dünne Papier, zu schwach, um lesbar zu sein. Sie glich eher einem blutbefleckten Verband. Jimmy konnte den Blick nicht davon abwenden.

»Lass dir etwas Zeit«, riet ihm Dr. Higgins mit trauriger Miene. »Denk darüber nach. Aber übernimm immer die Verantwortung für deine Handlungen. Lies den Namen nur, wenn du wirklich glaubst, dass du die Identität eines anderen Mannes benötigst, um deine eigene zu definieren.«

Mit spitzen Fingern hob Jimmy die Serviette hoch und drehte sie um. Das Papier fühlte sich rau und kalt an. Jimmy konnte kaum fassen, dass er es in den Händen hielt, ohne sofort den Namen zu lesen. Er dachte immer noch über das nach, was Dr. Higgins ihm gesagt hatte, darüber, sein eigener Herr zu werden. Und wenn ihm das gelang, dann spielte die Identität seines Vaters keine Rolle. *Ich brauche es eigentlich nicht zu wissen*, dachte er bei sich. *Aber warum möchte ich es trotzdem so gerne wissen?*

Seine Hand zitterte leicht, als er die Serviette in die Gesäßtasche seiner Jeans schob. Er konnte sie dort fühlen, brennend heiß. Dann nahm er den Stift aus Dr. Higgins' Hand und kritzelte rasch etwas in sein Notizbuch.

»Doktor Higgins«, sagte er in geschäftsmäßigem Ton. »Tun Sie mir bitte einen Gefallen?«

»Ach, tun wir einander inzwischen schon Gefallen, ja?«

»Bringen Sie das zurück nach Chinatown«, bat Jimmy. »Geben Sie es Felix. Es ist sehr wichtig.«

Jimmy erhob sich abrupt und reichte dem Doktor sein Notizbuch, wobei der Stift auf den Tisch fiel. Er wollte gerade losrennen, da drehte er sich noch einmal um und steckte seine Hand in die Schüssel mit Ketchup-Tüt-chen.

»Was machst du da?«, fragte Dr. Higgins.

Jimmy packte eine Faust voller Plastikpäckchen mit Ketchup ein, dann rannte er los.

»Wo willst du hin?«, schrie ihm der Doktor hinterher.

Jimmys Antwort hallte durch die unterirdischen Ge-wölbe, noch lange nachdem er außer Sichtweite war: »Ich übernehme die Verantwortung für meine Handlungen.«

Dr. Higgins legte seine bandagierte Hand auf Jimmys Notizbuch, während er den sich entfernenden Schritten des Jungen lauschte. Er war tief in Gedanken versunken.

»Warte«, flüsterte er.

Die Kellnerin schüttelte den Kopf. In ihren Augen war dieser graue Mann mit seiner Wollmütze nur ein weiterer seniler alter Knacker.

»Wenn der *NJ7* das Mobilfunknetz benutzt«, fuhr Dr. Higgins leise fort, »dann funktioniert das vielleicht in England. Aber hier brauchen sie Zugang zu den US-Netzwerken und …«

Ein Ausdruck des Entsetzens malte sich auf sein Ge-sicht. Er sprang auf, so kraftvoll wie seit einem halben Jahrhundert nicht mehr.

»Jimmy, warte!« Seine Worte hallten durch den Raum. Doch es war zu spät. Der Junge war bereits verschwunden. Er hörte niemals die letzte Warnung des alten Mannes:

»*Die anderen* stecken dahinter!«

KAPITEL 27

Jimmy rannte durch die imposante Bahnhofshalle. Seine Sportschuhe quietschten auf dem gekachelten Boden. Er wünschte, er hätte die Zeit gehabt, das Gebäude mit seinen hohen Kuppeldecken und den orangefarben schimmernden Wänden zu bewundern. Doch er fühlte sich mehr denn je getrieben. Die Bilder flackerten in seinem Kopf. Das machte ihn wütend. Er wollte sie endlich loswerden. Und er wusste auch schon, wie: Er würde sie einfach die Kontrolle übernehmen lassen. Wenn Miss Bennett ihn in eine Falle des *NJ7* auf Roosevelt Island locken wollte, dann würde er genau dorthin gehen.

Obwohl es immer noch früh am Morgen war, waren bereits viele Pendler unterwegs. Jimmy bahnte sich einen Weg durch die Menge. Am Informationsschalter in der Mitte der Halle verlangsamte er sein Tempo ein wenig, streckte den Arm aus und schnappte sich einen Stadtplan aus dem Ständer. Er warf im Vorbeieilen einen raschen Blick auf die goldene Bahnhofsuhr, aber sie war stehen geblieben. Woher sollte er wissen, wann der *NJ7* ihn erwartete? Ihm blieb nur, sich auf seine Instinkte zu verlassen.

Er preschte hinaus auf die Straße. Es herrschte eine

unheimliche Stille. Die hohe Luftfeuchtigkeit benetzte die Karte, als er sie entfaltete. Und es fühlte sich an, als würde die kalte Nässe bis in sein Innerstes kriechen. Er fand Roosevelt Island ohne Probleme. Eine kleine Insel zwischen Manhattan und Queens. Sie sah aus wie ein riesiges Unterseeboot, das gerade in den East River abtauchen wollte.

Jimmy suchte die Seilbahn-Linie, die ihn auf die Insel bringen konnte. Doch zuerst musste er noch etwas anderes erledigen.

Anstatt nach Norden in Richtung Seilbahn zu laufen, rannte er die 42ste Straße entlang Richtung Westen. Der Wind peitschte ihm ins Gesicht. Er stemmte sich dagegen, rannte weit nach vorne gebeugt. Der Stadtplan flatterte hinter ihm her wie der Schwanz eines Kometen. Dann ließ er ihn los. Er brauchte ihn nicht mehr. Er hatte sich das Straßennetz Manhattans in sein visuelles Gedächtnis eingeprägt. Es war weit einfacher als der Konstruktionsplan eines Museums.

Jimmys Füße flogen nur so über den Asphalt. Sein Laufrhythmus war rasant aber regelmäßig. Beim Laufen fühlte er, wie sich ein Nebel in seinem Gehirn breitmachte. Es waren Zweifel. Sie wollten ihn zum Innehalten zwingen. *Schau in deine Hosentasche. Lies den Namen.* Doch Jimmy straffte seine Schultern und beschleunigte das Tempo. Er musste in Bewegung bleiben. Das war die einzige Art, nicht schwach zu werden und der Stimme nachzugeben.

In weniger als einer Minute erreichte er den Times

Square. Jeder andere Junge hätte hier sein Tempo zumindest verlangsamt und staunend nach oben geschaut. Doch Jimmy ignorierte den Anblick. Times Square konnte warten. Er preschte in die U-Bahnstation und die Treppen hinunter. Er hatte immer noch etwas Geld in seiner Hosentasche, ließ ein Ticket aus der Maschine, dann schoss er durch das Drehkreuz und in das labyrinthische Tunnelsystem.

Aus irgendeinem Grund herrschte in der U-Bahn mehr Betrieb als auf den Straßen, so als hätte sich New York mit Einbruch der Dunkelheit unter die Erde zurückgezogen.

Ein Betrunkener grölte ein Lied. Seine Stimme hallte durch den Tunnel, bis sie vom Rattern eines Zuges übertönt wurde.

Jimmy rannte weiter.

Dann sah er den Schriftzug *KNICKERBOCKER*. Als er die verwitterten Buchstaben wiedersah, fühlte er kurz einen Stich im Rücken, dort wo ihn der Laser der *CIA* getroffen hatte. Er empfand noch einmal die Todesangst, die es in ihm ausgelöst hatte. Dann schob er das alles beiseite und sprang hinauf zu der schmutzigen weißen Box, mit der die Tür verriegelt war.

Diesmal war es für ihn viel weniger aufregend, als er durch die Empfangshalle des verlassenen Hotels lief.

»Oberst Keays!«, rief er in die Dunkelheit. Dann atmete er tief durch, um seinen Atem zu beruhigen. »Oberst Keays, ich bin es, Jimmy Coates. Ich brauche Ihre Hilfe.«

Für einen Augenblick war die einzige Antwort der

Widerhall seiner eigenen Worte. Doch dann ertönte eine Stimme: »Was ist los?«

Jimmy blickte nach oben. In dem blauen Schimmer erkannte er Oberst Keays, der von der Galerie auf ihn herabspähte.

»Ich muss mir ein paar Ausrüstungsgegenstände von Ihnen ausleihen«, erklärte Jimmy.

Der Oberst kam zu ihm herunter. Er trug ein Nachtsichtgerät, das ihn wie ein Alien ausschauen ließ.

»Was immer du brauchst, Jimmy«, erklärte er, während er sich näherte. »Du kannst frei aus unserem Arsenal wählen. Wir sind schließlich auf derselben Seite.«

Jimmy zögerte einen Moment, dann wischte er seine Bedenken beiseite.

»Es ist nicht für mich«, verkündete er. »Aber wenn ich Ihnen erkläre, was ich brauche, könnten Sie es dann besorgen?«

Oberst Keays zog einen Stift und ein schwarzes Ledernotizbuch aus der Innentasche seiner Uniformjacke.

»Schreib mir deine Wunschliste auf«, erklärte er und reichte den Block an Jimmy weiter. »Und wir liefern pünktlich.«

Wenige Minuten später war Jimmy wieder zurück auf der Straße. Selbst als irgendwann seine Lungen zu stechen begannen, hörte er nicht auf zu rennen. Jimmy hatte das Gefühl, sich durch eine Geisterstadt zu bewegen. Undefinierbare Geräusche drangen aus einem Fenster hoch über ihm, und er konnte entfernt das Brummen der

Straßenreinigungsmaschinen hören. Doch niemand war zu sehen. New York war jetzt nur noch ein Labyrinth aus Schatten und das Neonlicht spiegelnden Pfützen.

Irgendwann bog Jimmy um die Ecke der 60sten Straße in die Second Avenue und sah eine gigantische Betonkonstruktion, die den gesamten Häuserblock überragte. Dort war die Station der Seilbahn hinüber nach Roosevelt Island. Hoch über Jimmys Kopf kamen ein Dutzend superdicke Kabel aus dem Gebäude.

Gerade in diesem Moment lief die große rote Gondel in die Station ein. Auf der Seite der Kabine stand in großen weißen Buchstaben: *ROOSEVELT ISLAND*.

Jimmy starrte hinauf. Durch die Spiegelungen auf den Fenstern erkannte Jimmy die Gestalt eines einzigen Fahrgastes. Wer kam um diese Uhrzeit hinüber nach Manhattan?

Jimmy sprintete die Betonstufen hinauf, während sich über ihm die Türen der Gondel ratternd öffneten. Schritte ertönten. Jimmy erreichte den obersten Absatz. Und als er erkannte, wer da aus der Kabine trat, wäre beinahe sein Herz stehen geblieben.

Paduk wirbelte herum. Sein Gesichtsausdruck spiegelte Jimmys eigene Überraschung wider.

Offensichtlich hatte der *NJ7* noch nicht mit Jimmys Eintreffen gerechnet. Vielleicht hatten sie nicht erwartet, dass er die mit den Bildern gelegten Spuren so rasch entschlüsseln würde. Das hätte ihnen erlaubt, ihn im Verlauf des Tages immer mehr in den Wahnsinn zu treiben. Doch nun war er da. Und die Anwesenheit der gewaltigen Gestalt Paduks bestätigte es ihm: Auf der Insel lauerte ein ganzes Bataillon *NJ7*-Agenten auf ihn. Trotzdem würde Jimmy sich ihnen stellen. Er musste dieses quälende Katz-und-Maus-Spiel ein für alle Mal beenden.

Paduks Hand fuhr unter sein Jackett. Jimmy wartete nicht ab, was sie hervorholen würde. Stattdessen warf er sich auf den Boden und rollte sich zur Seite. Eine Kugel krachte gegen die Betonwand, vor der er gerade noch gestanden hatte. Paduk zielte erneut, aber in dem Moment legte Jimmy los. Mitten im Sprung trat er mit beiden Füßen zu. Der erste Tritt traf Paduks Waffe, die ihm aus der Hand flog und auf den Boden krachte. Und sofort folgte Jimmys zweiter Fuß, der auf Paduks Kopf zielte. Doch der Agent war schnell. Er riss einen Arm hoch und blockte Jimmy so ab, dass er über Paduk hinwegsegelte.

Jimmy drehte sich, damit er auf dem Rücken landete. Währenddessen machte Paduk einen großen Schritt, um seine Pistole aufzuheben.

Jimmy fegte Paduk mit einem gezielten Tritt von den Beinen. Dann hechtete Jimmy in die Kabine.

Ohne Zögern hämmerte er zweimal mit der Handfläche auf die Kontrolltafel. Ein roter Knopf ließ die Türen zugleiten. Ein zweiter sorgte dafür, dass sich die Gondel ruckelnd in Bewegung setzte. Sie knirschte und schwankte, dann verließ sie langsam ihr Dock.

In letzter Minute quetschte Paduk seinen Fuß in den Türspalt. Die Kabine schleifte ihn mit, was ihn aber nicht hinderte, durch das Kabinenfenster auf Jimmy zu zielen.

Jimmy ließ sich auf den Boden fallen und trat gegen

Paduks Fuß. Endlich schlossen sich die Türen vollständig und die Kabine verließ die Station. Sie segelte durch die Luft, schwang für ein paar Sekunden unruhig, dann stabilisierte sie sich.

Jimmy war allein in der Kabine. Der *NJ7* musste irgendwie dafür gesorgt haben, dass alles übliche Personal an diesem Morgen seinen Posten verlassen hatte.

Er blickte zurück zur Station und erwartete, Paduk in der Ferne schrumpfen zu sehen. Doch da war niemand. Und genau in diesem Augenblick schlug etwas ein Loch in den Boden der Kabine. Eine Hand zwängte sich hindurch und packte Jimmys Knöchel. Paduk hing an der Unterseite der Kabine.

Felix trat seinem Vater sanft gegen den Bauch.

»Steh endlich auf«, befahl er. »Mach schon!«

Neil Muzbeke stöhnte und wälzte sich auf die andere Seite.

»Los jetzt!«, kommandierte Felix lauter. »Steh endlich auf! Jimmy ist nicht zurückgekehrt.«

Sein Vater riss die Augen auf. »Nicht zurück?«, fragte er. »Was meinst du damit? Wo ist er hin?«

»Ich hätte ihn nicht weglassen dürfen«, erwiderte Felix. »Aber er hat gesagt, es ist alles in Ordnung. Er ist mit Dr. Higgins weg.«

»*Doktor Higgins?*« Neil sprang alarmiert aus dem Bett und rieb sich übers Gesicht. Er war plötzlich hellwach. »Ist Helen schon zurück?«

Felix schüttelte den Kopf.

»Das ist gar nicht gut.«

Dann hörten beide ein Geräusch von unten – ein Klicken. Sie starrten einander an. Felix' Herz pochte laut. Er hoffte, dass entweder Jimmy oder seine Mutter die Treppe hochkommen würde. Doch nichts dergleichen geschah.

Felix rannte hinunter zum Eingang. Dort lag innen auf der Fußmatte Jimmys Notizbuch. Er nahm es an sich und riss die Tür auf. Der Wind peitschte ihm ins Gesicht und vertrieb schlagartig alle Wärme aus seinem Körper. Er trat hinaus und spähte die Straße entlang. Es war niemand zu sehen.

»Und?«, fragte Neil, der in eine Decke gewickelt in die Eingangstür trat.

Felix wandte sich um und zuckte mit den Achseln.

»Nur Jimmys Notizbuch«, erklärte er und wendete es in den Händen. Dann bemerkte er die Notiz auf dem Deckblatt. Er zitterte, aber nicht wegen der Kälte. Felix trat zurück ins Haus und schlug die Tür hinter sich zu.

»Hol die anderen«, befahl er. »Wir müssen sofort hier weg.«

»Was?«, rief Neil. »Beruhig dich.«

»Ich beruhige mich erst, wenn wir aus Chinatown raus sind.«

Felix hielt das Notizbuch hoch. Auf das Deckblatt war eine Nachricht gekritzelt, in großen zittrigen roten Buchstaben, als hätte sie jemand mit der falschen Hand oder jemand sehr Altes geschrieben. Dort stand: SIE WISSEN WO IHR SEID. VERLASST SOFORT DAS HAUS.

KAPITEL 28

Jimmy spähte durch das Loch im Boden der Gondel. Paduk umklammerte seinen Fuß so fest, dass jedes Gefühl darin abstarb. Ein paar Sekunden lang starrten sie einander ins Gesicht.

Hundert Meter unter Paduk rauschte die Straße. Dann trug die Gondel sie über den Saum von Manhattan hinweg. Unter ihnen befanden sich jetzt die vom Wind aufgepeitschten Wellen des East River. In der Dunkelheit sah es fast so aus, als wären sie über den Rand der Welt hinweggeschwebt.

Paduks andere Hand hielt seine Pistole. Langsam hob er den Arm und zielte auf Jimmys Kopf.

Noch nie hatte Jimmys Konditionierung so prompt reagiert. Er bewegte sich mit solcher Energie und Präzision, dass er es selbst kaum fassen konnte. In einer blitzartigen Bewegung riss er das Bein hoch und Paduk gleich mit. Dann hämmerte er seinen anderen Fuß auf Paduks Unterarm.

Jimmy fühlte die Wucht des Aufpralls auf dem Knochen. Zwar brach er nicht, doch Paduks Griff löste sich sofort. Er umklammerte jetzt den Rand des Loches und versuchte seinen Körper in die Kabine zu zwängen.

Doch Jimmy wartete nicht, bis er so weit war. Er sprang hoch und packte die Haltestange, die quer durch die Gondel verlief. In der Mitte des Daches befand sich ein kleines Plexiglasfenster – ein Oberlicht. Jimmy schwang sich nach oben und trat mit beiden Füßen gegen die Fensterluke. Das gesamte Fenster brach in einem Stück heraus und segelte mit dem Wind davon. Jimmy schwang sich erneut nach oben, diesmal hakte er seine Beine in die entstandene Öffnung.

In dem Moment zwängte Paduk seinen Oberkörper durch die Öffnung im Boden. Er war jetzt nur noch zwei Meter entfernt. Der *NJ7*-Agent ruhte sich für einen Augenblick auf seinen Ellbogen aus, dann zielte er.

Jimmy schlüpfte eilig durch die Dachluke und warf seinen Körper zur Seite, als Paduks Kugel in die Decke einschlug. Jimmy dachte, sein Trommelfell würde platzen, so laut krachte der Schuss.

Er klammerte sich auf dem Dach der Gondel fest. Über seinem Kopf kreischte und knirschte das Laufwerk. Rechts von sich sah er die Wolkenkratzer Manhattans kleiner und kleiner werden, während die Gondel sich Roosevelt Island näherte.

Ihm blieb nur eine Sekunde, dann würde er sich erneut bewegen müssen. Jimmy hörte das Klicken von Paduks Pistole. Der Mann kletterte nicht nach oben, um ihn sich zu schnappen. Es war viel leichter für ihn, einfach durch das Dach zu schießen.

Der erste Schuss durchschlug das Blech wenige Zentimeter neben Jimmys rechtem Fuß. Ein Metallsplitter traf ihn im Gesicht. Instinktiv drehte er sich weg und dann sah er es. Am anderen Ufer des Flusses, gleich hinter Roosevelt Island, erhoben sich vier schlanke Türme, alle unten rot bemalt, in der Mitte weiß und dann wieder rot an der Spitze. Das *Big-Allis*-Elektrizitätswerk.

Jimmys starrte wie gebannt hinüber. Es war, als würde auf zwei exakt gleich gestimmten Saiten einer Gitarre dieselbe Note angeschlagen. Er hatte einen perfekten Blick auf die Türme und ihr Anblick löste unwillkürlich ein Gefühl der Freude in ihm aus. Es war wie eine chemische Reaktion, er konnte es einfach nicht kontrollieren.

Beweg dich, hörte er seine innere Stimme befehlen. Zuerst war sie nur schwach und wurde von dem machtvollen Gefühl der Übereinstimmung seiner inneren Visionen mit der äußeren Welt überlagert. Doch dann setzte sie sich zunehmend durch: *Beweg dich!*

Ein weiterer Schuss krachte durch das Dach. Jimmy sprang gerade noch rechtzeitig zurück. Doch nun blieb nicht mehr viel Platz auf dem Gondeldach. In wenigen Sekunden würde Paduk das Dach vollständig durchsiebt haben – und Jimmy gleich mit.

Felix weckte eilig seine Mutter und Georgie, während Neil so viel wie möglich von ihren Habseligkeiten zusammenraffte, unter anderem auch ein paar Decken und etwas zu essen.

Als sich alle versammelt hatten, verteilte er den Rest ihrer Barschaft gerecht unter ihnen.

»Was wird jetzt mit Helen?«, fragte Olivia. »Sie wollte doch am Morgen zurück sein.«

Sie blickten einander ratlos an.

Georgie war klar, dass sie dringend verschwinden mussten. Die Botschaft in dem Notizbuch war deutlich. Es blieb ihnen nicht die Zeit, auf ihre Mutter zu warten.

Felix' Vater marschierte ins Schlafzimmer und entfernte den Karton von der zerbrochenen Fensterscheibe.

»Sie wird das Loch von der anderen Straßenseite aus bemerken«, erklärte er. »Das wird sie warnen. Macht euch keine Sorgen.« Er packte Georgie bei den Schultern. »Ich weiß, sie kommt zurück, gesund und munter.«

Georgie blickte in seine großen, warmen Augen.

»Und wie finden wir sie wieder?«, fragte sie.

»Das müssen wir nicht.« Neils Stimme war zuversichtlich und ermutigend. »*Sie* wird *uns* finden. Sie ist eine Topagentin und eine sehr starke Frau. Vergiss das nicht.«

Georgie lächelte weder noch nickte sie, bemühte sich aber um eine zuversichtliche Miene. »Lasst uns hier verschwinden«, drängte sie.

Neil grinste.

»Wir wissen aber noch gar nicht, wo's hingehen soll«, bemerkte Olivia.

»Zeigt mir Jimmys Zeichnungen«, sagte Georgie.

Felix blätterte die Seite mit den vier Türmchen und der Ruine auf.

»Dorthin müssen wir.« Georgie zögerte, dann fügte sie hinzu: »Irgendeine Idee, wo das sein könnte?«

Erst zuckte Felix mit den Achseln, dann schoss er zur Tür.

»Bin in einer Sekunde zurück«, schrie er. Dann trampelte er die Stufen hinunter und sprang auf die Straße.

»Felix, warte!«, rief Neil. Er ließ die Batterien fallen, die er unter dem Waschbecken gefunden hatte, und rannte seinem Sohn hinterher. Olivia und Georgie folgten ebenfalls. Als sie unten anlangten, hämmerte Felix bereits gegen die Tür des Restaurants unter den Apartments.

Er presste sein Gesicht gegen die Glastür. Irgendwo im hinteren Teil des Restaurants brannte ein Licht. Und nachdem Felix gut eine halbe Minute lang geklopft hatte, wankte ein Schatten quer durch das Restaurant auf sie zu. Die Tür wurde wütend aufgerissen und eine koreanische Schimpfkanonade donnerte auf sie ein.

Mrs Kai-Ro war alles andere als begeistert. Immerhin hatte sie nicht geschlafen, so viel war offensichtlich. Sie war angezogen und hellwach. Aber in ihren Händen hielt sie jede Menge Pak Choi und aus der Küche drangen Rufe. Offenkundig luden sie gerade die morgendliche Warenlieferung aus.

»Wo ist das?«, fragte Felix fordernd und schlug Jimmys Notizbuch auf der richtigen Seite auf.

Die einzige Antwort war ein wütendes Starren.

»Bitte, helfen Sie uns. Wissen Sie, wo das ist?«

»Insekt?«, fauchte Mrs Kai-Ro mit ihrem koreanischen Akzent. »Später noch mal kommen.«

»Nein, nein!«, schrie Felix. »Wo ist das?«

»Es einfach nur lauter zu brüllen, hilft auch nichts«,

bemerkte Georgie. »Hast du nicht ein paar Brocken Koreanisch aufgeschnappt, während du mit ihr abhingst?«

»Jimmy wüsste jetzt genau, was zu sagen ist«, murmelte Felix.

In seiner Verzweiflung führte er eine alberne Pantomime auf. Er schlug mit den Fingern auf das Papier, dann marschierte er im Kreis auf der Straße, wobei er seine Augen beschirmte, als würde er nach etwas Ausschau halten.

Georgie lachte trotz ihrer inneren Anspannung.

»Hör mit diesem Unsinn auf«, seufzte Felix' Vater.

Aber plötzlich änderte sich der Ausdruck auf Mrs Kai-Ros Gesicht.

»Oh!«, rief sie lächelnd. »Ihr gehen wollt nach Roosevelt Island?«

»Genau!«, rief Olivia. »Wo ist das?«

»Roosevelt Island!«, brüllte Mrs Kai-Ro.

»Ja, wie bereits gesagt«, knurrte Georgie. »Lauter heißt nicht unbedingt verständlicher!«

Mrs Kai-Ro drehte sich auf dem Absatz um und verschwand wieder im Lokal.

»Du hast sie beleidigt«, flüsterte Felix. »Nein, Moment, vielleicht bringt sie uns ein paar leckere Wan-Tans für die Reise.«

Georgie stöhnte entnervt, doch kurz darauf kehrte die alte Frau zurück mit einer Straßenkarte von Manhattan in den Händen.

»Roosevelt Island!«, verkündete sie und deutete auf einen Streifen Land mitten im East River.

»Danke«, sagte Felix' Vater. Dann wandte er sich Felix und Georgie zu. »Ihr beide wartet hier.« Er nahm lächelnd und mit einem dankbaren Nicken die Karte aus Mrs Kai-Ros Hand und reichte sie Felix. »Deine Mutter und ich holen den Kram von oben.«

»Beeilt euch«, drängte Felix.

»Wir brauchen zwei Sekunden«, erwiderte sein Vater. »Bewegt euch nicht von der Stelle.«

Neil und Olivia eilten zurück ins Haus und hinauf in das Apartment.

»Danke, Mrs Kai-Ro«, sagte Felix sehr langsam und auch ein bisschen zu laut.

Die Koreanerin nickte, ohne wirklich zu verstehen, warum diese Menschen so dankbar waren. Aber dann blickte sie auf und ihr Gesichtsausdruck veränderte sich schlagartig. Wo vorher Verwirrung gewesen war, zeigte sich nun panische Angst.

Felix und Georgie wirbelten herum, um zu sehen, was ihr einen solchen Schrecken eingejagt hatte. Nun erstarrten auch sie vor Entsetzen. Wie ein Phantom bog eine lange schwarze Limousine um die Ecke. Sie hatte keine Kennzeichen. Und möglicherweise war es nur eine Reflexion des Neonlichts, aber Felix zuckte zusammen, als er an der Kühlerhaube einen grünen Streifen zu sehen glaubte.

»Mum!«, krächzte Felix. »Dad!« Er versuchte zu schreien, aber stattdessen kam nur ein ersticktes Flüstern heraus.

»Schnell«, sagte Mrs Kai-Ro. »Rein!« Sie zog Felix

und Georgie mit sich und schlug die Restauranttür hinter sich zu.

»Was sollen wir tun?«, schnaufte Felix.

Georgie spähte durch das Glas.

Der Wagen hielt direkt vor dem *Star of Manchuria*. Doch das Innere des Restaurants war dunkel und bot ihnen daher möglicherweise einen gewissen Schutz.

»Glaubst du, sie haben uns gesehen?«, fragte Georgie.

Die Autotüren öffneten sich. Zwei große Männer in schwarzen Anzügen stiegen aus. Der Fahrer glättete seine Krawatte und musterte das Gebäude. Dann marschierten beide auf die Restauranttür zu.

»Sie haben uns gesehen«, hauchte Felix.

»Hinten raus!«, rief Mrs Kai-Ro.

Felix und Georgie wirbelten herum und preschten quer durch das Restaurant, wobei sie immer wieder über Stühle stolperten. Als sie die Küchentür erreichten, hielt Felix kurz inne und drehte sich um. Mrs Kai-Ro winkte sie weiter, Panik im Gesicht. Doch hinter ihr, auf der anderen Seite der Glastür, erkannte Felix den Grund, warum die beiden Männer das Restaurant noch nicht gestürmt hatten.

Seine Eltern waren auf die Straße getreten.

Felix rannte zurück zum Eingang.

»Felix, komm schon«, drängte Georgie. »Was machst du da?«

Felix gab keine Antwort, aber er erstarrte, als seine Hand den Griff berührte. Es war bereits zu spät.

So heftig Neil und Olivia sich auch wehrten, sie hatten

keine Chance. Durch die Jalousie verfolgte Felix, wie seine Eltern gewaltsam mit dem Gesicht nach unten auf den Asphalt gestoßen wurden. Seine Mutter blickte auf, als einer der Agenten ihre Hände mit einem Kabelbinder fesselte. Einen Moment lang sah sie Felix direkt in die Augen, aber er entdeckte dort keine Angst. Stattdessen schüttelte sie kaum merklich den Kopf. Der Agent musste das für ein Zittern halten, verursacht durch den eiskalten Boden. Aber Felix wusste, was ihm seine Mutter mitteilen wollte. Er wich zurück in die Dunkelheit des Restaurants.

»Los, komm schon«, rief Georgie von hinten.

Eine von Mrs Kai-Ros Küchenhilfen deutete auf den Hinterausgang und einen Lastwagen, der mit Chinakohl beladen war. Irgendjemand startete den Motor.

Das Letzte, was Felix sah, bevor er endgültig herumwirbelte, durch die Küche rannte und auf die Ladefläche des Lieferwagens sprang, waren die stummen Mundbewegungen seiner Mutter, die ihm eine einfache Anweisung erteilten: *Geh. Suche Jimmy!*

Ein weiterer Schuss krachte durch das Dach der Gondel. Jimmy fuhr zurück. Er hätte schwören können, dass die Kugel seine Nasenspitze gestreift hatte. Die Räder der Kabinenaufhängung kreischten über ihm auf den Kabeln. Wenn er versuchte, eines davon zu packen, würde er mit Sicherheit in das komplizierte Aufhängungssystem gezogen und zerquetscht.

Also blickte er nach unten. Es war viel zu tief, um zu

springen. Außerdem war unter ihnen kein Wasser mehr. Sie hatten die Insel erreicht. Das Ufer bestand aus großen Felsbrocken, dann folgte nackter Beton. Jimmy schluckte. Ihm blieb weniger als eine Sekunde, sich zu entscheiden. Auf dem Gondeldach zu bleiben, war keine Option. Trotz des Pfeifens des Windes und des Kreischens der Kabel konnte Jimmy bereits das Klicken von Paduks Pistole hören. Die nächste Kugel glitt in die Kammer. Der Mann zielte.

Plötzlich sah Jimmy seine Chance. Ohne nachzudenken, drückte er die Beine durch und sprang. Das Kreischen der Kabel blieb hinter ihm zurück und an seine Stelle trat das Heulen des Windes. Er schloss die Augen und überließ sich vollständig seinem Instinkt.

Der Fall schien eine Ewigkeit zu dauern, so als wäre die Zeit außer Kraft gesetzt. Er segelte durch die Luft. Das rasende Tempo seines Sturzes ließ seinen Körper ganz taub werden. Millionen Gedanken wirbelten gleichzeitig durch Jimmys Kopf. Er schob die negativen Gefühle und Zweifel beiseite. Es war zu spät, seine Entscheidung zu bereuen. Keine Zeit mehr zu überlegen, ob es eine Alternative gegeben hätte. Jetzt konnte er nur noch beten, dass er überleben würde.

KAPITEL 29

Helen Coates lief mit hellwachen Sinnen durch Manhattan, immer den Schutz der Häuser suchend. Über ihr verschwanden die Lichter eines Flugzeugs in den Wolken. Möglicherweise saß Viggo darin, auf seiner Rückreise nach London. Doch diese Möglichkeit musste sie jetzt beiseiteschieben.

Sie verließ den Gehsteig, um die Canal Street zu überqueren, doch da ratterte ein Lieferwagen an ihr vorbei, der mit Kisten von Kohl beladen war. Sie sprang zurück, um nicht überfahren zu werden. Dann holte sie tief Luft und trabte weiter in Richtung ihres Unterschlupfs.

Als sie die Straßenecke vor dem Apartmenthaus erreichte, blieb sie abrupt stehen. Ihr war sofort klar, dass das Versteck aufgeflogen war. Der Hinweis, den Neil hinterlassen hatte, war eindeutig. Doch Helen hätte ihn gar nicht gebraucht, denn mitten auf der Straße stand eine lange schwarze Limousine. Und mit Entsetzen beobachtete sie, wie zwei ihrer besten Freunde in das Heck des Wagens gestoßen wurden, die Hände mit weißen Kabelbindern hinter dem Rücken gefesselt.

Ihr erster Impuls war, hinüberzustürzen und ihnen zu helfen. Aber Helen wurde sofort klar, dass nichts damit gewonnen wäre, einzugreifen und selbst gefangen zu werden. Sie blieb im Schutz eines Hauseingangs stehen, wartete und beobachtete. Langsam kroch Panik in ihr hoch. Wo waren die anderen? Wo war Jimmy? Und Georgie? Der Wagen fuhr los, so lautlos wie eine Ratte, die in die Kanalisation huscht.

Helen zitterte, aber es gab nichts, was sie dagegen tun konnte. Vierzehn Jahre lang hatte sie sich immer wieder Sorgen um ihre Familie gemacht. Doch das hier war viel schlimmer. Sie versuchte verzweifelt, einen klaren Gedanken zu fassen. Aber ihr Herz wurde von Schuldgefühlen erdrückt. *Ich hätte sie niemals alleine lassen dürfen*, dachte sie. Tränen stiegen ihr in die Augen.

Selbst als der Wagen schon außer Sicht war, blieb Helen noch im Schatten des Hauseingangs stehen. Sie versuchte sich an all das zu erinnern, was sie gelernt hatte, bevor sie Mutter geworden war; damals, als sie noch im Dienst des *NJ7* gestanden und ihrem Land aktiv gedient hatte. *Jetzt ist es an der Zeit zu tun, was ich immer schon hätte tun sollen*, sagte sie sich. *Zeit, mich für meine Familie einzusetzen.*

Obwohl Tränen ihre Wangen herabströmten, fühlte sie sich jetzt stärker. Ein Bild tauchte in ihrem Kopf auf: Neil und Olivia, die in das Heck des Wagens gestoßen wurden. Irgendetwas stimmte nicht. Sie hatte in der ganzen Aufregung etwas übersehen. Dann wurde es ihr schlagartig klar: Es waren die weißen Plastikfesseln an den Handgelenken ihrer Freunde. Der *NJ7* verwendete ausschließlich Metallhandschellen.

Wer auch immer Neil und Olivia Muzbeke entführt hatte, es war nicht der Britische Geheimdienst

Jimmy riss die Augen auf, aber er konnte nichts sehen. Der beißende Wind trieb ihm die Tränen in die Augen. Mit einer Gewaltanstrengung brachte er seinen Arm vors Gesicht und wischte sie weg. Nun konnte er zumindest sehen, wohin er segelte. Gerade noch rechtzeitig.

Eine Welle der Erleichterung pumpte neue Energie in seine Muskeln. Er hatte seinen Sprung perfekt kalkuliert. Er schoss direkt auf das große Plastikzelt des Roosevelt-Island-Tennisclubs zu. Er drehte seine Schulter nach vorne, um den Aufprall abzumildern. Und dann: *KRACH!*

Sein ganzer Körper erbebte. Aber es war die sanfteste Landung, auf die er hatte hoffen können. Wenn er die Spitze der Kuppel getroffen hätte, wären seine sämtlichen Knochen zerschmettert worden. Doch er war direkt unterhalb gelandet. Und so schlitterte er an der Seite der Kuppel hinunter. Die Reibung erlaubte ihm, seinen Fall graduell zu verlangsamen. Sie wirkte wie ein gewaltiger Bremseffekt. Trotzdem prallte Jimmy mit einem hässlichen Knall auf den Boden.

Er stöhnte, wälzte sich herum und umklammerte seine Schulter. Er blickte nach oben und erspähte ein winziges Gesicht, das durch ein Gondelfenster herabstarrte. Selbst aus der Entfernung wirkte Paduk nicht sonderlich begeistert.

Sein Anblick jagte einen Stromstoß durch Jimmys

Glieder. Er war ihm noch nicht entkommen. Immerhin hatte er es auf die Insel geschafft. Hier würde er nun direkt in die Falle des *NJ7* marschieren – und das war genau das, was er auch wollte. Heute würde er endgültig alle Rechnungen begleichen.

Jimmy schob seinen Schmerz beiseite und erhob sich mühsam. Ohne zu verschnaufen, schwang er sich über den niedrigen Zaun der Tennisanlage und rannte los. Zunächst musste er seine Schulter festhalten und sein Laufstil war ziemlich wacklig. Er war auf der rechten Seite gelandet, die noch nicht wieder voll einsatzfähig war. Doch Jimmy biss die Zähne zusammen. Schon in Kürze würde die Gondel ihre Station auf der Insel erreichen und Paduk sich an seine Fersen heften. Doch schon nach wenigen Sekunden rannte Jimmy wieder im üblichen Tempo.

Er sprintete am Ufer entlang zur Südspitze der Insel. Die Kellnerin in der Austernbar hatte ihm erklärt, dass er dort die Ruine finden würde.

Ein Geländer trennte den Fußweg vom Fluss. Alle paar Meter gab es Pfosten, auf denen Möwen hockten. Wenn Jimmy an einer vorbeikam, flatterte sie auf und stieß ein Krächzen aus, das wie eine spöttische Fanfare klang.

Am gegenüberliegenden Ufer lag Manhattan mit seinen Wolkenkratzern. Auf Roosevelt Island war die Bebauung völlig anders. Hier gab es nur eine einzige Straße, die sich durch einen verödeten alten Krankenhauskomplex wand. Ansonsten gab es nur den Uferweg.

Jimmy konzentrierte sich auf die beiden verbleibenden rätselhaften Bilder seiner Vision: die Ruine und *SILVERCUP*. Das Kreischen der Möwen klang wie eine Sirene, die ihn vor der Gefahr warnte. Dann krachte der erste Schuss: Paduk war hinter ihm. Aber der Mann ließ sich Zeit. Jimmy hörte das Knacken seines Funkgerätes. An der Spitze der Insel warteten mit Sicherheit Horden von *NJ7*-Agenten. Und jetzt waren sie auf ihn vorbereitet.

Das Ende des Fußwegs näherte sich rasch, aber dort war noch nicht das Ziel. Vor Jimmy erhob sich ein hoher Metallzaun mit einem Schild: SOUTH POINT – KEIN DURCHGANG.

Jimmy blieb keine Zeit, Rücksicht darauf zu nehmen. Er sprang hoch und in weniger als einer Sekunde war er bis nach oben geklettert. Der Zaun stellte kein Hindernis für ihn dar – und der *NJ7* wusste das. Aber sie wollten den Weg schwierig erscheinen lassen. Ansonsten hätte Jimmy vielleicht zu früh Verdacht geschöpft.

Jimmy sprang auf der anderen Seite hinunter. Die Südspitze der Insel war verödetes Brachland. Überall lag Müll zwischen dem wuchernden Unkraut. Jimmy rannte weiter. Der scharfe Wind, der vom Fluss heraufwehte, pfiff ihm um die Ohren. Und da war sie endlich: die Ruine.

Sie sah genauso aus, wie er sie sich vorgestellt hatte. Ein eingestürztes braunes Bauwerk mit gähnenden schwarzen Löchern anstelle von Fenstern. Was Jimmy nicht wissen konnte: Es waren die Überreste eines Kinderkrankenhauses speziell für Pockenerkrankungen. Tausende waren hier gestorben. An diesem Morgen plante der *NJ7*, hier ein weiteres Kind zu töten.

Jimmy hörte den Metallzaun rasseln. Paduk holte auf. Aber das war das geringste seiner Probleme. Plötzlich dröhnten in der Stille des frühen Morgens Motoren auf. Jimmy blickte über das Wasser und sah direkt vor sich sechs Militärschnellboote, die mit schäumenden Bugwellen auf ihn zuschossen.

Hinter den Booten erhob sich Manhattan, und ein Gebäude ragte besonders heraus: das der Vereinten Nationen. Jimmy erstarrte für einen Augenblick. Er musste an all die Lügen denken, die diese Woche in ebendem Gebäude ausgesprochen worden waren: Ian Coates hatte vermeintlich über Friedensangebote verhandelt, während er in Wahrheit den Krieg vorbereitete.

Die Schnellboote hatten jetzt das Ufer erreicht. Und ein Stück weiter den Fluss hinab rauschten sechs weitere Militärboote heran.

Jimmy wusste intuitiv, dass sich auf der anderen Seite der Insel gleichzeitig sechs zusätzliche näherten. Auf jedem dieser Boote knieten zwei Scharfschützen, die langen schwarzen Präzisionsgewehre im Anschlag.

Jimmy löste sich aus seiner Erstarrung. Mit einem verzweifelten Blick gen Himmel rannte er los in Richtung Ruine. Nur sie bot ihm Deckung vor den Scharfschützen. Er krabbelte über einen Schutthaufen. Das Dach des Gebäudes war schon vor über einem Jahrhundert eingestürzt. Dann zog er sich an dem an der Innenseite der Mauer wachsenden Efeu empor.

»Jimmy!« Ein Schrei hallte durch die Ruine.

Jimmy kletterte weiter, wobei er festzustellen versuchte, woher die Stimme kam und wem sie gehörte.

»Jimmy!«, ertönte es erneut. »Gib auf. Du bist umzingelt.«

Jetzt erst bemerkte Jimmy, dass es die Stimme eines ihm wohlbekannten vierzehnjährigen Jungen war.

»Aufgeben ist ja wohl eher deine Sache, Mitchell«, schrie Jimmy zurück.

Er fand einen Mauervorsprung, wo früher einmal eine Zimmerdecke gewesen war, und schwang sich hinauf. Flutlicht strahlte die Ruine von unten an, als wäre sie eine Art Touristenattraktion. Jimmy hielt sich vorsichtig im Schatten.

Draußen raschelten Schritte im langen Gras. Die Scharfschützen hatten ihn jetzt eingekreist. Aber solange er innerhalb dieser Mauern blieb, konnten sie ihn nicht treffen. Allerdings barg diese Ruine andere Gefahren.

Mitchells Schatten tauchte auf der Wand neben ihm auf. Jimmy sprang darauf zu, krallte sich an der Ziegelmauer fest. Lose Steine kollerten hinunter auf den Schutthaufen.

»Ich höre dich, Jimmy!«, schrie Mitchell. »Besser du verschwindest von hier, solange du noch kannst.«

Jimmy blieb in Bewegung. »Du bist auf der falschen Seite!«, schrie er. Dabei versuchte er seine Stimme so zu modulieren, dass sie seinen Gegner verwirrte. Allerdings wusste er, dass Mitchell genau dasselbe tat. »Der *NJ7* hat dich reingelegt. Ich hab dir doch gesagt: Sie haben deinen Bruder.«

»Das weiß ich«, konterte Mitchell.

Erneut huschte sein Schatten über die Wand. Jimmy folgte ihm auf dem schmalen Absatz, der einmal die Decke des ersten Stocks gewesen war.

»Also sind diese Leute deine Gegner, nicht ich!«, schrie Jimmy. »Nimm Rache an *ihnen*.«

»Alle wollen Rache!«, schrie Mitchell so laut, dass Jimmy glaubte, die Ruine würde gleich einstürzen. Doch gleich darauf folgte ein geflüstertes: »Ich habe mich bereits gerächt.«

Plötzlich konnte Jimmy die Quelle der Stimme ausmachen und riss den Kopf herum. Mitchell segelte mit gestrecktem Arm direkt auf ihn zu, bereit zuzuschlagen.

Jimmy packte Mitchells Faust einen Zentimeter vor seiner Kehle und warf sich nach hinten. Er fiel auf den Rücken, bemüht, nicht von dem schmalen Absatz zu rutschen. Gleichzeitig nutzte er Mitchells Schwung, um den Jungen über seinen Kopf hinweg zu schleudern.

Mitchell packte den Absatz auf der anderen Seite des Abgrunds, wo einmal eine Zimmerdecke gewesen war, rollte sich ab und sprang wieder auf die Füße.

»Ich habe meinen Bruder gehasst«, knurrte er. Dann stürzt er sich erneut auf Jimmy.

Jimmy stieß sich kraftvoll mit den Beinen von der Wand ab. Wie ein Projektil traf er Mitchell. Einander umklammern stürzten die beiden hinab auf den Schutthaufen in der Mitte der Ruine.

Mitchell hämmerte seine Fäuste in Jimmys unteren Rücken. Es fühlte sich an, als würde eine Bombe in dessen Inneren explodieren. Für einen Augenblick lag Jimmy völlig hilflos mit dem Gesicht nach unten auf dem Gesteinshaufen. Doch dann schaltete seine Konditionierung einen Gang hoch.

Er warf sich zur Seite, gerade als Mitchells Handkante auf ihn niedersauste und einen Ziegelstein in der Mitte spaltete.

Jimmy sprang auf. Die beiden Jungs umrundeten einander mit ausgebreiteten Armen, bereit, jederzeit zuzuschlagen.

»Wegen dir habe ich bei einer weiteren Mission versagt«, fauchte Mitchell.

»Du hast Zafi also nicht erwischt?« Jimmy musste lächeln.

»Sie hat sich wieder nach Frankreich verkrochen. Aber ich krieg sie noch. Gleich nachdem ich dich erledigt habe.«

Erneut blickte Jimmy hinauf in den Himmel, als würde er jeden Moment seine Flügel ausbreiten und abheben wollen.

Es wurde jetzt heller. Die Schatten lösten sich auf, während das Flutlicht dem Tageslicht wich. Bald würde die Sonne aufgehen.

»Erwartest du etwa Hilfe von oben?«, höhnte Mitchell.

Jimmy ignorierte ihn. Und genau in diesem Moment hoben beide Jungen den Arm und wischten sich mit den Ärmeln den Schweiß von der Stirn.

Mitchell war diese Geste nicht weiter aufgefallen. Doch Jimmy glaubte, in einen Spiegel zu schauen. Das traf ihn härter als jeder von Mitchells Schlägen und ließ die Schmerzen in seinen Muskeln bedeutungslos erscheinen.

»Dein Bruder«, fragte Jimmy atemlos, »ist er dein ...«

Mitchell verzog keine Miene. Er fixierte Jimmy und lauerte auf eine Schwachstelle in dessen Deckung. Dann murmelte er: »Der *NJ7* benutzt ihn als menschliche Laborratte. Das nenne ich wahre Rache.«

»Aber er war nur dein Halbbruder, oder?«, flüsterte Jimmy, als würde er sich selbst eine Erklärung geben.

Mitchell wirkte verdutzt. Trotzdem ging immer noch eine tödliche Gefahr von ihm aus. Er duckte sich nach links und versuchte Jimmys Hüfte zu packen.

Doch Jimmy reagierte blitzschnell. Er sprang hoch, rammte einen Fuß in Mitchells Nacken und stieß sich von dort wieder ab.

Mitchell kontrollierte seinen Fall, rollte sich ab und stand sofort wieder auf den Füßen.

»Mein Halbbruder?«, rief er.

Jimmy nickte. »Er ist dein Halbbruder. Genau wie ich.«

Und dann erbebte die Ruine unter den Geräuschen eines sich nähernden Helikopters.

Jimmy lächelte und rannte blitzartig zur anderen Seite der Ruine.

Mitchell blieb wie angewurzelt stehen.

Jimmy jagte mit einem solchen Tempo aus der Ruine, dass er fast zwanzig Meter zurücklegte, bevor die Scharfschützen auch nur zielen konnten.

Das Dröhnen des Helikopters wurde lauter. Eine Staubwolke erhob sich aus der Ruine, angezogen vom Wirbelwind der Rotorblätter.

Der Ausdruck von Mitchells verwirrter Miene hatte sich in Jimmys Kopf eingebrannt. *Wir* müssen *denselben Vater haben*, dachte er. Doch sie waren so unterschiedlich. Und wenn derselbe Mann zwei so verschiedene Söhne hervorbringen konnte, spielt es dann überhaupt noch eine Rolle, wer dieser Mann war?

Jimmy hastete auf die Spitze der Insel zu. Die Sonne kroch hinter Queens empor und verwandelte das UN-Gebäude in einen gleißenden orangefarbenen Monolithen. Es war der erste echte Sonnentag in diesem Jahr. Jimmy konnte fühlen, wie die Strahlen seine Wangen wärmten.

Dann hörte er das Klicken des Abzugs eines Präzisionsgewehres hinter sich. Dieses Geräusch brachte alles andere zum Verstummen. Er hechtete zu Boden, tauchte regelrecht unter der Kugel weg. Doch beim nächsten Schuss hätte er nicht mehr so viel Glück. Es waren einfach zu viele Agenten hinter ihm her und alles ausgezeichnete Schützen.

Endlich erreichte Jimmy das Ende der Insel. Er packte den alten Maschendrahtzaun, der sich zwischen ihm und dem Wasser erhob, und drehte sich zu den Scharfschützen um.

Für den Bruchteil einer Sekunde blendete ihn die Sonne. Dann sah er die knienden Männer, die alle ihre Waffen auf ihn richteten. Wie ein Mann feuerten sie zeitgleich los.

Jimmys Agentenkräfte verarbeiteten die Informationen jetzt so schnell, dass er die Kugeln auf sich zufliegen sah. Sie glitzerten in der Sonne. *Ist das mein Ende?*, hörte er eine Stimme in seinem Kopf fragen. Die Stimme war ohne Angst und ohne Reue. Sein Inneres war plötzlich so leer wie das Universum unendlich. *Werde ich auf diese Art sterben?*

Doch die Kugeln erreichten ihn nie.

Der Helikopter fiel geradezu vom Himmel, senkte sich bis wenige Zentimeter über den Boden, genau zwischen Jimmy und die Schützen. Sämtliche Kugeln krachten in seine Flanke.

Es saßen nur zwei Personen in der Maschine. Zwei maskierte Männer: ein Pilot und ein Passagier. Sie hoben beide Maschinenpistolen, und nun war es an ihnen, auf Jimmy zu feuern. Diesmal gab es keine Rettung mehr.

Jimmy hob die Hände, aber es war zu spät. Seine Brust explodierte förmlich unter den Treffern. Blut spritzte im Sonnenlicht.

Jimmy riss die Augen weit auf. Er stolperte rückwärts, lehnte sich an den Maschendrahtzaun. Dann fiel er rückwärts darüber. Das Letzte, was er sah, während er in den East River stürzte, war eine große Reklametafel drüben am anderen Ufer in Queens.

Sie war jahrzehntealt und ihre geschwungenen roten Buchstaben wurden durch das Sonnenlicht angestrahlt.

Endlich, dachte Jimmy. Die Prophezeiung seines letzten Bildes hatte sich erfüllt.

Er hatte *SILVERCUP* gesehen.

KAPITEL 30

Georgie und Felix sprangen aus dem Lieferwagen, noch bevor er vollständig zum Halten gekommen war. Sie winkten dem Fahrer dankbar zu, während er davonbrauste.

»Los, komm schon!«, rief Georgie und rannte schon los, während sich Felix noch Reste von Chinakohl aus seinen Kleidern pflückte.

»Warte, ich glaube, ich habe Kohl in meinen Schuhen.« Halb rannte, halb hüpfte Felix hinter ihr her.

»Bestens, so erwischt uns ganz sicher der britische Geheimdienst«, murmelte Georgie. »Aber wenigstens ist dann kein Pak Choi mehr in deinen Schuhen.«

Felix beeilte sich und holte sie ein.

»Tut mir leid«, sagte Georgie in sanfterem Tonfall. »Das mit deiner Mum und deinem Dad ...«

»Schon in Ordnung.« Felix zuckte mit den Achseln und versuchte nicht zu traurig zu wirken.

Jetzt war nicht die Zeit, Trübsal zu blasen. Das Letzte, an was Felix jetzt denken wollte, war der Ausdruck im Gesicht seiner Mutter, als seine Eltern weggeschleift wurden.

»Wie haben sie uns gefunden?«, fragte er, während er einen Blick über die Schulter nach hinten wagte.

Georgie zögerte mit der Antwort. Dann wechselten sie und Felix einen raschen Blick. Offenbar dachten sie beide dasselbe. Wenn die *CIA* sie tatsächlich beschützte, wie hatte dann der *NJ7* den sicheren Unterschlupf finden können?

Die beiden rannten wie noch nie in ihrem Leben. Nicht nur, weil ihnen möglicherweise Agenten auf den Fersen waren, sondern weil sie Angst um Jimmy hatten. Was wollte er auf Roosevelt Island? Warum hatte er ihnen das verschwiegen? Ihn zu finden, war auch ihre einzige Chance, in Sicherheit zu gelangen. Sie vertrauten der *CIA* inzwischen genauso wenig wie dem *NJ7*.

Sie erreichten die Ecke des Häuserblocks und Georgie riss Felix den Stadtplan aus der Hand.

»Gib her«, kommandierte sie. »Ich weiß, wie *gut* du dich mit Karten auskennst.«

»Hey!«, protestierte Felix. »Im Internet kann ich alles auf einer Karte finden. Nur im echten Leben tu ich mir schwer damit.«

»Hier lang.« Georgie stopfte den Plan in ihre Hosentasche und rannte wieder los, obwohl sie immer noch außer Atem waren.

Kurz darauf erreichten sie das Ufer des East River.

»Dort ist es«, keuchte Georgie vorgebeugt, die Hand auf ihre stechende Seite gepresst.

Felix beschirmte seine Augen vor der Sonne, die gerade über dem Fluss aufging. Die Insel lag direkt vor ihnen. Er spähte hinüber.

»Hey!«, japste er. »Da ist Jimmy!«

Georgie blickte in die Richtung, in die Felix wies.

Eben umzingelte eine Flotte von Militärschnellbooten die Insel. Schweigend verfolgten sie, wie Jimmy aus der Ruine flüchtete. Für sie war er nur eine winzige Gestalt, die sich vor der aufgehenden Sonne abhob. Dennoch staunten sie über seine Geschwindigkeit.

Doch leider war er nicht schnell genug.

»Nein!«, schrie Georgie. »Jimmy!«

Felix brachte keinen Ton heraus.

Plötzlich schwebte ein Helikopter herab und fing das Feuer der Scharfschützen ab. Doch dann mussten sie hilflos mitansehen, wie die maskierten Männer im Helikopter das Feuer eröffneten und Jimmys Brust sich rot verfärbte.

Georgies Gesicht wurde aschfahl. Sie schlug die Hand über den Mund und brachte nur ein verzweifeltes Keuchen hervor. Als ihr Bruder ins Wasser stürzte, schüttelte verzweifeltes Schluchzen ihren gesamten Körper, und sie sank aufs Pflaster.

»Hast du nicht gesehen, wie …?«, keuchte sie.

Felix stand immer noch so unbewegt wie ein Laternenmast.

»Moment, nein«, protestierte Felix. »Das ist nicht …«

Er beendete den Satz nicht und hielt stattdessen Jimmys Notizbuch hoch, die letzte Seite aufgeschlagen. Darauf stand in großen roten Buchstaben: GLAUBT NICHT ALLES, WAS IHR SEHT. ERINNERT EUCH AN DIE STABHEUSCHRECKEN.

»Weißt du noch?«, fragte Felix mit vor Aufregung funkelnden Augen. »Einige von diesen Stabheuschrecken sahen tot aus, aber sie waren es nicht.«

»Was?«, schluchzte Georgie, bis ihr endlich dämmerte, was Felix ihr mitzuteilen versuchte.

»Genau das wollte er uns sagen. Vermutlich hat er nicht damit gerechnet, dass wir es live miterleben würden. Wahrscheinlich ist er davon ausgegangen, dass wir aus dem Fernsehen davon erfahren. Aber jetzt werden alle glauben, er ist tot. Und der *NJ7* wird aufhören, ihn zu jagen. Und, warte …«

Er spähte erneut hinüber zur Insel.

»Ich habe keine Ahnung, wie sie das geschafft haben, aber ich denke, ich weiß, wer in dem Helikopter saß. Wahrscheinlich hat Jimmy das geplant.« Er drehte sich zu Georgie und half ihr auf. »Ich glaube, Jimmy wurde kein Haar gekrümmt.«

Georgie starrte ihn an, dann wanderte ihr Blick hinüber zur Insel. Vor ihrem inneren Auge lief erneut die grässliche Szene ab, deren Zeuge sie gerade geworden war. Sie wurde immer noch von Weinkrämpfen geschüttelt, doch dann studierte sie erneut Jimmys Nachricht. Und nun versiegten ihre Tränen. Sie wischte sich übers Gesicht und blinzelte. Endlich tauchte ein schmales Lächeln auf ihren Lippen auf. Dann sagte sie: »Sieht ganz so aus, als wäre mein kleiner Bruder doch nicht so ein Idiot.«

»Er ist der cleverste Typ, den ich kenne«, pflichtete Felix ihr bei. »Aber jetzt müssen wir schauen, wie es bei uns weitergeht.«

Georgie nickte. »Was machen wir nun?«, fragte sie. »Sollen wir zur *CIA* gehen?«

»Vertraust du denen noch?«

Sie blickten einander lange an und keiner wusste eine Antwort. Dann packten sie einander bei den Schultern, um Kraft zu schöpfen. Schließlich holten sie tief Luft und rannten los.

Jimmy hievte sich auf die Felsbrocken am anderen Ufer von Roosevelt Island. Mit letzter verzweifelter Anstrengung schleppte er sich zu dem Gehweg, wo er zusammenklappte. Schwarzes Wasser pumpte bei jedem Atemzug aus seinen Lungen und sein Körper krümmte sich. Dann saugte er tief Luft ein. Und bevor er sich von der Stelle bewegen konnte, packte ihn eine kräftige Hand an der Schulter.

»Gut gemacht, Jimmy«, ertönte eine tiefe, amerikanische Stimme. »Keine Sorge. Du stehst jetzt unter dem Schutz der *CIA*.«

Jimmy wollte sich bedanken, aber er hatte noch immer nicht genug Luft. Die Strömung des East River war stärker gewesen als erwartet. Also rollte er sich auf den Rücken und griff unter sein Hemd. Nacheinander zog er die geplatzten Ketchupbeutelchen heraus, die überall an seiner Brust befestigt waren. Er lachte, als er bemerkte, dass er versehentlich auch eine Mayonnaisepackung dort angebracht hatte. Er sammelte die Tütchen ein und reichte sie dem *CIA*-Agenten, der sie in eine Mülltonne warf. Es war ein großer, kräftiger Mann in legerer Kleidung.

»Besser, wir verschwinden jetzt von hier«, erklärte er.

Jimmy erhob sich und marschierte etwas wackelig zu der schwarzen Limousine, die mit geöffneter Hecktür wartete.

Als er auf den Rücksitz sank, fühlte er sich zutiefst erschöpft. Es lag dort ein Handtuch für ihn bereit und er vergrub seinen Kopf darin. Seine Gefühle fuhren Achterbahn. Seine Freunde und seine Familie würden in den Nachrichten von seinem Tod erfahren. Doch seine Feinde hatten seinen Tod live miterlebt, und das war es, was zählte.

Der *CIA*-Mann folgt ihm zum Wagen, wobei er sich kurz bückte, um einen durchweichten Papierfetzen aufzuheben, der aus Jimmys Hosentasche gefallen war.

Der Helikopter wurde vom Wind geschüttelt und schwankte bedrohlich. Der Schnellkurs, in dem der Pilot das Fliegen gelernt hatte, war jetzt nicht mehr viel wert, denn seine Hände hielten eine Maschinenpistole, anstatt die Steuerung zu betätigen. Selbst als Jimmy längst rückwärts ins Wasser gestürzt war, feuerten die Männer im Hubschrauber noch ein paar Sekunden weiter. Schließlich waren ihre Magazine leer und nur noch ihr gemeinsam ausgestoßener Kriegsruf ertönte.

»RACHE!«

Doch kaum hatten sie das Wort ausgestoßen, stürmte ein Team von *NJ7*-Agenten den Hubschrauber. Die beiden Männer wurden aus dem Cockpit gerissen und ihre

Gesichter in den Schmutz gedrückt. Jeder von ihnen spürte das Knie eines *NJ7*-Agenten im Rücken.

»Gesichert!«, schrie einer der Agenten. Das war das verabredete Signal für ihren leitenden Offizier, eines der Schnellboote zu verlassen und an Land zu kommen.

»Nehmt ihnen die Skimasken ab«, befahl Miss Bennett. »Damit wir wissen, was hier vor sich geht.«

Sie hielt sich in sicherem Abstand, aber als sie die Gesichter der beiden Schützen sah, runzelte sie die Stirn und schlang ihren langen schwarzen Mantel enger um sich.

»Quinn und Rick Doren«, verkündete sie. »Ihr spielt hier mit Sachen, die eigentlich für größere Jungs gedacht sind, oder?«

»Er hat unsere Schwester umgebracht«, knurrte Quinn und spuckte Dreck aus. »Wenn *Sie* ihn getötet hätten, dann wäre unsere Rache zu kurz gekommen.«

Miss Bennett überlegte, während sie die jungen Männer auf dem Boden musterte. Schließlich nickte sie den Agenten zu, die daraufhin die beiden aufstehen ließen.

In dem Moment stieg aus Miss Bennetts Boot ein junges Mädchen, das ebenfalls in einen dicken schwarzen Mantel gewickelt war.

»Quinn! Rick!«

Sie weinte, ganz offensichtlich verwirrt durch die Ereignisse, die sich in den letzten Minuten direkt vor ihr abgespielt hatten.

»Eva!«, riefen die beiden jungen Männer und rannten auf ihre Schwester zu, um sie zu begrüßen. Sie erstickten sie beinahe in ihrer Umarmung. Alle drei weinten. Für ein paar Sekunden bildeten sie ein einziges Knäuel.

»Ihr habt Jimmy getötet!«, schluchzte Eva leise.

Die Jungs erwiderten nichts, doch Rick schob ihr einen kleinen Pappstreifen in die Manteltasche.

»Warum habt ihr das getan ...«

Unauffällig zog Eva die Nachricht heraus, wobei sie sich sorgsam hinter ihren Brüdern verbarg. Mit ihren Wollhandschuhen umklammerte sie ein Stück Pappschachtel. Darauf standen eine Menge technische Informationen, die ihr nichts sagten, doch ein großgeschriebenes Wort war nicht zu übersehen: LASER-ÜBUNGSMUNITION.

»Übungsmunition?«, keuchte sie.

Quinn zog sie rasch in seine Arme und brachte sie zum Schweigen.

»Ich bin so froh, dass es dir gut geht«, flüsterte er. »Ich bin so froh, dass es *allen* gut geht.«

Er hielt seine Schwester noch ein paar Sekunden und konnte endlich spüren, wie sie sich in seinen Armen entspannte.

In der Zwischenzeit wandte sich Rick an Miss Bennett. »Sie haben behauptet, unsere Schwester wäre tot!«, bellte er.

»Und siehe da«, erwiderte Miss Bennett ausdruckslos, »sie ist wieder aufgetaucht. Wir haben sie gefunden. Hurra, hurra!«

»Aber wir haben Jimmy nur getötet, weil wir dachten, er hätte unsere Schwester auf dem Gewissen.«

»Ich weiß.« Miss Bennett musterte Rick und Quinn

misstrauisch. »Was für eine unglückliche Wendung der Ereignisse. Aber wenigstens ist das Ergebnis erfreulich. Am Ende habt ihr eurem Land einen großen Dienst erwiesen. Selbst wenn ihr geglaubt habt, es wäre aus rein persönlichen Gründen.«

Rick und Quinn standen nun zu beiden Seiten ihrer Schwester, die sich glücklich an sie lehnte.

»Schau sich das einer an«, sagte die Frau nachdenklich. »Eine wiedervereinte Familie.« Dann fügte sie hinzu: »Eva macht sich sehr gut in meinem Büro, wisst ihr.« Ihr Blick wanderte von Quinn über Eva zu Rick und dann wieder zurück. »Ihr werdet sicher noch ein wenig Training brauchen. Aber wenn ihr alle drei ein Geheimnis vor euren Eltern bewahren wollt, dann können wegen mir schon bald zwei weitere Rekruten aus der Familie Doren beim *NJ7* beginnen.«

Alle drei Geschwister lächelten breit, wenn auch aus anderen Gründen, als Miss Bennett vermutete.

Quinn und Rick schüttelte ihr die Hand, dann führte Eva sie zurück zum Boot.

Währenddessen rief Miss Bennett bereits neue Befehle.

»Holt mir die Taucher!«, schrie sie. »Und bringt mir Karten von der Strömung. Zeigt mir die Stelle, wo sein Körper voraussichtlich angespült wird. Ich möchte, dass die Taucher jeden verdammten Meter dieses Flusses durchkämmen. Bringt mir seine Leiche!«

»Miss Bennett, wir sind hier nicht in London!«, erwiderte Paduk. »Uns fehlen die entsprechenden Einsatzkräfte. Wir können von Glück reden, dass wir noch nicht alle verhaftet worden sind.«

Miss Bennett raufte sich die Haare. »Aber ich brauche eine Bestätigung«, beharrte sie.

»Bestätigung?«, flüsterte Paduk, sodass ihn keiner der umstehenden Soldaten hören konnte. »Wieso brauchen Sie so was? Haben Sie denn nicht gesehen, wie der Körper des armen Jungen vom Maschinengewehrfeuer zerfetzt wurde?«

»Höre ich da etwa einen bedauernden Unterton, Paduk?«

»Es war nicht richtig, was wir heute hier getan haben«, zischte Paduk. »Das war wirklich nicht in Ordnung.«

»Sie haben England geschützt«, schnauzte Miss Bennett ihn an.

Paduk marschierte davon. Er wagte nicht, seiner Vorgesetzten weiter zu widersprechen, doch murmelte er leise vor sich hin: »Ich frage mich langsam, ob England es überhaupt noch wert ist, geschützt zu werden.«

Miss Bennett holte tief Luft. Ihre Stirn war nachdenklich gerunzelt. Sie hatte nicht mit solch enormen Schwierigkeiten gerechnet, als sie die Führung von Englands mächtigstem Geheimdienst übernommen hatte.

Dann marschierte sie zum Ende der Insel, dorthin, wo Jimmy in den Fluss gestürzt war. Sie spähte über das Wasser, blinzelte gegen den Wind an. Er ließ ihre Augen ein wenig tränen und zerzauste ihr Haar. Unter der Wasseroberfläche bewegten sich Schatten. Sie wollte jeden einzelnen genau studieren, aber sobald sie einen davon richtig fixiert hatte, war er auch schon wieder verschwunden.

Währenddessen kommandierte Paduk hinter ihr den Abmarsch der *NJ7*-Einheit.

Nach einer Weile wandte sich Miss Bennett vom Wasser und dem Wind ab und ging zurück zu der Ruine. Ihre Augen tränten immer noch.

KAPITEL 31

Auf dem Union Square herrschte reger Betrieb. In der Mitte des Platzes, beim Eingang zur U-Bahnstation, standen einige Buden. Dort konnte man landwirtschaftliche Produkte wie Käse, Brot, Marmelade kaufen, aber auch Modeschmuck und Haushaltswaren. Es war der Union-Square-Market, und viele Menschen blieben stehen, um das Angebot der Stände zu studieren.

Einer dieser Passanten war Oberst Keays. Er schien sich unwohl zu fühlen in seiner Jeans und der abgewetzten Lederjacke. Keine zwei Meter hinter ihm stand einer seiner Agenten, auch er unauffällig gekleidet.

Tatsächlich befanden sich überall auf dem Platz und den Dächern der umgebenden Gebäude *CIA*-Agenten, die ständig miteinander kommunizierten. Niemand hätte sie bemerkt, selbst wer in unmittelbarer Nähe gestanden hätte.

Darüber hinaus war an diesem Morgen der Platz auch von zahlreichen *NJ7*-Agenten bevölkert. Auch sie wirkten vollkommen unauffällig. Sie taten so, als würden sie einkaufen, zur Arbeit eilen oder sich mit Freunden auf einen Kaffee treffen.

Miss Bennett entdeckte Oberst Keays sofort und marschierte direkt auf den Stand zu, an dem dieser sich gebrauchte Uhren betrachtete.

»Ich verlange eine Erklärung von Ihnen, Keays«, raunzte sie ihn an.

»Und ich von Ihnen, Miss Bennett.«

Sie blickten einander nicht direkt in die Augen. Ein zufällig vorbeikommender Passant wäre nicht einmal auf die Idee gekommen, dass sie sich überhaupt unterhielten.

»Nun, dann beginnen Sie«, befahl Miss Bennett. »Was hatten Quinn und Rick Doren in einem US-Militärhubschrauber zu suchen, bewaffnet mit amerikanischen Maschinenpistolen?«

Die beiden bewegten sich jetzt zwischen den Ständen hindurch, bahnten sich einen Weg durch die Menge.

»Woher soll ich das wissen?«, seufzte Keays. »Unsere Armee scheint ihre Ausrüstungsgegenstände überall in der Welt zu verlieren. Sie könnten sich dieses Zeug vermutlich sogar auf eBay besorgen. Wir werden natürlich eine Untersuchung einleiten, doch sie wird höchstwahrscheinlich ohne Ergebnis bleiben.«

»Versuchen Sie nicht, mich damit abzuspeisen ...«, begann Miss Bennett, aber der Oberst unterbrach sie schroff.

»Und Sie sollten Ihren Status in diesem Land nicht vergessen. Ich werde es nicht zulassen, dass mich die Geheimdienstchefin irgendeiner unbedeutenden Diktatur herumkommandiert wie einen ihrer Untergebenen. Vergessen Sie das nicht, wenn Sie mit mir sprechen, Miss

Bennett. Dann werden unsere Beziehungen auch in Zukunft freundschaftlich bleiben.«

Er blickte kurz auf und grinste Miss Bennett breit an.

»Ich habe für Ihren *Reflex*-Plan eine Menge Schwierigkeiten in Kauf genommen«, fuhr der Mann fort. »Wir haben dafür gesorgt, dass Sie geheime Signale über unsere Mobilfunkmasten übertragen können, unter dem Vorwand einer gemeinsamen Operation.«

»Es war tatsächlich eine gemeinsame Operation«, beharrte Miss Bennett. »Wir wollten den Tod des Präsidenten und gingen davon aus, dass Sie das ebenfalls wollten.«

Sie blickten sich misstrauisch um und gingen dann zu einem weiteren Stand.

»Natürlich will ich das«, flüsterte Keays.

»Also, was ist schiefgegangen?«

»Ich sage Ihnen, was unser Problem war. *Sie.*« Keays konnte sich kaum noch beherrschen. »Von meiner Seite aus lief die Operation perfekt: *Ich* habe Jimmy den Plan des Gebäudes gezeigt. *Ich* habe ihm einen Sicherheitsausweis ausgestellt. *Ich* habe drei ganze Polizeidivisionen abgelenkt, sodass nur mein handverlesenes Team an Ort und Stelle und der Präsident ungeschützt war. *Ich* habe die Sicherheitskräfte von den Dächern abgezogen, damit der Killer unbemerkt flüchten konnte. Es war perfekt. Leider hat der Killer seine Aufgabe nicht erledigt. Wo war die Unterstützung des *NJ7*?«

»Die Franzosen hatten einen Agenten vor Ort, der den Premierminister eliminieren sollte«, erklärte Miss Bennett. »Das konnten wir nicht vorhersehen. Der Schutz des Premierministers war unsere oberste Priorität.«

»Und doch ist dieser mysteriöse französische Agent spurlos verschwunden. Und dann finde ich zu allem Überfluss heraus, dass Sie ein neues Signal gesendet und dabei immer noch *unsere* Masten genutzt haben. Und mir haben Sie das verschwiegen? Was sollte das?«

»Aber es hat doch funktioniert, oder? Jimmy Coates ist tot.«

»Aber einige der unseren wollten gar nicht, dass Jimmy Coates stirbt«, knurrte Keays.

»Ach, wirklich? Und was wollten Sie nach dem Anschlag mit ihm tun, falls er überlebt? Sollte er dafür sorgen, dass Sie ins Weiße Haus einziehen können?«

Keays richtete sich zu seiner vollen Größe auf und zum ersten Mal starrten die beiden einander offen an.

»Wenn Jimmy noch am Leben wäre«, fauchte der Oberst, »würde ich vermutlich genau das tun.« In seinen Augen glitzerte es. Und gegen seinen Willen hätte er beinahe gegrinst. Doch dann drehte er Miss Bennett rasch den Rücken zu und tat so, als würde er die Käsesorten des Standes nebenan inspizieren.

»Alphonsus Grogan ist ein von Geldgier besessener Blödmann«, brummte er. »Er glaubt, dieses Land ist sein Privatunternehmen und keine große Nation. Seine Ratgeber sind die Chefs der großen Unternehmen. Und die meisten von ihnen sind auch noch seine Onkel, Tanten oder Cousins. Sein einziges Credo ist: *Wie viel Geld kann ich heute scheffeln?* Er verramscht Amerika an den Meistbietenden.«

Keays blickte rasch über die Schulter, um sicherzustellen, dass nicht einmal seine eigenen Agenten ihn gehört hatten.

Miss Bennett beugte sich lauschend zu ihm hinüber. Der Geruch des Käses war atemberaubend, ebenso wie die Worte des Oberst.

»Ich werde dem Ausverkauf der USA nicht tatenlos zusehen. Grogan muss verschwinden. Dann kann ich den Ausnahmezustand ausrufen und dieses Land effektiv führen.«

Miss Bennett nickte verständnisvoll. »Ich freue mich darauf, die altmodische Demokratie in den Vereinigten Staaten untergehen zu sehen«, verkündete sie mit einem Lächeln.

»Ha! Die altmodische Demokratie ist schon lange untergegangen, wenn sie überhaupt je existiert hat. Den Menschen hier wird gestattet, ab und an wählen zu gehen, aber nur, um ihnen ein Gefühl der Freiheit zu vermitteln. In Wahrheit hat man hier keine echte Stimme, es sei denn man ist reich. In Amerika haben nur die mit Geld wirklich Macht.«

»Und in England haben nur die mit Macht wirklich Geld. Ich nehme an, das ist der Unterschied zwischen unseren Ländern.« Miss Bennett lächelte, dann fragte sie: »Können wir auf Ihre Unterstützung rechnen, falls England und Frankreich ...«

»Bis ich selbst im Weißen Haus sitze, ist das Grogans

Sache. Und er wird in Übereinstimmung mit seinen Geschäftsinteressen handeln. Das könnte entweder bedeuten, dass er Frankreich unterstützt, um England für seine Handelssperre zu bestrafen. Oder es könnte bedeuten, dass er England unterstützt, um sie zu erpressen, an jeder Ecke wieder einen *Starbucks* zu genehmigen.« Er zögerte und fügte schließlich hinzu: »Viel Glück, Miss Bennett.«

Sie blickten einander an und nickten sich kaum merklich zu, bevor Miss Bennett davonschlenderte und in der Menge untertauchte.

In diesem Moment kam der Assistent von Oberst Keays hinzu und reichte ihm ein Handy. Keays starrte auf das Display. Seine Zukunft war ein grüner Punkt, der sich rasch über eine schematische Straßenkarte von New York bewegte, direkt auf eine geheime Militärbasis in New Jersey zu. Der Anblick ließ ihn grinsen, dann schob er das Smartphone in seine Tasche.

Jimmy war sicher, dass man ihnen folgte. Aber unter diesen Umständen erschien das eher beruhigend. Er stand jetzt unter dem Schutz einer machtvollen Organisation, und seine derzeitigen Verfolger waren ausschließlich zu seinem Schutz abkommandiert.

Ihr Wagen schoss mit hoher Geschwindigkeit aus der Stadt. Der Fahrer hatte ihn informiert, dass ein Privatflugzeug darauf wartete, ihn an einen mehrere Tausend Kilometer entfernten, sicheren Ort zu bringen.

Es war eine ungeheure Erleichterung, endlich diese

Visionen los zu sein. Sie hatten sein ganzes Denken und Handeln bestimmt, und jetzt gehörten sie endlich der Vergangenheit an. Allerdings waren sie von großen Sorgen abgelöst worden. Jimmy wusste immer noch nicht, was mit seiner Mutter geschehen war. Und bis er Nachricht von Oberst Keays hatte, konnte er sich nicht sicher sein, ob die anderen bereits mit neuen Identitäten an einem sicheren Ort waren.

Jimmys Zukunft sah jetzt wesentlich freundlicher aus. Obwohl er sein Ziel nicht kannte und nicht wusste, wen er dort treffen würde, hatte er endlich die Chance auf ein eigenes Leben. Sein einziger Kampf richtete sich nun gegen die Zeit und die sich in ihm entwickelnden Kräfte. Trotzdem fragte er sich, ob er die richtige Entscheidung getroffen hatte. Zwar würde der *NJ7* nun nicht mehr nach ihm suchen, aber wie konnte er glücklich sein, wenn er nicht wusste, ob er jemals seine Mutter, seine Schwester oder seine Freunde wiedersehen würde.

Er schniefte und tat dann rasch so, als hätte das Bad im eiskalten Fluss seine Nase zum Laufen gebracht. Jimmy wollte nicht, dass der Fahrer mitbekam, dass er mühsam die Tränen zurückhielt. Er bedeckte seine Augen mit einer Hand. Was musste noch geschehen, damit er zu einem ganz normalen Leben mit Georgie, seiner Mutter und Felix zurückkehren konnte. Im Grunde gab es nur eine wirkliche Lösung: Wenn die neodemokratische britische Regierung gestürzt und der *NJ7* entmachtet würde.

Diese Idee ließ Jimmy auflachen. Aber dann, nach einer

weiteren Minute, begann er ernsthaft darüber nachzu-
grübeln. *Es wäre möglich*, dachte er. Und wenn er wirklich Rache an seinem Exvater üben wollte, wäre es
vermutlich am besten, England wieder in eine echte
Demokratie zurückzuverwandeln, mit Ian Coates als
einem ganz normalen, einfachen Bürger.

Jimmy starrte aus dem Fenster und sah die fremde
Landschaft vorbeifliegen – große Industrieanlagen und
gelegentlich ein paar Frühlingsblumen, die sich durch die
Ritzen im Asphalt zwängten.

Er konnte eine neue Energie in sich spüren. Es war
nicht seine Konditionierung, und es war auch nicht irgendeine Vision, die ihm aufgezwungen wurde. Es war
seine eigene tiefe Entschlossenheit. Er spannte die Kiefermuskeln und stellte sich vor, wie er mit Georgie und
Felix im Büro des Premierministers eine neue Regierung zusammenstellte. Es war so unvorstellbar, dass er
erneut lachen musste. Doch da war trotzdem irgendetwas tief in ihm, das die Vorstellung gar nicht *so* absurd
fand.

Plötzlich wurde er in seinen Gedanken unterbrochen.

»Ach, übrigens, Jimmy«, rief der Fahrer. »Das ist aus
deiner Tasche gefallen.«

Der Mann hielt mit der einen Hand das Steuer und in
seiner anderen ein feuchtes Stück Papierserviette.

»Nein!«, rief Jimmy. »Lesen Sie das nicht!«

Aber es war bereits zu spät.

Der Agent drehte das Zettelchen in seiner Hand und
versuchte das Gekritzel darauf zu lesen. Er wandte sich

kurz um, als Jimmy protestierte, dann sah er wieder konzentriert auf die Straße.

»Tut mir leid, Jimmy«, sagte er lächelnd. »Aber es ist ohnehin kaum zu entziffern …« Er hielt die Serviette hoch, um sie Jimmy zu zeigen. Doch dieser blickte rasch beiseite. »Vermutlich hat das Wasser die Tinte verlaufen lassen.«

Er warf das Papier auf den Beifahrersitz, studierte es aber während des Fahrens weiter. Die verblasste rote Schrift machte ihn neugierig.

Steht da wirklich dieser Name?, dachte er. *War das nicht früher mal der Premierminister von England?* Er zuckte mit den Achseln, dann murmelte er: »Egal, es ist sowieso fast unleserlich.«

Jimmy ließ sich in seinen Sitz zurückfallen und atmete erleichtert auf.

»Spielt keine Rolle«, flüsterte er mit einem zuversichtlichen Lächeln. *Spielt es auch wirklich nicht*, dachte er bei sich selbst. *Wer auch immer es ist, ich werde nicht wie er sein. Ich werde ich selbst sein.*

JOE CRAIG

AGENT IN GEHEIMER MISSION

– VORAB-LESEPROBE –

KAPITEL 1

PENG! Es gab einen lauten Schlag und das Flugzeug wurde gründlich durchgerüttelt. Jimmy schleuderte es auf seinem Sitz zur Seite und sein Kopf krachte gegen die Seitenwand des Cockpits. Ohne Helm hätte er sofort das Bewusstsein verloren.

Er hörte die beiden Agenten in seinem Kopfhörer schreien, aber er verstand nicht, was sie sagten. Das ganze Flugzeug vibrierte massiv. Sein Magen krampfte sich zusammen und er stieß unwillkürlich ein Stöhnen aus. Sein Kopf dröhnte noch immer von dem Aufprall.

Dann hörte er die ersten deutlichen Worte.

»Dort ist es!«, schrie der Pilot. Seine Stimme wirkte erschrocken.

Jimmy lehnte sich in seinem Gurt nach vorne, um zu sehen, was der Mann meinte.

»Es ist auf dem Radar!«, sagte Froy drängend, beugte sich zu Jimmy rüber und packte ihn an der Schulter. »Auf deinem Display!«

Jimmy blickte auf den Bildschirm vor sich. Dort sah er die grünen Umrisse der Küste unter ihnen. Der ganze Bildschirm war kreuz und quer von dünnen blauen und roten Linien überzogen, doch er bemerkte nichts, das für die gewaltigen Erschütterungen des Flugzeuges hätte sorgen können.

»Es ist wie aus dem Nichts aufgetaucht«, schrie der Pilot. »Nächstes Mal werden sie uns nicht verfehlen.«

Und dann entdeckte Jimmy, was der Mann meinte – zuerst den schwarzen Balken, der für das Flugzeug stand, in dem er saß. Und dann keine zwei Zentimeter davon entfernt einen blinkenden roten Punkt. Das konnte nichts anderes bedeuten, als dass sie in massiven Schwierigkeiten steckten.

»Sie haben mich gefunden«, keuchte Jimmy. »Wie haben sie das geschafft?«

»Festhalten!«, rief der Pilot.

Eine Sekunde lang hatte Jimmy das Gefühl, als wäre das Flugzeug unter ihnen weggesackt. Der Pilot war in den Sturzflug gegangen und hatte dann die Maschine sofort wieder hochgerissen. Die massive Umkehrung der Fliehkräfte presste Jimmy tief in seinen Sitz. Und der Blutandrang in seinem Kopf gab ihm das Gefühl, als würde gleich sein Schädel platzen.

»Keine Ahnung, wie sie uns aufgespürt haben«, schrie Froy und spähte hinter sich. »Tut mir leid, Jimmy.«

Auch Jimmy schaute nach hinten. Bei den intensiven Vibrationen und der eingeschränkten Sicht war das andere Flugzeug nur für den Bruchteil einer Sekunde erkennbar. Doch das reichte. Es folgte ihnen, es war schnell und es konnte sich nur um den NJ7 handeln.

Ihr Flugzeug donnerte weiter, nun wieder oben über den Wolken. Die Vibrationen ließen etwas nach, und der

Pilot ergriff alle erdenklichen Maßnahmen, um den Kurs zu stabilisieren.

Instinktiv wusste Jimmy, dass als Nächstes der Hochenergielaser zum Einsatz kommen würde, der den Suchkopf einer infrarotgesteuerten Rakete blenden konnte, dann der Ausstoß von Täuschkörpern, um die auf massive Objekte ausgerichteten Raketen abzulenken.

Jimmy schloss die Augen und suchte nach seiner inneren Kraft. Er *musste* seine Angst ausschalten. Er forderte den genetisch optimierten Agenten in sich auf zu übernehmen. Irgendwo in ihm gab es genug Stärke, Entschlossenheit und Expertenwissen, um auch diese Krise zu überleben.

Und endlich fühlte er einen heißen Wirbel in seiner Schlagader emporsteigen. Die Energiewelle schoss nach oben, durchströmte sein Gehirn und aktivierte jeden einzelnen Muskel. Sein Atem verlangsamte sich. Die Panik in seiner Brust zog sich zu einem kleinen, harmlosen Ball zusammen.

»Können wir das Feuer erwidern?«, rief Jimmy.

Er wartete nicht auf die Antwort des Piloten. Seine Stimme ertönte tief und ruhig: »Schauen Sie auf Ihr Display«, befahl Jimmy und drückte einige Knöpfe.

Neben den Flugzeugumrissen auf dem Display tauchten schematische Darstellungen von Raketen auf. »*Raytheon HARM*, High-Speed-Anti-Radiation-Missile, *AGM-99*«, verkündete Jimmy, stolz auf seine Entschlusskraft. »Dies ist ein mit elektronischen Abwehrmaßnahmen ausgestattetes Flugzeug, kein Kampfflugzeug.

Unsere Projektile können Anti-Radar-Artilleriesysteme und Boden-Luft-Raketen unschädlich machen. Aber wir haben keine Waffen, um ein anderes Flugzeug anzugreifen.«

Erneut wurde das Flugzeug erschüttert und die Geräusche im Cockpit wurden ohrenbetäubend.

»Wir verlieren die Kontrolle!«, schrie der Pilot.

Die Metallverstrebungen, die die Kabine zusammenhielten, knirschten laut und waren kurz vor dem Bersten.

KRACH!

Es fühlte sich an, als wäre das Flugzeug von einem gigantischen Vorschlaghammer getroffen worden. Jimmy wurde zur Seite geschleudert und sein Helm donnerte erneut gegen die Cockpitwand.

Ihr Flugzeug schmierte ab und stürzte trudelnd in die Tiefe.

Weiter geht es mit Jimmy Coates'
viertem Abenteuer:
J. C. – Agent in geheimer Mission

© privat

Joe Craig, geboren 1981 in London, arbeitete als erfolgreicher Songwriter, bevor er seine Leidenschaft für das Schreiben von Jugendbüchern entdeckte. Mit »J. C. – Agent im Fadenkreuz« schaffte er den internationalen Durchbruch. Wenn er nicht schreibt, liest er an Schulen, spielt Klavier, erfindet Snacks, spielt Snooker, trainiert Kampfsport oder seine Haustiere. Er lebt mit seiner Frau, Hund und Zwergkrokodil in London.

Von Joe Craig bereits erschienen:

J. C. – Agent im Fadenkreuz (Band 1; 17393)
J. C. – Agent auf der Flucht (Band 2; 17461)
J. C. – Agent in geheimer Mission (Band 4; 16507)
J. C. – Agent unter Beschuss (Band 5; 16521)
J. C. – Agent zwischen den Fronten (Band 6; 16544)
J. C. – Agent gegen den Rest der Welt (Band 7; 16551)

Mehr zu cbj auf Instagram unter @hey_reader